出口治明

# 自分の頭で考える日本の論点

GS
幻冬舎新書
603

# はじめに

現代人は、さまざまな問題がからみあう複雑な社会で暮らしています。よりよい社会を築くためには、次々と浮上する課題を解決していかなければなりません。しかし、多くの問題は、多数の利害関係者の間で、また専門家の間でも意見が分かれ、なかなか一致点を見出せません。

マスメディアやSNSなどで飛び交う議論を見ていると、いったい何が正しいのか、考えれば考えるほどわからなくなる人も多いことでしょう。人はどうしても、声の大きい人の意見や、挑発的な意見、面白い意見、感情に訴えるわかりやすい意見などに飛びつきがちです。

そういった意見に引きずられず、正しい判断をくだせるようになるには、どうしたらいいのでしょうか。

物事を考えるとき、僕がいつも大切にしているのは、「タテ・ヨコ・算数」の3つです。

タテ、すなわち昔の歴史を知り、ヨコ、すなわち世界がどうなっているかを知り、それを算数すなわち数字・ファクト（事実）・ロジック（論理）で裏づけていく。そうすることで、メディアやSNSを追いかけているだけではわからないことが見えてきます。日頃からそのような訓練を積み重ねることが、想定外のことが起きたときに生き残る力につながります。

たとえば1年前には、新型コロナウイルス感染症によるパンデミックが起きて、世界中が大混乱に陥ると想像した人は誰もいませんでした。そして起きた事態が深刻なときほど、デマや暴論も大量に発生します。今回のパンデミックでもまさに、「インフォデミック」（主にネット上で噂やデマも含めた大量の情報が氾濫し、現実社会に影響を及ぼす現象）と呼ばれる事態になりました。

そのようなときこそ冷静になり、あふれかえる議論の中で、何が真っ当なのかを見分けて判断することが必要になります。「タテ・ヨコ・算数」で考えて、コロナ禍をめぐって起きたさまざまな問題への理解が深まれば、人間はコロナ禍という不幸な経験を通じて賢くなることができます。

もちろん、正解が1つとはかぎらない問題もたくさんあります。また、時間軸を変えるだけで、短期的には正しい政策が中長期的には間違っていたりすることもよくあるのです。

そのような場合でも、腹落ちするまで自分の頭で考え、自分なりの答えを選んでいくことで、人生は悔いのない、より楽しいものになります。そして、そのようなひとりひとりの営みの集積が、社会全体をよい方向に動かしていきます。

　本書では、いまの日本や世界が直面している問題のなかから、人々の間で意見が分かれている「論点」を22個選び、問題の背景やどのような意見があるかなど、基礎知識的なことを解説したうえで、僕自身はどう考えるのかというジャッジを述べています。

　ジャッジのなかには、世界標準で考えてこれが正解だと思うものもあれば、僕なりの価値観や人生観に基づいた主観的なものもあります。これは、いってみれば僕の「ファクトフルネス」です。

　読者の皆さんには、僕の考えに縛られるのではなく、僕がどのようにしてその答えに至ったのかという思考のプロセスをまず共有していただきたい。そのうえで、僕のジャッジに納得するかしないか、しないとすれば、自分はどう考えるのか。読みながら一緒に考え、ぜひ、皆さんなりのジャッジを導き出してほしいと思います。

　本書を通して、皆さんが、物事を深く多面的に捉えて、自分の頭で、自分の言葉で考えて答えを出す力を身につけるお役に立てれば、こんなに嬉しいことはありません。

　本書は、２０１８年に幻冬舎で開催した「出口塾・自分の頭で考える日本の論点」という連続講座での講義をもとに加筆したものです。このような形で出版されることになったのは、幻冬舎の小木田順子さんとライターの藤田哲生さんのおかげです。小木田さん、藤田さん、本当にありがとうございました。

皆さんの忌憚(きたん)のないご意見をお待ちしています。

宛先：hal.deguchi.d@gmail.com

2020年11月

立命館アジア太平洋大学（APU）学長　出口治明

自分の頭で考える日本の論点／目次

［付録］自分の頭で考えるための10のヒント 397

編集協力　株式会社弘旬館（「基礎知識」執筆）
藤田哲生（「自分の頭で考える」構成）

ＤＴＰ・図版　有限会社美創

＊本文中のデータは、明記がないものは主に、公表されている官公庁の統計・白書、ＯＥＣＤ・ＩＭＦの統計に拠ります。

［論点1］

# 日本の新型コロナウイルス対応は適切だったか

基礎知識

## 感染拡大の経緯

2019年12月末、中国の湖北省武漢市で原因不明の肺炎が発生。20年1月には、新型のコロナウイルスによるものであることが判明した。

1～2月の中国に続いて、3～4月には、イタリアやスペイン、アメリカで感染爆発が起き、その後、感染爆発地域は、インド、中東、アフリカ、南米へと拡大していった。

2020年11月1日時点で、全世界での感染者数は約4610万人、死者は約120万人に達している（ジョンズ・ホプキンズ大学）。日本での感染者数は約10万1000人、死者は1766人に上る（厚生労働省）。

日本で最初の患者が確認されたのは1月16日、武漢から帰国した男性だった。2月4日には、香港を経由して横浜に入った大型クルーズ船ダイヤモンド・プリンセス号の乗客乗員10人の感染が確認され、4000人近い人々が下船できない事態となった。

政府は2月1日付で新型コロナを感染症法に定める指定感染症に指定。これにより、感染者の届け出が義務づけられ、患者に対しては入院などの隔離措置がとられることになった。

2月下旬、政府はイベント等の自粛と小中高校の春休み明けまでの一斉休校を要請。3月下旬から は急カーブで感染者が増加し、4月7日、東京都など7都府県に緊急事態宣言発令、16日には全国に拡大された。全国で宣言が解除されたのは5月25日だった。

6月には1日の感染者が50人を下回る日も続いたが、7月に入って再び増加、7月末から8月上旬にかけては1000人を上回る日が続き、感染者の数で見れば、緊急事態宣言時を上回る感染拡大の状況となった。

その後、感染者は減少傾向に転じたが、冬を迎えて、インフルエンザとの同時流行・感染再拡大が危惧されている。

## 新型コロナウイルス感染症とはどんな病気か

ＷＨＯは2月、このウイルスの正式名称を「SARS-CoV-2」、これによって引き起こされる感染症を「COVID-19」（19は２０１９年の意）と定めた。

数十種類あるコロナウイルスのうち、人に感染するものは、これまで４種類が知られている。ふつうの風邪の原因となるコロナウイルスのほか、２００２〜２００３年の重症急性呼吸器症候群（ＳＡＲＳ）、２０１２年の中東呼吸器症候群（ＭＥＲＳ）も、コロナウイルスによるものだ。今回の新型コロナウイルスは、コウモリに由来する可能性が高いと見られている。

潜伏期間には1日から2週間程度と幅があるが、感染から４〜５日で発症することが多い。初期症状は風邪やインフルエンザに似ているが、感染しても無症状の人が３〜４割はいると推定されている。

高齢者のほか、糖尿病・高血圧・がんなど持病のある人は重症化しやすく、致死率が高い。

発症前から人に感染させることがあるのが新型コロナウイルスの特徴で、発症の2日前から発症後5日ぐらいが、人にうつしやすい時期であることが明らかになっている。

（以上、この項の記述は、感染症専門医・忽那（くつな）賢志（さとし）氏の「Ｙａｈｏｏ！ニュース個人」の記事に拠る）

## 感染者・死者ともに少ない日本

日本の感染者数・死者数は、世界的に見て低い値で推移している。

感染者が少ない大きな理由としてしばしば挙げられるのが、ＰＣＲ検査実施数の少なさだ。アメリカのウェブサイト「ワールドメーター」によれば、日本の人口あたりでのＰＣＲ検査実施数は、２１５の国・地域のなかで１５８位、ＯＥＣＤ加盟国のなかでも際立って少ない（２０２０年７月末現在）。

流行が始まった当初は、ＰＣＲ検査の体制が整っていなかったのと、医療崩壊を恐れてあえて増やそうとしなかったという両面の事情があった。その後、政府の検査数拡大方針を受けて状況はかなり改善したが、地方ではまだ検査能力が足りないところが多い。

検査数が少ないことについては、「感染実態を正確に把握できていない」「検査が遅れることで治療が遅れる」「経済回復のブレーキになっている」等の批判がある。

ただ、日本の人口１００万人あたりの死者数は10月20日現在で13人と、最多のペルー１０２６人や、アメリカの６６５人、世界平均１４４人と比べても際立って少ない（札幌医科大学医学部附属フロンティア医学研究所ゲノム医科学部門　Ｐ36図表1）。死者数を見るかぎりでは、ＰＣＲ検査の少なさは、致命的な被害拡大にはつながっていないといえる。

日本での死者が少ないことについては、「ふだんからマスクをする習慣がある」「ハグや握手をしない」「屋内で靴を脱ぐ」「同調圧力が強い」といった生活習慣や国民性が原因だとする説、あるいはBCG接種が原因だとする説があるが、どれも明確な根拠はない。

韓国や中国、台湾の死者が日本以上に少ないことを考えると、アジア人特有の遺伝子に原因がある可能性は高く、今後の研究による解明が待たれる。

## 強制力を伴わない緊急事態宣言

今回のコロナ禍では、政府の対応の是非をめぐって議論が起きたほか、日本社会全体でも多くの問題が浮き彫りになった。

その1つとして、緊急事態宣言のあり方が挙げられる。日本の宣言は新型インフルエンザ等対策特別措置法（2012年施行、20年3月改正）を根拠とし、外出自粛や飲食店などの休業を要請するだけで、違反者への罰則はない。

これに対し、憲法に緊急事態条項を設けているイタリアではこれを適用し、人の移動の制限や生産活動の停止を宣言、違反者への罰金は最大3000ユーロ（約35万円）。イギリス・フランスも、それぞれ根拠法が違うものの、いずれも罰則がある。アメリカは州によって異なり、ニューヨーク州では州知事令で在宅勤務を義務づけ、違反企業には最大1万ドルの罰金が科された。

強制力を伴わない日本の緊急事態宣言を批判する声は国の内外にあった。しかし、罰則を設けるなど強制力を担保するためには、休業を強いられる事業者への補償が必要になってくる。現行法では、休業要請は都道府県知事が行うことになっているが、休業補償を自前で行えるだけの財政的な余裕は、どの自治体にもない。国は罰則と休業補償を定める特措法改正を検討する予定で、菅政権下での重要課題の1つとなるだろう。

## 浮き彫りになった多くの問題

このほか、コロナ禍をめぐる経済以外の主だった問題点として以下のようなものが挙げられる。

〈医療体制の不備〉

4月上旬の感染拡大時には、病床が満杯になり入院が必要な患者を受け入れられない、人工呼吸器・人工心肺装置・医療従事者のためのマスクや防護服が足りないという、医療崩壊の危機が叫ばれた。また、新型コロナ患者を受け入れた病院でもそうでない病院でも、コロナ以外の患者の来院・入院・手術が減ったことによる経営悪化が深刻化した。

感染症対策予算が減らされてきたこと、一連の行政改革により保健所の数・職員が減らされてきたことも事態を深刻にした大きな原因と指摘されている。

〈行政IT化の遅れ〉

今回のコロナ禍においては、緊急事態宣言による休業を要請された事業者に対する雇用調整助成金、持続化給付金、1人一律10万円の特別定額給付金などが支援策として打ち出された。しかし申請の仕方が複雑で、金額の多寡以上に、支給のスピードの遅さに非難が集まった。この「目詰まり」の最大の原因は、行政のIT化、デジタル化の遅れだと指摘されている。

同じことは医療現場でも起きていた。感染者を確認した医療機関が保健所に届け出る「発生届」は、もっぱら手書きのファックスで行われており、現場の負荷を増し、感染状況を速やかにかつ正確に把握するための妨げとなった。このような状況を受けて、5月末には新システムが稼働したが、現場の医療機関から国までがつながる統一システムになっていないため、迅速なデータ収集と分析を行うという目的は果たされていない。

〈学校の対応〉

今回のコロナ禍で政府がいちはやく打ち出した対策が、小中高校に対する全国一律の休校要請だった。しかし、子どもは感染率・致死率が共に低い。そのことを考えれば、休校措置には、授業の遅れや子どもへのストレス、仕事を持つ親の負担、虐待増加などのデメリットを上回るだけのメリットがあったのか。今後の検証が必要だろう。

また、休校の長期化に伴って、9月入学への切り替えも話題になった。文部科学省が提案したのは、①1年で移行(最初の年に17カ月分の子どもが入学)、②5年で移行(毎年少しずつ入学者を増やす)の2案だった。9月入学は国際化の流れに合致しているという意見もあったが、日本教育学会などの反対は根強く、早期導入は見送られた。

〈専門家の役割〉

新型コロナの感染が拡大しはじめた2月14日、医学的見地から政府に対して助言を行うために、感染症の専門家や公衆衛生の医師らからなる専門家会議が設置された。

「3密対策」「接触8割削減」「新しい生活様式」などは、いずれも専門家会議から出されたメッセージだ。だが、専門家会議の設置については法的根拠がなく、発信された内容の責任が政府と専門家のどちらにあるのかは、終始曖昧だった。外出自粛のような経済生活にダメージを与える提言について、政府が自らの政治判断を避け、専門家に責任転嫁したという批判もある。

6月に専門家会議は廃止され、新たに特措法に基づく「新型コロナウイルス感染症対策分科会」が設置された。

大きな事故や自然災害が起きたときの専門家の役割、一般の人々にリスクをわかりやすく正確に伝えるリスクコミュニケーションのあり方は、福島第一原発事故の際も問題となったが、今回も重要な課題として残された。

〈コロナ差別と「自粛警察」〉

感染者や、感染者を出した宗教や民族集団を差別する「コロナ差別」は世界中で起きている。

日本でも、感染者やその家族が、職場や学校で差別・いじめに遭ったり、ネットの書き込みや貼り紙などで誹謗中傷されたりするケースが後を絶たない。コロナ患者を受け入れる病院の医療従事者の子どもが、登校を控えるように求められたり、保育園での預かりを断られたりするケースも相次いだ。学生の集団感染が発生してクラスターとなった大学では、抗議の電話が殺到したほか、関係のない学生も、アルバイトや教育実習を断られるなどの差別を受けた。

休業要請に応じず営業を続けている商店を警察や自治体に通報する、街中でマスクをしていない人を非難する、他府県ナンバーの車に嫌がらせをするなどの、私的な取り締まりや攻撃を指す「自粛警察」という言葉も生まれた。

5月25日、緊急事態宣言の全面解除に際し、安倍首相は、日本が強制力を伴わない対策によって感染を封じ込めたことを、「日本モデルの力を示した」と述べた。しかしこの「日本モデル」とは、日本において、いかに皆が同じ行動をとることを要求する「同調圧力」が強いかの表れだったともいえるだろう。

## 経済はいつ回復するのか

新型コロナウイルスの世界的な感染拡大は、同時に世界経済の危機でもある。

国際通貨基金（IMF）は、2020年9月に発表された「世界経済見通し」で、2020年の世界経済の成長率は前年比マイナス4・4％、「大恐慌以来、最悪の景気後退」としている。

日本も、2020年4〜6月期の国内総生産（GDP）速報値は、年率換算で28・1％マイナスと、リーマン・ショック後を超え、戦後最大の落ち込みとなった。

　9月に発表された7月の景気動向指数に基づく景気判断は12カ月連続で「悪化」となり、「悪化」期間は、リーマン・ショック前後の11カ月を超えて過去最長となった。

　リーマン・ショックの際の落ち込みは、主に外需の低迷と金融業の不振によるものだったが、今回のコロナ不況では、外需だけでなく内需（個人消費と設備投資）も落ち込んで総崩れとなった。

　政府は新型コロナ対策のため、25・7兆円の一次補正、31・9兆円の二次補正と、2度にわたって補正予算を組んだ。特別定額給付金をはじめ、雇用調整助成金、持続化給付金、地方創生臨時交付金、企業の資金繰り支援などの施策を打ち出している。

　日本銀行の黒田総裁は、7月15日の記者会見で、消費の減少が下げ止まり、いちはやく経済活動を再開した中国向け輸出の回復が顕著なことから、「全体としての日本経済は底を打って回復しつつある」と述べた。

　だが、新型コロナウイルス関連の倒産は9月に入ってから増加し、飲食やアパレルを中心に600件に迫る勢いだ（東京商工リサーチ調べ）。解雇や雇い止めにあった人も7万人を超えている（11月9日厚生労働省発表）。9月の有効求人倍率は1・03倍と6年9カ月ぶりの低水準となり、生活に苦しむ人は増加の一途をたどっている。

　9月下旬から欧米各国では再び感染が急拡大し、世界経済は回復ペースの鈍化が予想される。日本も7~9月期のGDP速報値は大幅なプラスが予想されるが、新型コロナによる落ち込みを取り戻すには至らないと見られている。今後の経済回復は、あくまでも「緊急事態宣言が必要になるような感染拡大の大波が来ない」ことが前提だ。

また、2020年の東京五輪で年間5兆円規模になると見込まれていたインバウンド需要は蒸発。ワクチンや治療薬がいきわたり、海外からの入国が自由になるまでは、インバウンド需要の回復は見込めない。とくにインバウンドを牽引役としてきた地方経済がコロナ不況を脱するまでには、長い時間がかかると予想される。

**自分の頭で考える**

## 誰にも「正解」がわからない問題

新型コロナウイルスは、過去に存在しなかった新しい感染症です。もちろん歴史を振り返れば、人類はペストやスペイン風邪などさまざまな感染症を経験してきました。しかし新しいウイルスがどのような性質を持っているのかは誰にもわからないので、過去の経験がそのまま役に立つわけではありません。どう対応するのが正解なのか、誰も完璧な答えは持っていません。

そのため、各国の対応もさまざまでした。その中で、日本の取った対策は果たして正しかったのか。「正解」が誰にもわからないので、これには100点満点もなければ0点もありません。

それでも、あえて「合格点か不合格点か」と問われるならば、少なくとも感染拡大防止に関しては、日本の対応には合格点が与えられると僕は思います。アメリカやインド、ブラジルやロシア、フランスのような感染爆発や医療崩壊はいまのところ（2020年11月1日時点）起こっていません。また、患者数や死者数も欧米の先進国と比べれば、かなり低い水準で抑え込んでいるからです。

この問題への対応の難しさは、「部分」と「全体」のバランスをうまく取らなければならない点にあります。

相手は感染症なので、まずは誰でも自分の健康を守りたいと考えます。ウイルスへの感染を防いで、個人の生命や健康を維持するには、なるべく外出せず「ステイホーム」に徹するのがもっとも正しいやり方です。

しかし、すべての個人（部分）がそれをやったのでは、社会（全体）が成り立ちません。医療従事者はステイホームするわけにはいきませんし、物流が止まればスーパーマーケットに生活必需品が届きません。電気・ガス・水道といったインフラも維持する必要があります。この

**図表1　世界各国の人口あたり新型コロナウイルス感染症の死者数（2020年10月20日現在）**

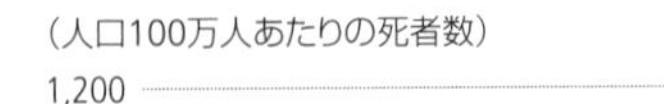


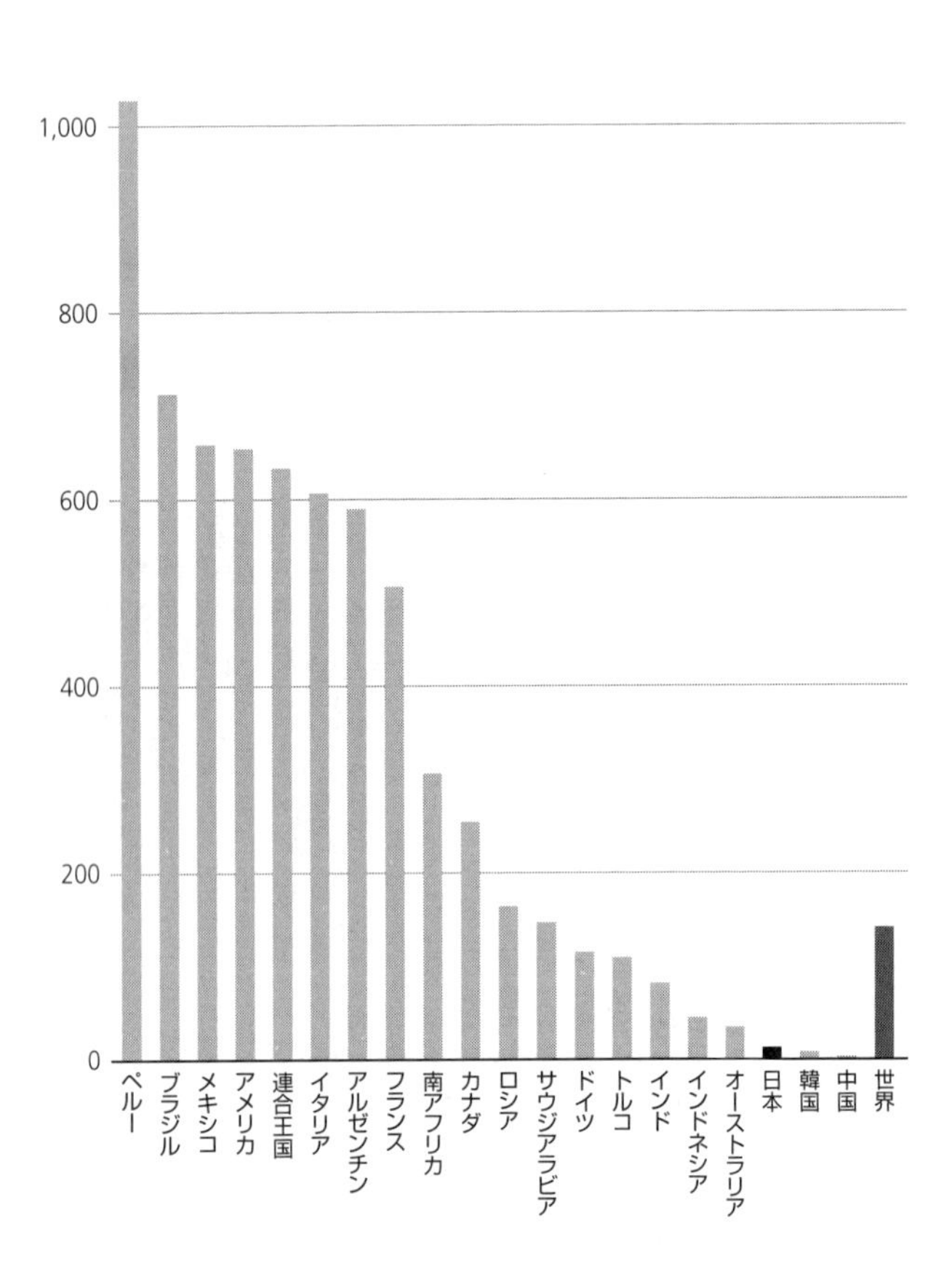


出典：札幌医科大学医学部附属フロンティア医学研究所ゲノム医科学部門

ようなエッセンシャルワーカーが働かなければ、そのせいで大勢の命や健康が損なわれる可能性があります。

また、経済活動を制限すれば景気は悪化し、大勢の人々の生活が立ちゆかなくなります。

つまり、個人を守るための「部分最適」を集めれば、社会にとっての「全体最適」が達成できるという単純な話ではない。個人の健康や体力を維持するためにも、社会全体の健康や体力を維持する必要があります。

この問題に対処するリーダーには、必要不可欠な社会活動を進めながら感染拡大を防ぐという、きわめて難しい判断、微妙な匙加減が求められるわけです。

## 学長として何をどう判断したか

国だけではなく、新型コロナウイルスへの対応をめぐっては、多くの組織で「部分最適」と「全体最適」のバランスが問題となりました。僕が勤務している立命館アジア太平洋大学（以下、APU）もそうです。

APUでは新型コロナウイルス対策として、上期はオンライン授業に踏み切る覚悟を決め、Zoom社と契約。そして、卒業式と入学式の中止を決めました。政府の休校要請によって、多くの教育機関でも同じような決定がなされましたが、私たちがそれを決めたのは2月20日。

全国で一番早くそれを決断した教育機関だと思います。

それを決めた背景には、APU特有の事情がありました。APUの学生はほぼ半数の3000人弱が外国人で、卒業式や入学式には世界各国から2000人を超える人々が出席します。とくにアジア諸国の人々は一族の仲間意識が強いので、両親以外の出席者も少なくありません。前年の卒業式には、スリランカからおそろいの民族衣装を着た一族が9人も出席したケースもありました。卒業式も入学式も学生本人や家族にとってはとても大事なイベントです。

医療について素人の僕には、感染症のリスクがどの程度かわからないので、身近にいる専門家に意見を求めました。大学の校医です。するとその先生は、「学生の心情を思えば可哀想だが、医師としてはお勧めできません」と答えました。世界各国から集まった2000人以上の人が1カ所に集まって盛り上がるイベントは、感染リスクが大きすぎるというのです。それを聞いた瞬間に、僕は中止を決めました。同様に、感染リスクを考えてオンライン授業に踏み切りました。

組織のリーダーは、自分1人でいくら考えてもわからない問題に対しても、何かを決めなければなりません。考えてもわからないなら、自分よりもそれに詳しい専門家に意見を求めるのが一番です。僕がそのとき思い出したのは、中国で朱鎔基が首相だった時代に起こった次のエピソードでした。

舞台は、今回の新型コロナウイルスの発生源とされる武漢です。大雨によって長江が氾濫しそうになり、放置すれば、武漢の心臓部である工場地帯が水没してしまうかもしれません。しかしそれを防ぐために堤防を切れば、農村部が水浸しになってしまいます。朱鎔基は解決策を探らせるために、副首相の温家宝を現地に送り込みました。

温家宝が武漢の空港に到着すると、日本の知事や市長にあたる近隣地域の政治家たちが列をなして待ちかまえていました。堤防を切ることで救われる地域もあれば、切らないことで救われる地域もあるので、それぞれが自分たちに有利な判断をしてもらおうと陳情に来ていたわけです。

ところが温家宝は、誰にも会いませんでした。利害関係者の話を聞いても公平かつ客観的な判断は下せないと考えたのでしょう。

そして、武漢一帯の大学から治水などの専門家を集められるだけ集めて、議論をさせました。それを黙って聞いていた温家宝は、最終的に「堤防は切らなくていい」と決め、そのまま誰にも会わずに北京に戻ったそうです。

結果的に、工場地帯が水没することはありませんでした。非常時にこの判断を下したことを高く評価して、朱鎔基は温家宝を自分の後継者に据えたそうです。

この話を友人から聞かされていたので、僕も卒業式と入学式の中止に関しては専門家の意見を尊重しました。もちろん校医は感染症のスペシャリストではありませんが、大学関係者の中で一番疫病に詳しいことは間違いありません。APUの学生のことも知っているので、その意見は重視すべきだと考えました。

まだ政府からのイベント中止要請が出る前の時期です。学内では、「もう少しほかの大学の動きなども見てから決めては」といった慎重論もありましたし、「いきなり中止とは臆病すぎる」といった批判も受けました。でも、そこには校医の意見を覆すほどの根拠がないというのが、僕の判断でした。それならば専門家の見解を尊重して、リーダーである自分の責任で中止しようと決めたわけです。

## 政府の専門家会議の知見を信頼した理由

その後も学長として多くの判断を迫られましたが、政府が集めた専門家会議の見解を踏まえて自分で判断するというのが、僕の一貫したスタンスでした。

たとえば憲法改正問題のようなイデオロギー上の争いのあるテーマとは異り、パンデミックのようなケースでは、政府の集める専門家に偏りが生じる心配はないと考えていいと思います。市民の生命や生活に直結する問題なので、どのような政府であれ、一番優秀な専門家を集めて議論をさせるはずです。

また、そこに集まった専門家たちも、政府の意向を忖度して、科学的ではない政治的な発言をすれば、世界中の専門家の間で評判が悪くなり、学者生命を絶たれるリスクもあるでしょう。以上のような理由から、専門家会議が提供する情報や知見がもっとも信頼に足ると、僕は判断しました。

専門家会議については、新聞、テレビ、SNSなどのメディアからも多くの批判が寄せられました。ただ、政府の専門家会議を批判する「専門家」が、本当に意見を聞くに値する専門家かどうかは、僕にはわかりません。

僕の知人に疫病の専門家がいます。テレビ局からたびたび出演依頼の電話が来たそうですが、「このタイプのウイルスは専門外なので」と断ったそうです。これは実に良心的な態度だと思います。

誰でもメディアからの依頼があれば悪い気はしません。今回のコロナ禍でメディアにたびたび登場した「専門家」のなかには、「テリトリーは超えるけれど、自分が知っているかぎりでコメントしておけばいいだろう」と安請け合いする人もいたのではないでしょうか。

## 政府のここまでの対応はトータルでみて「合格点」

政府の対応のなかでは、とくにＰＣＲ検査の数が少ないことが批判されました。

しかし、このような問題を考えるときはリソースの問題を忘れてはいけません。

ＰＣＲ検査のために必要な機器、保健所などのスタッフ、陽性者の受け入れ先となる病院側の病床・医療スタッフなどのリソースが無限にあったのなら、いくらでもＰＣＲ検査をやればよかったと思います。

でも現実問題として、日本にはそこまでのリソースがなかった。感染症に備えてそれだけの準備をしてこなかったことは問題ですが、それはまた別の話であって、今後の検討課題です。当面の対策としては、その時点での能力に合わせてやるしかありません。

実際、第1波の感染を心配する人がみな病院に押し寄せていたら、もっと大変な事態になっていたと思います。最初の感染のピークだった4月上旬には、東京では医療崩壊直前といってもいい事態に陥っていました。

それでも、クラスターを封じ込め、感染が広がると緊急事態宣言を発表することで感染の拡大を防ぎ、これまでのところは死者数を低い水準に抑え込めているので、僕はここまでの日本の対応については「合格点」だと思います。

7月には第1波を超える第2波に襲われましたが、それもなんとかしのげたのではないかと思っています。

## 大学は来年から秋入学を導入すべきだった

政府の対応は「合格点」と述べましたが、「秋入学」をめぐる政府の対応については疑問符がつきます。

今回のコロナ騒動の中で一番不安を感じたのは高校3年生だと思います。なぜなら、政府は大学入学共通テストは予定通り1月末に行うと明言したからです。

もし来年から秋入学を導入し、春と秋の2回入試を行えば、全国の高校3年生は安堵したことでしょう。2回受験のチャンスがあるからです。

政府は大学に指示して（交付金を上げ下げすれば大学にインセンティブが働きます）、来年から秋入学を導入すべきでした。そして小学校から高等学校については、今後5年ほどかけてアジャストすると述べればそれでよかったのです。

このように時間軸を分けて考えることをせず、秋入学なら小学校から大学まで一斉にと、画一的・硬直的にしか考えられなかったために、とてもじゃないが来年からは無理だとの反対論が湧き上がり、せっかくの秋入学というすばらしいアイデアが本質的に議論されることもなくお蔵入りとなってしまいました。

ちなみに僕は、今回の問題が起きる前から、20年来の秋入学論者です。

単にグローバル基準に合わせるということではありません。春入学は制度的な拷問に近いと考えているからです。春入学なら共通テストは1月末から2月初め、日本の厳寒期です。北海道や雪の多い日本海側に住んでいる受験生のことを考えれば、その理由はあらためて説明するまでもないでしょう。

## 経済対策の真価が問われるのはこれから

日本ではコロナ危機は底を打ったという見方もありますが、世界はそうではありません。2020年9月下旬から、アメリカやヨーロッパでは再び感染が広がり、フランスやスペインなどでは、再度外出制限や飲食店の休業などの措置がとられました。

日本国内でも倒産や解雇、雇い止めなどはむしろ増加しています。このような状況を受けて、政府内では早くも予算の第3次補正を行うべきだという声が起こっています。

感染を防止するという点ではこれまでの政府の対策には合格点がつけられると述べましたが、経済対策についてはどうでしょうか。

ウィズコロナの時代は、原則としてステイホームとニューノーマル（マスク、手洗い、ソーシャルディスタンシングなど）の間を行ったり来たりするほかはないので、経済活動は大幅に制約されます。現に2020年の経済成長率はマイナス5％前後になると推測されています。もちろん、戦後最大の落ち込みです。

このようなときは、最もダメージを受ける層（パートやアルバイト、中小企業など）に給付を集中することが鉄則です。しかし、わが国ではマイナンバーと預金口座が紐づけられていないため、本当に困っている市民をなかなか特定することができません。

また困窮の度合いは地域や業種によっても異なります。そうであれば、経済対策は国がスキームをすべて一律に決めるのではなく、たとえば、市町村や県に感染レベルに対応するお金を渡し、配布基準は基礎自治体に委ねるという考え方があってもいいのではないでしょうか。

新型コロナによる危機は、世界経済全体をまきこんでの長期戦です。政府の舵取りの真価が問われるのは、まさにこれからだと思います。

## イノベーションが起きるチャンス

14世紀にペストが世界規模で大流行して人がバタバタと死んでいったとき、ヨーロッパの人々は「自分たちの祈りが足りなかったから神様がお怒りになったのだ」と受け止め、より深い信仰心を持つべきだと考えました。「メメント・モリ」（死を想え）という言葉は、このときに生まれました。

でも、そう思う人ばかりではありませんでした。「こんなに人が死んでいるのに神様は助けてくれないのだから、祈ってばかりいないで自分たちが頑張らなければいけない」という考え方も生まれました。こちらの方は「カルペ・ディエム」（その日の花を摘め）という言葉に代表されます。これが神様から人間を解き放つ運動となり、やがて訪れるルネサンスに向けた地ならしとなりました。その意味では、パンデミックという悲劇が社会を進歩させるきっかけになったといえると思います。

今回のコロナ禍では、緊急事態宣言下でテレワークやオンライン授業などの工夫がなされました。市民のITリテラシーはまちがいなく向上しました。

感染症そのものはまったく不幸な出来事ですが、結果として、働き方改革を進め、日本社会の労働生産性を上げるチャンスが生まれたと思います。これまでいかに無駄な会議や出張などが多かったかに、気づいた人もいるでしょう。ちょっとした風邪ぐらいでは休まず、大雪や台風の日も出社するのが当然という古い日本社会の価値観も、大きく揺らいだにちがいありません。

1973年にオイルショックに見舞われた日本は、逆境の中で省エネ技術を発展させました。新型コロナウイルスという逆境下でも、個人と組織が体力を温存しながら知恵を絞れば、働き方改革が真っ当に行われ、やがて未来を切り拓くようなイノベーションが起きると僕は信じています。

ただし、秋入学についての項で述べたように、市民のITリテラシーが上がったことはいわば必要条件に過ぎません。リーダーが判断を誤れば十分条件が発効されず、改革がお蔵入りになる可能性は大いにあります。

新型コロナへの対応を考えるうえでは、ウィズコロナとアフターコロナの時間軸を分けて考える発想が不可欠です。

ウィズコロナの時代とは、ワクチンや薬が開発されるまでの時代のことです。ここでは、感染が下火になってもニューノーマルが欠かせません。すなわち、マスク、手洗い、ソーシャルディスタンシングの3点セットが不可欠です。

これに対して、アフターコロナの時代は、新型コロナがインフルエンザ並みの感染症になることを意味します。ニューノーマルは必ずしも必要とはされません。

企業がこれからのビジネスを考える際には、ウィズコロナの時代とアフターコロナの時代の戦略を峻別すること。それが生き残りと新たな成長のための第一歩になると思います。

［論点2］

# 新型コロナ禍でグローバリズムは衰退するのか

**基礎知識**

## グローバリズムとは何か

グローバリズムとは、人・物・カネ・情報が国境を越えて自由移動できる国際社会を理想とする考え方（理念）をいう。その理想が実現していく過程や現象は、グローバリゼーション（グローバル化）と呼ばれる。

国境を越えた交易や人の移動は、世界各地で古代から盛んに行われてきたが、これをグローバル化と呼ぶようになったのは、１９９０年頃からだ。背景には、貿易量の急増と市場規模の拡大がある。

1971年にアメリカで金＝ドル交換が停止され（ニクソン・ショック）、1973年から為替が固定相場制から変動相場制に移行したことも、グローバリゼーションが進む大きなきっかけとなった。これにより世界各国で厳しく管理されてきたカネ（資本）の移動制限が解除されたからだ。

以後、先進国は生産コストの安い発展途上国に資本を投入して工場を建設し、現地で生産した製品を自国に輸入するようになった。この流れを加速させるため自由貿易協定が結ばれ、物とカネの移動が促進された。航空規制が緩和され、海外出張や海外旅行が容易になり、人も大量に海外に移動する時代になった。同時に、先進国の高い賃金を求めて国外への出稼ぎや移民も増えていった。

この流れを加速させたのが、1980年代の連合王国（イギリス）のサッチャー首相やアメリカのレーガン大統領が推進した公的セクターの民営化（競争原理の導入）、金融の大胆な規制緩和などの「小さな政府」をめざす新自由主義的な経済政策だった。

さらに1989年にベルリンの壁が崩壊し、1991年にはソ連が解体。東西冷戦が終結すると、世界はアメリカを盟主とする自由主義経済の一極構造に移行した。国境の意義を低下させたうえで展開するグローバル資本主義、多国籍企業に有利な経済体制が成立したのだ。

欧州では1993年にEU（欧州連合）が成立。1998年には欧州中央銀行が発足し、通貨統合を実現した。EU域内では、人・物・カネの動きは自由で、国境がないのと同じ状態になった。グローバリズムの理想がEU域内で実現したといえる。

## 経済金融危機、格差と分断、排外主義

しかし、このカネ（資本）が国境を越えて自由に移動するグローバル化には、周期的に世界的な金融経済危機を引き起こすという弊害があることが明らかになった。1987年のブラックマンデー、1997年のアジア通貨危機、2008年のリーマン・ショック、2010年の欧州債務危機などがその代表例だ。こうした危機は、各国の政府の力ではもはやコントロールできなくなっているのが実情だ。

また、グローバル資本が求める競争重視と規制緩和、効率化は、国と国、企業と企業、人と人の間に勝者と敗者を生み出し、所得格差が拡大して中間層が没落するという深刻な格差社会を生むことも明らかになった。

さらに移民の増加によって、旧来住民との間に経済的・社会的・政治的な軋轢が生じ、外国人排斥の風潮が高まったことも見逃せない。

もともとヨーロッパ諸国は早くから移民を受け容れてきたが、2015年には、中東やアフリカで頻発した民族紛争の影響により難民・移民の数が急増、同年末までには前年の2倍以上の100万人を超える難民がヨーロッパ諸国に押し寄せた（欧州難民危機）。

各国が対応に追われるなか、同年11月にはパリ同時多発テロが起きる。主犯はフランスに住むモロッコ系移民2世だった。ヨーロッパでは2010年代から過激なイスラム原理主義に傾倒した移

民2世・3世によるテロが多発する。ISに代表されるイスラム原理主義者とイスラム教徒は峻別すべきだが、相次ぐテロにより、各国でイスラム系移民に対する排外感情が高まったのは現実だ。

連合王国ではEUからの離脱（ブレグジット）を望む動きが高まり、2016年の国民投票を経て、2020年1月に離脱の手続きが完了した。もともと連合王国はEU参加に積極的ではなかったが、近年はEU域内の東欧からの移民が国内の仕事を奪っているという不満が高まり、そのことが離脱派の勝因につながったと見られている。

## トランプ政権の反グローバリズム

グローバリズムに対する不満は、グローバル資本主義の本家・アメリカでも起きている。グローバル資本主義の恩恵を最も享受していると思われるアメリカでは、じつは1%の富裕層が残りの99%の国民の所得に匹敵する富を有するという超格差社会が現出していた。

没落した中間層と低所得の白人層の不満をうまくすくい上げたのがトランプ政権だった。トランプ大統領は、第二次世界大戦後の世界を支えてきた国際協調主義を捨て、強硬な「アメリカ第一主義」を掲げた。

就任直後に、前政権が参加を表明していたTPP（環太平洋経済連携協定）から撤退を表明、1994年にEUに対抗して発効させた北米自由貿易協定（NAFTA＝アメリカ・カナダ・メキシコの自由貿易協定）を抜本的に見直し、2020年7月、新たにアメリカ内での製造拠点の設置を促すとともに自動車の輸入に数量規制を導入、通貨安政策の禁止を盛り込むなど、アメリカの製造業復活や雇用拡大につながる内容に改めたUSMCA（アメリカ・メキシコ・カナダ協定）を発効させた。

また、メキシコや中南米からの不法移民の流入を防ぐために、メキシコとの国境沿いに防護フェンスを建設。その一方、中国に対しては中国政府が企業に支給する巨額補助金が中国の輸出競争力を不当に高めているとして、中国製品に高い関税をかける米中貿易戦争を仕掛けてきた。さらには、1970年代のニクソン訪中で国交を結んで以来、歴代アメリカ政権がとってきた中国への「関与政策」を破棄すると表明した。

米中対立は、今後、香港や台湾問題などの政治問題を含めた全面対立に発展する勢いだ。

## ナショナリズムの時代の再来か

米中対立の煽りで先行き不透明になった世界経済に追い打ちをかけたのが、2020年1月に始まった新型コロナウイルス感染症の流行だ。

各国政府は感染を防ぐために、感染地域からの人の入国禁止や物の輸入禁止措置をとった。各国の経済活動再開に伴い、出入国制限は緩和されつつあるが、これまで世界的に志向されてきたグローバル化の潮流には、大きなブレーキがかかっている状況だ。

この問題について、アメリカの政治学者で実業家でもあるイアン・ブレマー氏は、アメリカが国際的なリーダーの役割から手を引きつつあるなか、これからは、①脱グローバル化と国際協調の欠如、②ナショナリズムの台頭、③政治大国としての中国の台頭、この3つが顕著な潮流となり、それを基礎とした世界の新秩序が形成されるだろう、と述べている（日本経済新聞2020年4月16日）。

一方、イスラエル生まれの歴史学者・哲学者で著書『サピエンス全史』で世界的な注目を浴びたユヴァル・ノア・ハラリ氏は、英紙フィナンシャル・タイムズに寄せた一文の中で、次のようにグローバルな連携の必要性を訴えている。

「このウイルスを打ち負かすために、私たちは何をおいても、グローバルな形で情報を共有する必要がある。情報の共有こそ、ウイルスに対する人間の大きな強みだからだ」。そのうえで、もし各国が現状の愚をさとりグローバルな団結の道を選べば、「それは新型コロナウイルスに対する勝利となるだけではなく、21世紀に人類を襲いかねない、未来のあらゆる感染症流行や危機に対する勝利にもなることだろう」と希望を述べる（Web河出2020年4月7日）。

今後、世界は国際協調を取り戻し、グローバル化の再構築に向かうのか、反グローバル化を進めてナショナリズムの時代を迎えるのか。コロナ禍により、国際社会は重大な岐路に立たされている。

## ウィズコロナとアフターコロナを峻別する

論点1と同様、この問題を考えるときも、まずウィズコロナとアフターコロナの時代をきちんと峻別しなければなりません。一緒くたに語られることが多いのですが、この2つはまったく前提が異なります。前者はウイルスの脅威が存在する状態ですが、後者はそれがおおむね解決した状態です。

その分水嶺になるのは、予防のためのワクチンや治療薬ができるかどうか。それが開発されて広く行き渡れば、新型コロナはふつうのインフルエンザと同じレベルの感染症になります。ウイルスを根絶することはできなくても、そのレベルになればアフターコロナの段階に入ったと考えていいでしょう。

当然ながら、ワクチンや薬のないウィズコロナの状態ではステイホームが原則なので、グローバリゼーションは停滞します。感染拡大を防止するためには、人や物の移動を制限せざるを得ません。国内でも移動を自粛するぐらいなので、国境を越えた行き来はさらに減ります。これは、反グローバリズムの動きとは関係がありません。

では、アフターコロナの時代に入ったときに、グローバリゼーションはどうなるのか。感染症のことをさほど気にせずに人や物の移動ができる状況になっても、ナショナリズムや地域ごとのブロック経済化は進むのでしょうか。

## 「反グローバリゼーション」は見かけだけ

たしかに、2010年代に入ったあたりから、日本でも世界でも、反グローバリゼーション＝ナショナリズムに向かうような動きが目立ちます。国内ではいわゆる「ネトウヨ」が大きな声を上げ、在日外国人に対するヘイトスピーチなどが問題になりました。欧米社会でも、反移民や自国第一主義など、排外的な政策を掲げる政党や政治指導者が台頭しています。「アメリカ・ファースト」を掲げたアメリカのトランプ大統領や、ブレグジットを主導した連合王国（イギリス）のボリス・ジョンソン首相などはその代表といえるでしょう。

面白くて「絵になる」動きや人物は、メディアが盛んに取り上げます。国内では「文春砲」がその典型ですが、これはどこの国のメディアでも同じです。だから「反グローバリズム」の大きな潮流が生まれているように見えるわけです。

しかし現実には、メディアが取り上げない地味で目立たないところに、大きなグローバリゼーションの潮流がいくつも存在します。それはたとえば、世界中で大ベストセラーとなった『ファクトフルネス　10の思い込みを乗り越え、データを基に世界を正しく見る習慣』（ハンス・

ロスリングほか著、日経BP）という本からも明らかです。国連を中心にNPOやNGOなどが国境を越えた信頼関係によって連帯し、グローバルに活動することによって世界は確実によくなっている——それが、この本の内容です。見えないところで、世界はグローバリゼーションの恩恵を受けているのです。

メディアが注目しない、そうした草の根の活動のうち、数少ない例外の1つが、スウェーデンの環境活動家グレタ・トゥーンベリさんです。気候変動の危機を訴える彼女の姿は「絵になる」ので、盛んに報道されています。彼女の運動は世界中で1000万人を超える人々を動かしました。まさにグローバルな影響力を持っている若者です。

以上のことから、「反グローバリゼーションが世界の潮流になってきた」という現状認識は間違いだというのが僕の見立てです。グローバリゼーションは、新型コロナウイルスによって停滞・中断しているだけで、終わったわけではありません。

歴史はジグザグに動きます。人間社会は、いつの時代にあっても分断と協調、2つの方向に振り子が振れています。そして、いつの時代にあっても分断の方が絵になります。しかし、過去の歴史を中長期的に見れば、主流を占めているのは連帯と協調の流れだと思います。

## 「米中対立」を見誤らないための3つのポイント

グローバリゼーションを止める要因として「米中対立」の激化を挙げる人もいます。かつての米ソ対立は、世界を西側と東側に分断する冷戦構造を生み出しました。いまの米中も「冷戦」状態と評されることがあります。

これについて考えるときのポイントは3つあります。

第1のポイントは、対立のもともとの原因は何か、です。これは単純な話です。ナンバー2がナンバー1に追いついてくるとケンカが始まるというのは歴史の常です。かつての大英帝国とプロイセン−ドイツの関係もそうでした。

マラソンでも、二番手のランナーが追いついてきて背後にピタリとつかれると、トップを走る選手は嫌がります。それを振り切るために、いろいろな駆け引きを始めます。アメリカも、ナンバー2の経済大国となった中国が自分に追いついてきたからこそ、さまざまな形で牽制しているのです。

とくに両者の争いは、AIに象徴される先端技術の分野と宇宙・軍事技術の分野で激しさを増しています。先端技術分野での争いは、GAFA（Google、Apple、Facebook、Amazon）対BAT（バイドゥ：百度、アリババ：阿里巴巴集団、テンセント：騰訊）と言い換えてもいいでしょう。

第2のポイントは、この問題にトランプ大統領という人物の特異性がどのくらい影響を与えていたか、です。「米中対立」と聞くと、アメリカと中国がそれぞれの国益のために争っていると思いがちです。そういう面がまったくないわけではありませんが、トランプは歴代大統領の中でもかなり特異な個性の持ち主なので、必ずしもアメリカの総意（国益）を代表していたとはいえないと思います。

ボルトン前大統領補佐官が出版した回顧録（『ジョン・ボルトン回顧録』朝日新聞出版）には、トランプは自らの再選以外には興味がなかったと書かれています。支持者にアピールするために口先では中国に強硬なことを話すけれど、国内であれ外国であれ、人権問題には何の興味もない。大統領選挙で民主党のバイデンが勝ったら、本来「自由と民主主義」を守ることを重視するアメリカは香港での人権弾圧を許さないだろう、だから、習近平は、トランプが大統領でいるうちに、香港に国家安全維持法を適用した――というのが、アメリカのあるシンクタンクの見立てです。

「トランプの考え方」と「アメリカの総意」のあいだには、それぐらい大きなギャップがある。それを踏まえておかなければ、米中対立の本質を見誤ると思います。

第3のポイントは、米中の対立はかつての「米ソ対立」とはまったく次元が異なるということです。米ソ対立による東西冷戦の象徴は、「ベルリンの壁」でした。つまり当時のソ連は、人の行き来を止めていました。それに対して、中国は伝統的に流動性の高い社会であり、権力者は個人の行動にはあまり関心がありません。権力に対抗するような行動には異常なほど神経を尖らせますが、共産党に文句さえいわなければ、人々がどこに行こうがかまわない。対立するアメリカに行ってお金儲けをしても、何をしても自由なのです。

実際、中国からは37万人もの留学生がアメリカに行っています。アメリカの全留学生は110万人なので実に3人に1人という高い割合です（米国国際教育研究所・国務省・教育文化局「2019年オープンドア国際教育交流報告書」による）。習近平の娘も含めて、です。ちなみに日本のアメリカへの留学生は2万人弱にすぎません。ある意味で中国は、日本以上にアメリカとのあいだに太いパイプを築いているともいえます。それだけを考えても、いまの米中関係が冷戦時代の米ソ関係とはまったく異なることがわかります。

そもそも「対立」の度合い自体が、東西冷戦時代の米ソとは異なります。たとえばトランプ大統領が新型コロナウイルスのことを「チャイナウイルス」と呼んで攻撃したとき、実質「ナンバー2」のポンペオ国務長官が習近平を「全体主義の信奉者」だと名指しで非難したとき、中国はどう対応したか。外交は相手に責められたまま黙っていてはいけないので、当然ながら同じレベルの強さで言い返さなければいけません。

しかし、「ナンバー1」の習近平や「ナンバー2」の李克強がアメリカの首脳を罵倒するのを聞いたことがあるでしょうか。アメリカに反論するのは、大体の場合は中国外務省の報道官などです。これは、中国がアメリカと本気で事を構えるつもりがない1つの証拠ではないでしょうか。

かつての米ソのような一触即発の対立関係であれば、首脳同士の罵倒合戦になるはずです。しかし中国はアメリカが世界の覇権を握っていることを理解し、許容しているので、そこまでは踏み込まない。あくまでもアメリカ主導の世界秩序という枠組みの中で、できるかぎり自国の権益を拡大しようと考えているように見えます。

米中貿易交渉をめぐっては、中国との「デカップリング」（切り離し）という言葉も飛び交いましたが、米中は経済面でも強く結びついています。

たとえば、コロナ対策に必要な医療用マスク等の器具は、アメリカを含め全世界が中国に大きく依存しています。アメリカの4～6月期のGDPはマイナス31％を記録しましたが、時価総額でトヨタを抜いた新興のアメリカの自動車メーカーのテスラは増益でした。その理由をCEOは「上海工場がフル稼働したからだ」と述べています。コロナ禍のテレワークでお世話になっているZoomは、1997年に27歳の中国人、エリック・ユアンがアメリカに渡って創業したアメリカの企業です。

北京とワシントンが政治的に対立していても、米中はシリコンバレーと深圳（シンセン）、北京バレー、上海などと深く結びついています。米中対立によってグローバリゼーションが簡単に止まることはあり得ないと思います。

## 世界中がグローバリズムの恩恵を享受している

そもそも、現在人類が享受している快適な生活は、グローバリゼーションなしでは成り立ちません。飛行機や自動車を見ればわかるとおり、現代文明を支えているのは「産業革命の3要素」といわれる化石燃料・鉄鉱石・ゴムにほかなりません。日本であれドイツであれフランスであれ、これらの3資源を自国で産出できない国は、グローバルな社会で自由に人や物を行き来させなければ、豊かな生活水準を維持することはできません。

新型コロナウイルスによる被害が100年前のスペイン風邪ほど大きくなっていないのも、グローバリゼーションのおかげです。スペイン風邪では20億人の人口で5000万人もの死者が出ましたが、新型コロナウイルスは77億人の人口でいまのところ約120万人（2020年11月1日現在）。ワクチンも治療薬もないのにこの程度の被害で抑えられているのは、グローバルに情報交換をすることによって有効な対処法を共有できているからです。

グローバルな連携は、世界の経済をも救いました。新型コロナの影響で主要先進国のGDPはマイナス5%以上と大幅に落ち込みましたが、リーマン・ショックを上回る戦後最大の危機であるにもかかわらず、株価は暴落することなく維持されています。世界中の中央銀行が連携して、金融市場を守るためにいくらでもお金を投入してくれるという安心感があるので、日本でもアメリカでも株価が下がらないのです。

アフリカのコロナ禍が思ったよりも落ち着いているのも、G20が途上国の債務の弁済を繰り延べしたからです。

このように、グローバリゼーションはさまざまな形で世界の人々の生活を支えています。止めるべき理由は1つも見当たりません。口先では声高に反グローバリズムを唱える偏狭なナショナリストたちも、この快適で安全な日常を失いたくはないでしょう。

危機的な状況に直面したとき、人間は往々にして「接線思考」に陥ります。円の接線は少し円が転がると方向が大きく変わります。それなのに、人間はいま自分が立っている円周点の接線が、現状の延長でそのままずっと続くと思い込んでしまうのです。マスク、手洗い、ソーシャルディスタンシングというニューノーマルはウィズコロナの時代特有のものです。アフターコロナの時代になれば必要がなくなるのに、人々はこれからはニューノーマルがいつまでも続くと思いがちです。

東日本大震災の直後は国内の流通網が寸断されて経済活動に大きな支障が生じたために、多くの人々が「日本のような地震国ではサプライチェーンを海外に分散しないとダメだ」と考えました。ところが今回のコロナ禍で海外との物の移動が一時的にストップすると、同じ人たちが「サプライチェーンを国内に戻すべきだ」などと言い出しています。一時的にグローバリゼーションが停止するウィズコロナという円周点における接線が、そのまま続くと思い込んでしまっているからです。

遅かれ早かれウィズコロナは終わります。ワクチンや治療薬が開発されてアフターコロナの段階に入れば、接線の方向はビフォアコロナの時代と変わらず、世界はふたたびグローバル化に向かうと僕は信じています。人間は本来、移動するヒト（ホモ・モビリタス）なのですから。

［論点3］

# 日本人は働き方を変えるべきか

基礎知識

## 働き方改革、3つのポイント

2019年4月、労働基準法や労働契約法など、関連する8本の法律を改正した働き方改革関連法が施行され、「働き方改革」が本格的にスタートした。大きな目的は、長時間労働の是正と生産性向上の2つ、改革の主な内容は下記の通りだ。

・残業時間の上限規制。「月45時間、年360時間」を明記し、繁忙期にこれを超える場合も年間720時間以内、などの上限を設ける。

・高度プロフェッショナル制度の導入。年収1075万円以上の一部の専門職について労働時間の規制を外す。

・同一労働同一賃金。正規と非正規の待遇差を是正する。

ほかに、中小企業の残業代の割増率の引き上げ（現行の25％→50％）、年次有給休暇の消化義務、退社から出社まで一定時間を確保する勤務間インターバルの努力義務なども盛り込まれた。

## 残業時間をめぐる問題

２０１９年の日本の１人あたりの年間総労働時間は１６４４時間で、連合王国（イギリス）の１５３８時間、ドイツの１３８６時間などヨーロッパの各国に比べれば多いが、アメリカの１７７９時間よりは少ない（ちなみに韓国は１９６７時間）。

労働基準法では、労働時間を「１日８時間、週40時間」と定めているが、労使協定（労基法36条に基づくため「36＝サブロク＝協定」と呼ばれる）を結べば、事実上、無制限に残業ができてしまう。そこで今回の働き方改革では、協定を結んでも残業を原則「月45時間以内」とし、繁忙期にはそれ以上働いたとしても「月１００時間未満」などの上限を設けた。違反すれば企業に罰金が科される。

「月１００時間」は、過労死・過労自殺をした人の直近１カ月の残業時間が１００時間を超えると労災と認められていることから出てきた数字であり、そのぎりぎりまで働かせることを正当化する数字だという批判も多かった。

## 「高度プロフェッショナル制度」をめぐる問題

働き方改革のもう1つの目玉になったのが「高度プロフェッショナル制度」の導入だった。「高プロ」には為替ディーラーやコンサルタントなど、長く働くことが成果に結びつかない職種の人が想定されている。また、平均給与額の3倍（1075万円以上）を相当程度上回る労働者という年収要件がある。高プロ対象となるのは、全労働者のうち3％程度と見られていた。

雇用主が決めた一定額の成果報酬を支払う制度であり、現行の裁量労働制と違って、労働が深夜・休日に及んでも、割増賃金の対象にならない。

「報酬が労働時間に左右されないため、効率よく短時間で成果をあげようとするモチベーションが生まれ、労働生産性の向上が期待できる」「出社や退社の時間が自由に決められるため、個々人のライフスタイルに応じた多様な働き方が可能になる」と政府は謳い、経団連もこれを歓迎した。

他方、長時間労働を正当化する「残業代ゼロ制度」「定額働かせ放題制度」であるという批判も多かった。

厚生労働省の集計によれば、導入から1年半後の2020年9月末現在では、高プロを導入した企業は約20社、適用者は858人にとどまっている。

## 「同一労働同一賃金」をめぐる問題

正社員と非正規社員の待遇格差の是正も、働き方改革の目玉となった。同じ能力があって同じ仕事をしていれば、待遇も同じでなければならない――これまでほとんど建前でしかなかった原則に実効性を持たせるための「パートタイム・有期雇用労働法」が2020年4月から施行された（中小企業は2021年4月まで猶予期間が設けられている）。

対象となるのは有期雇用労働者とパートタイム労働者、そして派遣労働者だ。その具体的な内容は、法律施行と同時に施行される「同一労働同一賃金ガイドライン（指針）」で定められている。基本給、賞与のほか、各種手当、福利厚生などについて、正社員と非正規社員の待遇差がある場合に、何が合理的な待遇差であり許容されるか、何が不合理な待遇差で認められないかが示されている。

企業はこのガイドラインに従った規程を設ける必要があり、非正規社員に対する説明義務もある。

長年にわたって日本の企業社会では、厳しい入社試験を突破した正社員が、派遣社員やパート労働者より厚遇されるのは当然と考えられていた。なぜなら、多くの企業で、正社員は長期間にわたって育てられ、若いときは安い賃金を、年齢を重ねて責任が重くなるにしたがって高い賃金を受け取るという、年功序列賃金とセットになった終身雇用制が慣行とされてきたからだ。賃金の額は、いわば「人」に付随してきた。

これに対して、終身雇用と年功序列のない欧米では、賃金は「職」に付随する。ある仕事を誰がするかはあまり関係なく、同じ仕事なら同じ賃金である。したがって、同一労働同一賃金の原則が広く共有されたのである。

「同一労働同一賃金」に対しては、経営者からは「人件費が上がる」、正社員からは「非正規社員に引っ張られて自分たちの待遇が悪くなる」という批判がある。

現時点では、企業が「同一労働同一賃金」を守らなくても罰則規定はないが、今回の改革によって、日本のスタンダードとされてきた年功序列賃金・終身雇用制が大きく変わることは確実だ。

なお、2020年10月には、非正規社員と正社員の待遇格差が不合理かどうかが争われた5件の訴訟で最高裁判決が下され、話題になった。うち2件は、非正規社員に賞与・退職金を支給しないことは不合理な格差にはあたらないとし、3件は非正規社員に各種手当・休暇が与えられないことが不合理な格差にあたるとする判決だった。

この最高裁の判断に整合性があるかについては弁護士の間でも意見が分かれる。労働者側からは、賞与・退職金を支給しないことを不合理でないとした判決に対し、待遇格差の是正を目指した働き方改革の流れに逆行するものだという批判の声が上がった。

## 働き方改革で労働生産性は上がるのか

働き方改革で是正が求められた長時間労働は、これまで多くの過労死・過労自殺という悲劇を生んできた。それだけでなく、長時間労働を解消することで、日本の労働生産性を向上させることも求められている。

労働生産性とは、労働者1人あたり、もしくは単位時間あたりに生み出される価値のことをいい、ドルで表す。

2018年には日本の労働者1人あたりの労働生産性は約81ドルで、OECD（経済協力開発機構）加盟国のうち36ヵ国中21位。アメリカ約132ドル（3位）の3分の2程度にすぎない。時間あたりの労働生産性も、約47ドルで21位。どちらも主要国の中では最低レベルといってよい。

業界によっても労働生産性は異なり、おおむね製造業は高く、サービス業は低いとされている。製造業はIT化しやすいが、サービス業は人手に頼る仕事が多いだけに、生産性を上げるのは容易ではないとされてきた。とりわけ日本の場合、「人手をかけることがおもてなし」とされているため、効率性を追求することそのものを批判する声もあった。

だが、日本の人口は今後も減少の一途をたどり、労働力不足はますます深刻化する。その点でも、ITなどを駆使した労働生産性の向上が、業界を問わず、日本の経済界全体の急務になっている。

## 日本がモデルとすべき国や社会はどこか

この問題を考えるにあたって、まず振り返るべきことは、これまでの日本人の働き方はどうだったのかということです。バブルが崩壊してからの四半世紀、あるいは平成の30年間については、とくにしっかりした検証が必要です。

いま世界の先進地域は3つあります。いうまでもなく、アメリカ、ヨーロッパ、日本の3つです。この3地域を比べてみると、成長率や生産性に大きな違いがあります。

まずアメリカは、最先進地域でありながら、2・5%前後の経済成長を続けています。これは実はとてもすごいことです。歴史を振り返ると、近代の覇権国家は経済成長率が落ちていくのがふつうなのに、アメリカはいまなお経済が成長していて、しかも人口が増え続けています。近代の覇権国家で人口が増え続けるという例は、これまで存在しません。

アメリカ以前の近世・近代の覇権国家は、ポルトガル、スペイン、ネーデルラント（オランダ）と続き、その後連合王国（イギリス）が覇権を握り、今日のアメリカに至っています。これらの国々を振り返ると、ポルトガルもスペインもネーデルラントも連合王国も、中長期的に見ると、覇権を握ったときから例外なく人口が減少傾向に向かっています。社会が豊かになったら遊びたいことがたくさん生まれてくるので、出生率が低下するからです。

ところが、アメリカだけは例外です。いまもって人口が増え続けており、やがては4億人、5億人になるといわれています。アメリカは人類史上、特殊例外的な国なのです。アメリカの次の覇権国家は中国ではないかという人もいますが、2020年代中に人口でインドに抜かれると予測される中国が、アメリカに取って代わるのは難しいのではないかという見方も根強くあります。

つまり、日本にとってアメリカはあまりに違いすぎて参考にならないということです。部分的にはアメリカのいいところを学べばいいわけですが、国全体のあり方はアメリカと日本とでは条件に差がありすぎます。人口だけではなく、アメリカは世界最大の産油国でもあるので、やはり日本とは事情が異なります。

日本にとって参考になるのはむしろ、高齢化先進国で人口や面積も近く、資源も乏しいヨーロッパのドイツやフランスです。アップル・トゥ・アップルという言葉があるように、物事を比較考量する場合は、条件が等しい対象を選ばなければ、比較の意味がありません。

## 日本の労働生産性はずっとG7最下位

日本とヨーロッパのこの四半世紀を比べると、ヨーロッパは年1300〜1400時間働い

**図表2　各国の経済成長率（実質GDP成長率）の推移**

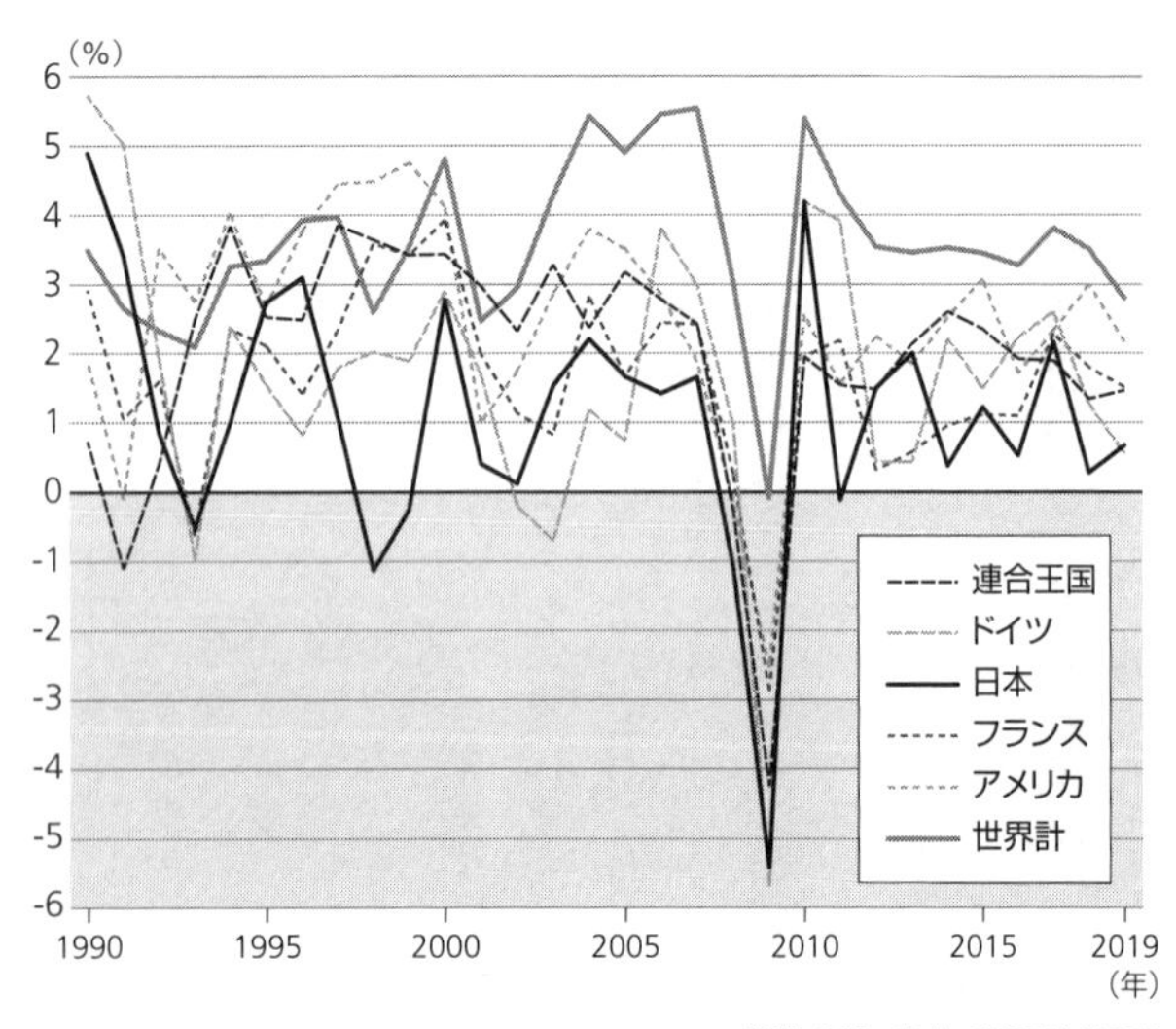


資料：IMF　出典：GLOBAL NOTE

て年平均２・５％前後の成長を維持しています。一方、日本は正社員ベースで考えると２０００時間以上働いて年平均１％しか成長していません。基礎知識のページでは日本人の労働時間は年間１６４４時間と紹介していますが、これはパートやアルバイトを含めての数字であって、実は正社員の労働時間はこの四半世紀、まったく減っていないのです。

２・５％と１％というと、たった１・５ポイントの差と思うかもしれませんが、割合からすると２・５倍、とても大きな差です。しかも日本のほうが労働時間が１・５倍も長いにもかかわらずです。

要するに、先進３地域の中では日本がもっとも労働生産性が低い。ＯＥＣＤのデータに基づき日本生産性本部が比較統計を取り始めた1970年以来、実に半世紀にわたって日本の労働生産性は時間あたり・1人あたり共にずっとG7最下位を続けています（G7＝フランス、アメリカ、連合王国、ドイツ、日本、イタリア、カナダ）。いま日本人に働き方改革が求められている根本的な理由はここにあります。

ちなみに、購売力平価で換算した1人あたりGDP（2019年）も、日本は世界35位でG7で最下位、アジアでも6位と低迷していることをつけ加えておきます（アメリカ6万5298ドル、ドイツ5万6278ドル、日本4万3236ドル、世界銀行データ）（P269図表9）。

## 製造業の工場モデルを引きずる日本

世界と日本とで、どうしてこんなに大きな差が生じてしまったのでしょう。結論をいえば、日本はいまだに戦後の製造業の工場モデルを引きずっているからです。

若い世代の皆さんは知らないかもしれませんが、かつての日本には「集団就職」という現象がありました。地方の若者が集団で都市に出てきて、トヨタや松下電器（現パナソニック）に代表される大企業の工場に就職しました。

集団就職は大きな人口移動を引き起こしました。生産性の低い第一次産業から生産性の高い自動車産業や電気電子産業などの第二次産業へと国のリソース（労働力）を移行させ、産業構

（2018年・就業者1人あたり／36カ国比較）

（単位：購買力平均換算USドル）

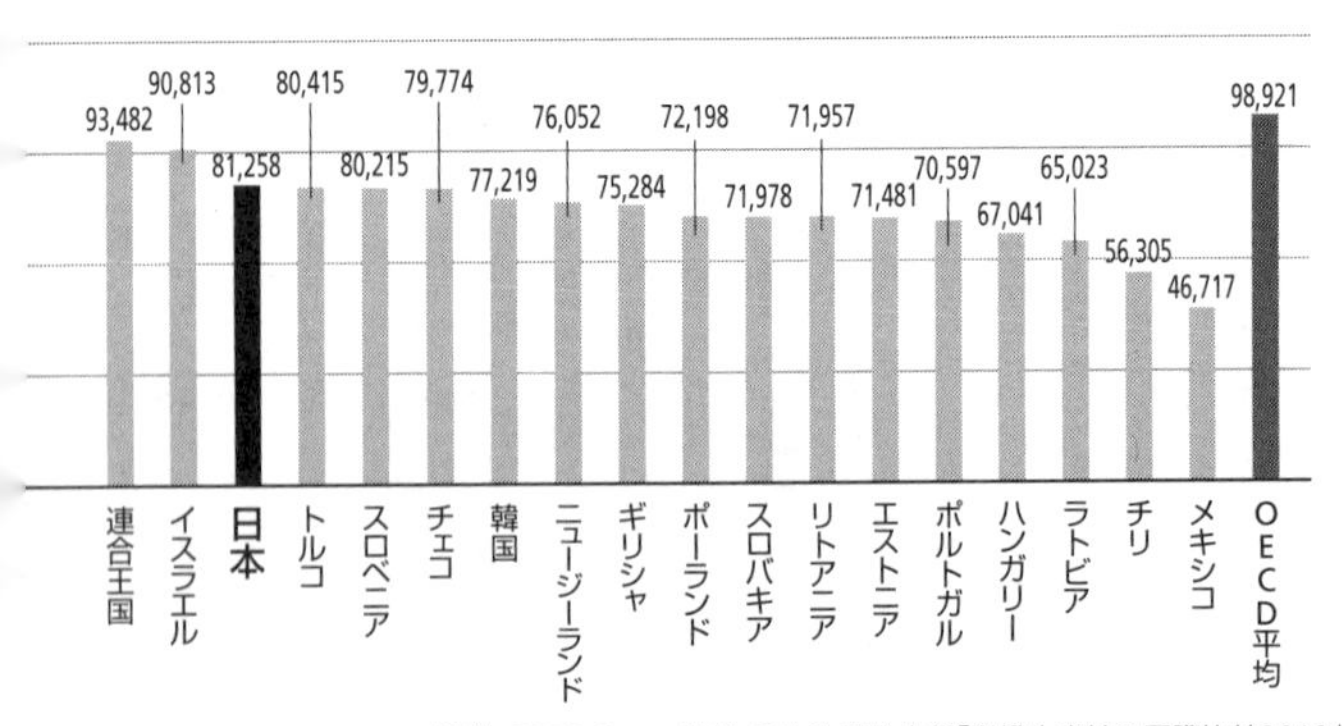


資料：OECD Data　出典：日本生産性本部「労働生産性の国際比較2019」

造の変革を促しました。それが日本の高度成長を生み出した一因です。この第一次産業から第二次産業への移行は、敗戦後の復興期には大いに機能し、戦後の日本では製造業の工場モデルが、社会を牽引する主役となりました。

わが国の製造業は、いわば「国の宝」です。生産性も高く、品質も優れています。しかし、現在、製造業のGDPに占める比率は約20％、雇用に至っては1000万人ちょっとで16〜17％程度しかありません。しかもそのウェイトは年々減少傾向にあります。このようなウェイトで日本経済全体を引っ張れるはずがありません。もはや「モノ作り」神話から離れて新しい産業を生み出しそれにシフトしていかなければ、

図表3　OECD加盟諸国の労働生産性

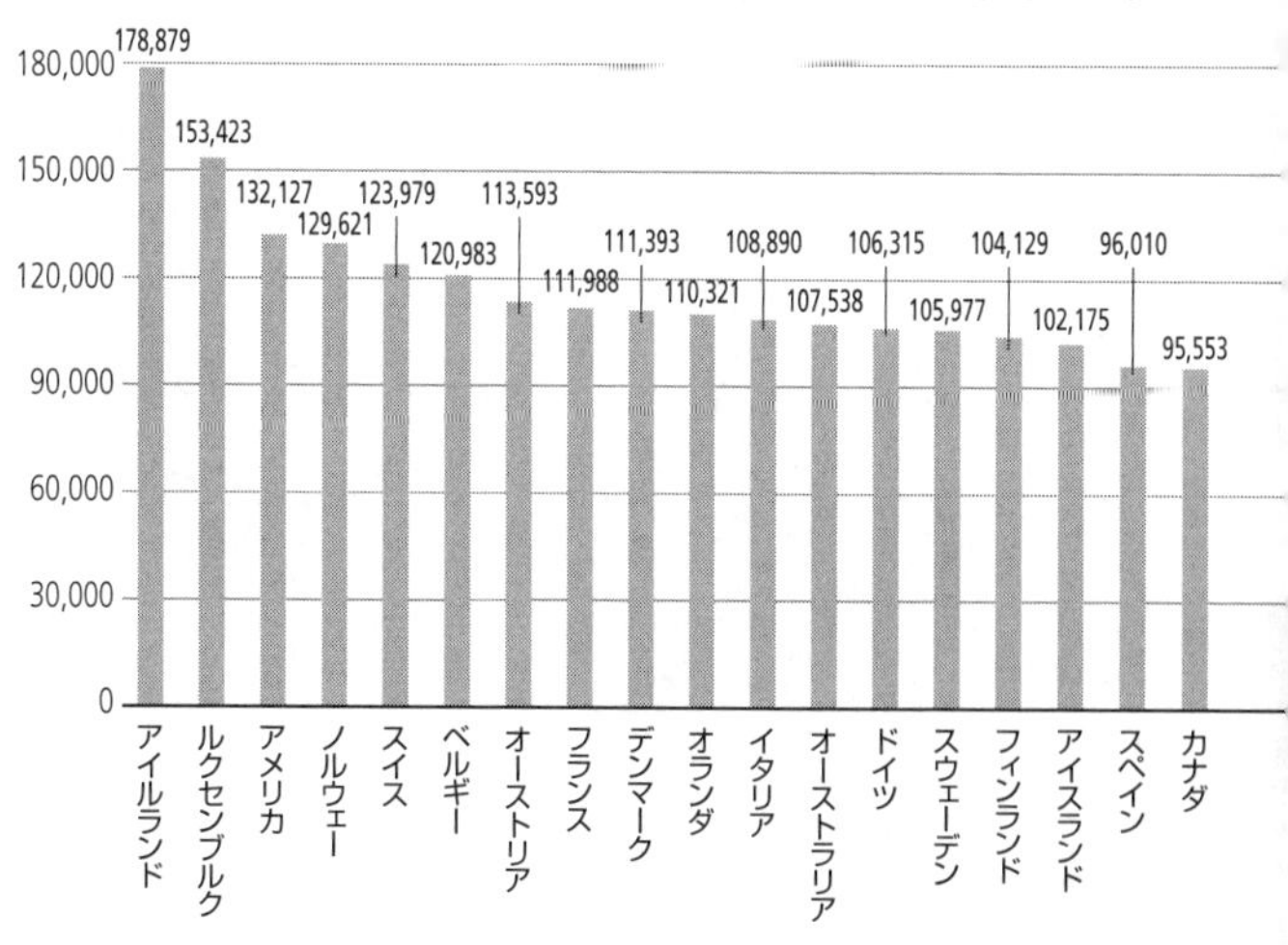


日本の明日はないのです。

世界の産業構造は、冷戦終結後、大きく変化して新しいサービス産業が中核となりつつあります。「GAFA」に象徴される新興の産業です。GAFA4社の株価の時価総額は、名目GDP世界第3位の日本の国家予算を超えています。GAFAはいずれもこの十数年ぐらいの間に生まれてきた新しい企業で、アメリカ経済の新たな力強さの象徴になっています。

GAFAの予備軍と目されるのが企業価値が10億ドル以上の未公開企業、「ユニコーン」と呼ばれる新興企業群です。2019年7月末で世界には380匹のユニコーンがいるそうです。シリコンバレーを中心にアメリカに200匹弱、中国に100匹

図表4　購買力平価GDPの世界シェア

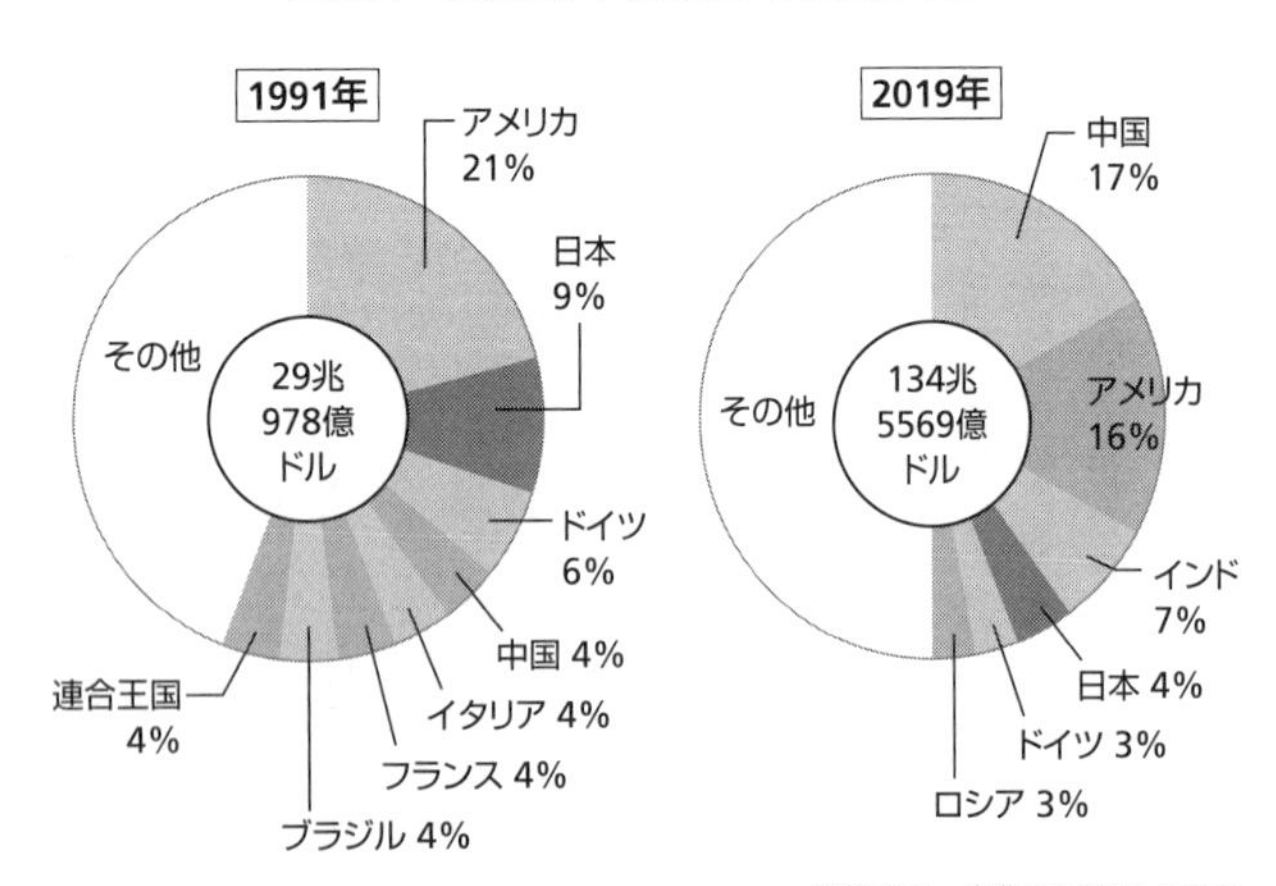


資料：IMF　出典：GLOBAL NOTE

弱、EUにも30匹以上、これに対して日本はわずか3匹という体たらくです（日本経済新聞2019年8月5日）。

世界と日本の差は、この30年の間に、新しい産業や企業を生み出せなかったことがすべてだといっても過言ではありません。1991年に9％とピークをつけたわが国のGDP（購買力平価ベース）の世界シェアは2019年には、4％と半分以下に落ち込みました。スイスのビジネススクールIMDの世界競争力ランキングでも1989年（平成元年）の1位から2020年には34位まで低下しました。

また、1989年には世界の時価総額で見たトップ企業20社の中に日本企業が14社入っていましたが、いまはゼロです（P276図表10）。

## 日本はダイバーシティが進んでいない

製造業に必要なのは、土地と資本と均質な労働力です。広い工業団地を造成して、資本を集めて最新の機械設備を導入し、均質な労働力を大量に投入すれば、ほぼ間違いなく成長が約束されます。また、工場（機械設備）は疲れないので、24時間操業（＝長時間労働）が理想です。

そこで要請されるのは、「偏差値がそこそこ高く、素直で、がまん強く、協調性があり、上司のいうことをよく聞く」人材です（僕はこれを「5要素」と呼んでいます）。さらに全世界の製造業で働く人を見ると、大卒以上は4割に過ぎません。製造業は、誤解を恐れずにいえば低学歴産業なのです。

これに対してGAFAやユニコーンは様相がかなり異なります。たとえばグーグルはロシア人とアメリカ人の2人のドクター（博士）が議論を積み重ねるなかから誕生しました。土地も資本も均質な労働力も、極論すれば必要がありません。アイデアがすべてです。

GAFAやユニコーンを生み出す原動力は、「ダイバーシティ」と「高学歴」という2つのキーワードにまとめられます。これは世界中の研究者のほぼ一致した見解といっていいでしょう。

アイデアはイノベーションとも言い換えられます。イノベーションとは、経済学者シュンペーターが指摘したように「既存知」の新しい組み合わせです。そして、既存知間の距離が遠いほどユニークなアイデアが生まれることが経験的に知られています。つまり、イノベーションを生む土壌は、「ダイバーシティ」（P135参照）だということです。

いろいろなバックグラウンドを持った人が集まると面白いアイデアが出ることは、皆さんも経験があるでしょう。反対に、同じ職場の同僚同士でいくら議論を重ねても、あまり突飛なアイデアは出てきません。

ダイバーシティの最たるものは、男性と女性です。わが国の女性の社会的地位は、世界経済フォーラムによれば153カ国中121位（2019年）という、先進国として恥ずかしくなるほどのレベルです。また女性だけではなく、日本の企業の幹部の中で外国人の占める割合も微々たるものです。

つまり日本はダイバーシティが進んでいないから新しい産業が生まれない。2019年秋に行われたラグビーのワールドカップでは日本の「ワンチーム」が大健闘してベスト8に入り、日本中を湧かせました。これはダイバーシティのあるチームをつくったからに他なりません。日本人だけでチームをつくっていたら、あそこまで強くなれたでしょうか。何事も「混ぜれば強くなる」のです。

## 構造的な低学歴社会、勉強をしない社会

日本に新しい産業が生まれないもう1つの理由は、日本が構造的な低学歴社会だということです。

大学進学率は50％を少し超えたレベルで、先進国クラブであるＯＥＣＤ（経済協力開発機構）加盟37カ国の平均を7ポイントほど下回っています。日本は2人に1人しか大学に行かない国なのです。さらに高等教育在学率（18～22歳人口を分母に、高等教育機関在学者を分子に置いた割合）は、全世界で見ると１００位以下というひどさです。

また日本の大学生は勉強しません。これは１００％企業に責任があるのではないでしょうか。いい大学に行く目的は、いい企業に入るためです。これは世界共通です。ところが、日本の企業はいまだに面接重視で、前述した5要素選抜を行っており、偏差値は出身校で見ています。つまり、難関大学の入学試験にさえパスすれば、あとは勉強するインセンティブが生じないのです。採用基準に成績がなくて誰が必死に勉強するでしょうか。

さらに、日本企業は、大学院卒業者を「なまじ勉強した人間は使いにくい」などといって敬遠します。関西学院大学の村田治学長の研究によれば、労働生産性とその社会の大学院卒業者（博士課程修了者）の占める割合には正の相関があるというデータが出ているにもかかわらずです。

めでたく正社員として大企業に就職できても、会社に入れば２０００時間労働で、残業後に仕事仲間で飲みに行くという慣習もあり、「メシ・フロ・ネル」の生活を余儀なくされる。これでは勉強する時間がありません。

高学歴とは何も大学院に行くことだけを意味するのではありません。もちろん、社会人を経験したのちに、大学院であらためて勉強しなおすのは、すばらしいことですが、それだけでなく、就職してからもずっと、学び続けることができる社会であることが重要なのです。

## 「メシ・フロ・ネル」から「人・本・旅」へ

GAFAやユニコーンのような新しい産業を起こすには、もちろん大学でしっかり勉強するだけではなく、大学を出てからも常に面白いアイデアを生み出していかなくてはなりません。そのためには、脳を活性化させる必要があります。

脳は、人間の臓器の中でも、とても疲れやすい臓器です。集中力は1回2時間が限度だといわれています。だからハリウッドの映画は2時間で終わるのが基本です。2時間集中して働いたら、ちょっと休まなければ脳は回復しません。

そして1日の集中力の限界は2時間×3コマもしくは4コマといわれています。大学の授業もそのようになっています。つまり製造業（作業の多くはあまり脳を使わない条件反射です）のような長時間労働からは、新しい産業が生まれにくいということです。

シリコンバレーで長く働いている僕の知人も、1日3時間以上働いたことはないといっていました。どうしてだと聞いたら、必死に考えたら脳が疲れてしまって、3時間以上はとうてい無理なのでという返事でした。

最近では赤ちゃんを職場に連れてきてもかまわないという会社が出てきています。APUでもコロナ対策として、2020年3月から子連れ出勤を導入しました。実はこれは、親の労働生産性の向上という点でも、理にかなっています。赤ちゃんの睡眠サイクルはだいたい4時間です。4時間ほどぐっすり眠り、4時間経ったら目を覚まして泣きます。赤ちゃんが泣いたら、ミルクをあげたり、あやしたりしなければならないので、脳を休めるタイミング（2時間×2）としてはちょうどよく、結果的に生産性が上がるのです。

加えて、アイデアを出すためには脳に刺激を与える必要があります。インプットです。残業せずに仕事を効率的に切り上げて、「人・本・旅」で脳を活性化させる。たくさんの人に会う。たくさん本を読む。旅は、文字通りの旅行だけが旅なのではありません。遠近を問わず、人気を集めている店など、面白そうなところに足を運んでみることが旅の本質です。

働き方改革とは具体的に何をどう変えるのかを僕の言葉で述べれば、「メシ・フロ・ネル」の生活を改め「人・本・旅」の生活に切り替えることです。

1年2000時間働いて1％成長する（≒1％儲かる）社会と、1300〜1400時間働いて2・5%成長する社会。皆さんはどちらを選ぶでしょうか。

「人・本・旅」の生活に切り替えて、アイデアをたくさん生み出し、ヨーロッパのように1カ月間夏休みを取っても2・5%成長する人間味にあふれた社会をつくり出したくはありませんか。

これが、働き方改革の根本にある思想だと、僕は思うのです。

## ブラック企業はどんどん辞めていい

そのためには、法律や制度だけではなく、人々の仕事の仕方を変えていかなくてはなりません。日本では長らく、残業も厭わず長時間働くことが美徳とされてきました。まずはそのような歪んだ慣習を変えていく必要があります。

なかには、「残業がなくなって残業手当がつかなくなったら、給与が減ってしまって生活に困る」という人もいるかもしれません。しかし、もし残業しなければ食べていけない状況であれば、それは企業としてのあり方がおかしいのです。本来、企業には、就業時間内の労働で、労働者やその家族が普通に生活していけるだけの賃金を払うことが求められています。

そのようなブラック企業はどんどん辞め、市場からの退場を促すべきです。「会社を辞めるなんて簡単にいうな。辞めたら路頭に迷うじゃないか」と叱られそうですが、その点においては、日本はいま世界でもっとも幸せな国です。

僕はいわゆる団塊の世代ですが、いま団塊世代の前後の年200万人が労働市場から消えつつあります。一方、昨今の新社会人は100万人ちょっとです。差し引き100万人のマイナスですから、日本は稀に見る構造的な労働力不足に見舞われているのです。2030年には644万人の労働力が足りなくなるという推計すらあります（パーソル総合研究所・中央大学「労働市場の未来推計2030」）。新型コロナ不況による短期的なマイナスの影響はありますが、この長期的なトレンドは変わりません。

## 年功序列から業績序列へ

細かい点を付け加えておきましょう。ここでは詳しくは述べませんが、「新卒一括採用」「終身雇用」「年功序列」「定年」というのは、人口の増加と高度成長の2つを前提としたガラパゴス的なワンセットの労働慣行で、世界では特異なシステムです。つまり、「同一労働同一賃金」、年功序列ではなく「業績序列」が、世界の常識です。

健康への悪影響がないよう、前日の業務終了時間から翌日の業務開始時間まで一定以上の休息時間（インターバル）を確保するという勤務間インターバル規制をしっかり確立しさえすれば、極論ですが、すべての被用者は年俸一本の給与体系で労働時間に関係なく業績だけで評価されていいと、僕は考えます。

新型コロナウイルスの感染拡大下、テレワークやオンライン会議・授業などが推奨され、市民のITリテラシーは格段に高まりました。人々が紙や時間（通勤など）、場所（オフィスや転勤）の制約から解放される可能性が生まれたのです。労働時間についての意識も変わりつつあります。アフターコロナの世界では、まちがいなく働き方の改革が進むと期待しています。

［論点4］

# 気候危機（地球温暖化）は本当に進んでいるのか

基礎知識

## 急速な気温上昇の原因は何か

地球の急速な気温上昇が懸念されるようになったのは、1980年代後半のことだ。

1988年に設立された気候変動に関する政府間パネル（IPCC）は、数年に一度、地球温暖化に関する専門家の知見を評価報告書の形でまとめ、警告を発している。最新の第5次評価報告書（2014年）によれば、1880年から2012年までの地上の平均気温は、それまでより0・85℃上昇しており、何の対策もしなければ、今世紀末には最大4・8℃上がる可能性がある。それに伴い、海水面の上昇や海の酸性化が進み、地域によっては極端な高温や干ばつが増加するなど、気候の変動が予測されるという。

ＩＰＣＣは、温暖化の原因は$CO_2$やメタンなど温室効果ガスの増加と見ており、これは人間の経済活動が引き起こした可能性が高いとして、各国に対策を求めている。

温室効果ガスとは、その名の通り、地球を温室のように暖める気体をいう。太陽光を浴びて温まった地表からは赤外線が放出されるが、その際、大気中の$CO_2$などがこれを吸収して大気圏外へ出ていくのを妨げるため、地表の温度が上がる。これが温室効果のメカニズムだ。現在の地球上の平均気温は14℃程度だが、もし温室効果ガスがなければ、マイナス19℃になるとされる。

つまり地球に人類が住めるのは温室効果ガスのおかげでもあるわけだが、現在の温室効果ガスによる気温上昇は、人間の生活に深刻な悪影響を及ぼすレベルに達している、というのがＩＰＣＣの結論である。

## 地球温暖化懐疑論者は何を懐疑しているのか

２００７年、ＩＰＣＣとアル・ゴア元米副大統領（映画と書籍『不都合な真実』で地球温暖化に警鐘を鳴らした）がノーベル平和賞を受賞したことで、地球温暖化を脅威と捉えるＩＰＣＣの見解は、世界共通の常識となった。

これに対し、さまざまな反論を行う人々は「懐疑派」と呼ばれている。両者の対立点を整理すると、次のように分類できる。

①「地球は温暖化している」は事実なのか

②事実だとしたら、その原因は$CO_2$の増加なのか、それは人為的なものなのか

③対策は必要か

懐疑派の多くも、①の地球が温暖化していることを認めている。IPCCが分析に使っている各国の気温データは、都市部で気温が高くなるヒートアイランド現象などについての補正も行われており、信頼度は高い。地球は温暖化どころか寒冷化していると主張する論者もいるが、それに対する回答も、IPCCの評価報告書には盛り込まれている。

②については、IPCCも仮説であることを認めている。ただ、ここ100年の気温の上昇は、人間の経済活動による$CO_2$の上昇以外に説明がつかないという。懐疑派もそれに代わる説明を用意できているわけではない。

③の対策には「抑制」と「適応」の2種類がある。「抑制」とは、温暖化そのものを防止すること。具体的には、$CO_2$削減のために化石燃料の使用を控えることや、省エネルギーを徹底することを指す。

一方の「適応」とは、温暖化によって起きていること、あるいは将来起こり得ることに人間のほうが合わせることである。たとえば作物には、ある時期に気温の高い日が続くとコメが未熟米にな

ったり、柑橘類の皮が日焼けで黒くなったりするといった高温障害があり、現に各地で問題になっている。それを避けるため、高温に強い品種を開発したり、新しい作物を導入したりするのが「適応」だ。多発が予想される豪雨に備えて、インフラの改修をするのも「適応」の1つだ。

## 日本は$CO_2$削減目標で苦戦中

気温上昇の原因がなんであろうと、対症療法的な「適応」策をとることに反論する人は少ない。問題は「抑制」のほうである。「対策は不要」「放置でよい」という主張は、もっぱら「抑制」策についてだ。

環境問題では、しばしば「予防原則」という言葉が使われる。化学物質や新技術が人間に深刻な被害をもたらすおそれがある場合、因果関係が科学的に証明されるまで待たずに、使用禁止などの措置をとることを意味する。証明を待っていては手遅れになる可能性があるからだ。地球温暖化の抑制策も、「人間の活動による$CO_2$が原因」という仮説に基づく予防原則の一種といってよい。

抑制策について反対の声が根強いのは、地球温暖化の場合、予防にしては、支払うコストが大きいからだ。

1997年の国連気候変動枠組条約締結国会議（COP3）で採択された京都議定書で、日本は2008〜2012年の期間中に$CO_2$の排出量を1990年比で6%削減するよう義務づけられた。しかし実際には1・4%の増加となってしまい、排出量取引で海外から削減分を買って帳尻を合わせることになった。

もともと日本は1970年代のオイルショック以降、抜きんでた省エネ技術を誇っていただけに削減の余地が少なく、さらなる排出量削減は「乾いたぞうきんを絞るようなもの」と産業界からブーイングを浴びた。また、2011年の福島原発事故によって原発の代わりに火力発電を使わざるを得なくなり、削減はますます困難になった。京都議定書で先進国だけが削減の義務を負ったのも、削減案への各国の反発につながった。

2015年のCOP21では、京都議定書の次の目標を定めたパリ協定が採択された。パリ協定では、世界の平均気温上昇を産業革命以前に比べて2℃より十分低く保つ(2℃目標)とともに、1・5℃に抑える努力を追求すること(1・5℃目標)が示された。具体的な削減目標は各国に任され、日本は目下、2030年までに2013年度比で26%削減という厳しい目標に挑んでいる。

しかし、懐疑派の世界代表ともいえるトランプ米大統領は、2019年11月、パリ協定からの離脱を国連に正式通告した。

## 気候変動ではなく気候危機

2019年9月には、国連のグテーレス事務総長の呼びかけで、「国連気候行動サミット」が開かれた。近年、記録的な高温による山火事や、豪雨による水害が世界各地で大きな被害をもたらしていることを受け、パリ協定だけでは不十分だとして開かれたものだ。

サミットではグテーレス事務総長が「気候変動はもはや気候危機だ」と訴えたほか、当時16歳の環境活動家グレタ・トゥーンベリさんが「あなたたちが話しているのは、お金のことと、経済発展がいつまでも続くというおとぎ話ばかり。恥ずかしくないんでしょうか！」とスピーチし、大きな反響を呼んだ。

サミットでは77カ国が、2050年までに温室効果ガスの排出を実質ゼロにするという目標を表明した。

「実質ゼロ」とは、温室効果ガスをまったく排出しないということではなく、実際の排出量と、植物の光合成などによって吸収された量が釣り合った状態のことだ。「50年実質ゼロ」を目標に掲げる国はその後さらに増え、G7で参加していないのはアメリカと日本だけになっていた。

だが、2020年10月、菅首相は就任後初の所信表明演説で、温室効果ガスを2050年までに実質ゼロにすると宣言。具体的な道筋はまだ示されていないが、石炭や天然ガスによる発電から再生可能エネルギーへのシフトによる電源構成の見直しは不可欠だ。さらには、原子力発電所の再稼働や新設の是非も、議論の焦点となってくるだろう。

2020年11月の米大統領選挙で勝ったバイデン氏も、自分が大統領になったらパリ協定に復帰し、「50年実質ゼロ」を目指すことを公約に掲げている。

**自分の頭で考える**

## 地球温暖化・気候危機は世界の共通認識

気候危機（地球温暖化）問題といえば、多くの人が、スウェーデンの高校生グレタ・トゥーンベリさんの訴えを思い浮かべるでしょう。日本でも、『グレタ　たったひとりのストライキ』（マレーナ・エルンマン＆グレタ・トゥーンベリほか著、海と月社）というすばらしい本が出版されています。

気候危機問題については、２０１５年に開かれたＣＯＰ21で採択されたパリ協定が１つの答えになっていると思います。近年の気候変動の主たる原因は温室効果ガスの排出による地球温暖化だろうということで、世界の研究者の間ではほぼコンセンサスが確立しています。

懐疑派の半分は、耳目を惹くことを主張して本を売ろうという人で、あとの半分は頭の固い人だと思います。僕の知るかぎり、まともな学者で地球温暖化を軽視している人はほとんどいないと思います。

ＣＯＰ21のパリ協定以前は、先進国と途上国との間で深刻な対立がありました。先進国は

「温暖化を止めなければならないから、温室効果ガスは全地球的に抑制すべきだ」と主張する一方、途上国は「いや、その理屈はおかしい。今日の温暖化問題は先進国が長年温室効果ガスを排出してきたために起こったのではないか。であれば、われわれも生活水準が一定レベルに向上するまでは排出を認められてしかるべきで、温室効果ガスの削減は先進国がその分をより多く負担すればいい」と主張して、議論はずっと平行線をたどってきました。

ところが、COP21では、途上国も含めて、いつまでもそんなことをいっていてはダメだと危機感が高まり、もはや地球を挙げて対策を進めなければならないと、196の国と地域が合意したのです。1つの問題についてこれほど多数の国がコンセンサスに達したのは、第二次世界大戦後では初めてのことではないでしょうか。気候危機問題とは、それほどの重大事だということです。

## 人類に十分な知恵がつくまでの時間稼ぎ

気候危機問題の一番厄介な点は、地球の気象は人類の関わる諸現象の中でももっとも複雑なものだというところにあります。現在、地球上にあるスーパーコンピュータを全部つなげても十分には解析できないともいわれており、人類はまだ正確な気象のシミュレーションすらできない状況です。

図表5　世界の年平均気温偏差(陸上のみ)

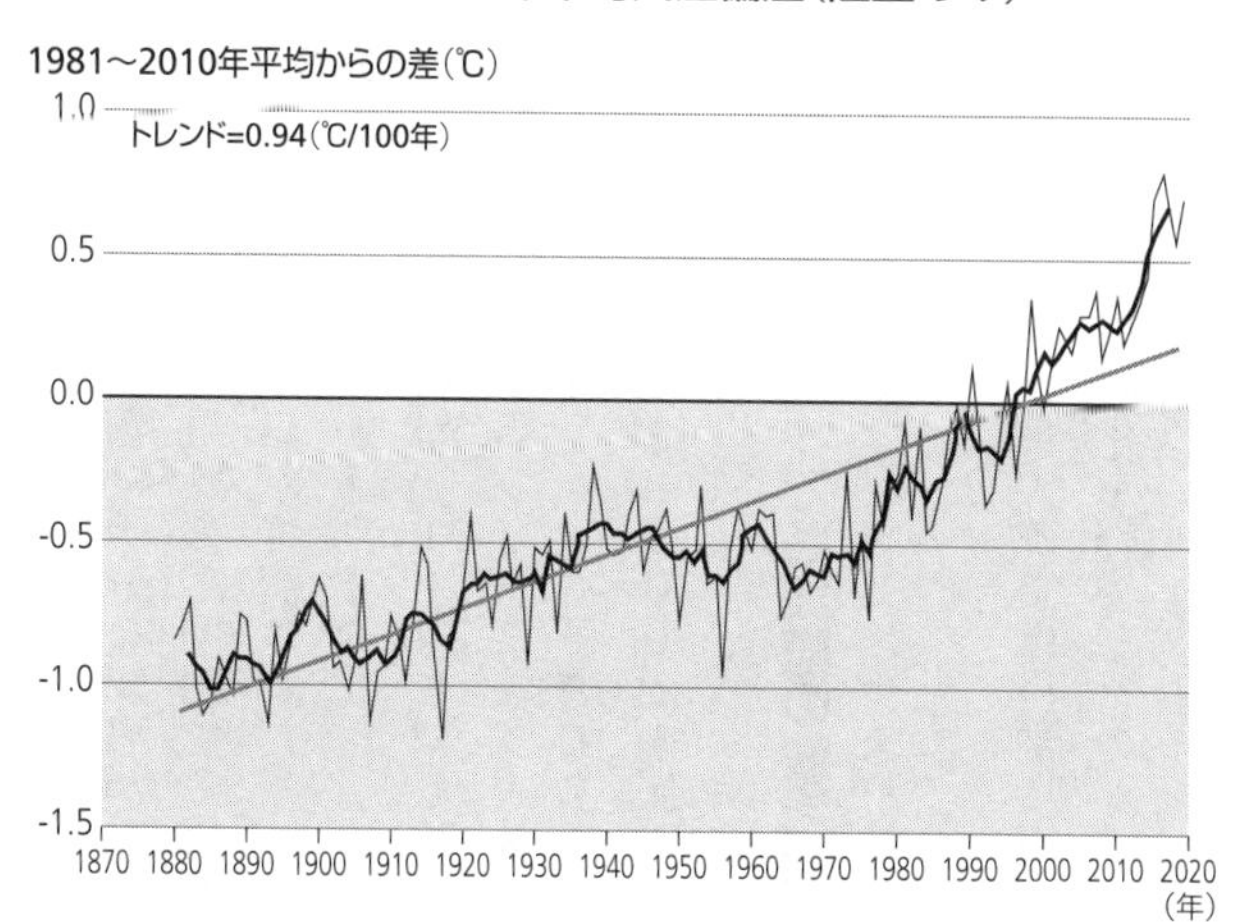


出典:気象庁

シミュレーションができなければ、コントロールもできるはずがありません。ここ数年、世界各地で、大雨、熱波、干ばつ、山火事などが相次ぎ、甚大な被害が生じています。日本でも「50年に一度の大雨」が毎年のように降っており、2018年には西日本豪雨、2019年には台風15号・19号、2020年にも、7月の熊本県を中心にした集中豪雨による大災害に見舞われました。

気候変動が一定の範囲を超えて人間の手に負えなくなると、どんなに恐ろしいか。下手をしたら地球文明全体が滅亡する可能性さえあります。

COP21のコンセンサスは、人類の知恵と技術がもう少し進歩して、気候変動の仕組みがきちんと理解できるようになるまでは、これ以上怪しいガスは増やさないでおこう、そのほうが無難だという合意だと解釈することができます。つまり、人類に十分な知恵がつくまでとりあえず時間稼ぎをしようというわけです。

もちろん、温室効果ガスを抑制するには莫大なコストがかかります。しかし、いくらコストがかかっても、家が洪水で流されたり、火事で燃えたりしてしまうかもしれないのであれば、みんなで負担するしかありません。

たとえば、炭素の排出1トンに対していくらかを課税する、地球横断的な新しい税金（炭素税）をつくろうというアイデアもあります。炭素税はフィンランドで1990年に導入され、フランスを含めてヨーロッパ各国ですでに実現しています。日本でも2005年に環境省が炭素の排出1トンにつき2400円の炭素税を提案しましたが、実現には至っていません。

## コンセンサスができても実際の政治はややこしい

ところが、ここまでコンセンサスができていても、実際の世界の政治の動きとなると、ややこしくなります。

アメリカのトランプ大統領は科学技術や温暖化対策の予算を削減しました。トランプ大統領がどうして地球温暖化を軽視したのか、本当のところはよくわかりませんが、トランプ大統領の実態をレポートした『恐怖の男』（ボブ・ウッドワード著、日本経済新聞出版社）という本の中では、彼はごく単純で幼稚な知能の持ち主だと断じられていますから、気候危機の恐ろしさを理解していなかったのかもしれません。そういう人物につけこんで一儲けしようという人もいますから、話は余計にややこしくなるわけです。

とはいえ、アメリカの面白いところは、州の権限が強力だということです。トランプ大統領の暴走は心配でしたが、カリフォルニアなどの大きな州の知事は断固としてパリ協定を守り抜くと宣言していました。時々の大統領の意向に関係なく、各州が賢明な行政を執り行ってくれることが十分期待できるのがアメリカです（だとしても、今回のコロナ禍でも痛感したことですが、一国のリーダーがどういう人かということは、やはりとても重要ですね）。

フランスでは、マクロン大統領が地球環境のために燃料税（炭素税）を増税しようとしたら国民から総スカンを食らい、全土での大規模なデモに発展しました。結局、マクロン大統領は当初の増税スケジュールを見直さざるを得なくなりました。

温室効果ガスの削減に当たっては、これからのエネルギーをどう賄っていくのかという問題もあります。

火力発電はやめたほうがいいとして、では代わりの電力は原子力発電でいくのか（原発については反対意見が根強くあります）、ダムをつくって水力発電を増やすのか、再生エネルギーはどこまで増やせるのか、など明確なソリューションがなかなか見えてこないのが実情です。

また火力発電をゼロにできないとしたら、排出ガスの量が石油や石炭より少ない天然ガスにシフトするなど、さまざまな方法を試行錯誤して、知恵を絞っていくしかありません。

ただ、ソリューションが容易に見つからないということは、同時にチャンスともいえます。今後、気候危機に対してすばらしいソリューションを見出した人は、人類史にその名を大きく残すことでしょう。

## 歴史上、悲観論は全敗している

現時点ではまだ理想的な解を見つけられていないものの、あと10年ぐらいしたら人類はもう少し賢くなっているかもしれない、と考えることもできます。物事を、現在という「点」でなく、一定の長さがある「時間軸」の視点で捉える考え方です。

たとえば、僕が中学生の頃に石油ストーブが普及し始めました。それまでは木を切って炭をつくったり、斧(おの)で割って薪(まき)をつくり、それで暖を取っていたので、石油ストーブがわが家にきたときはすごいものがきたなと感激した覚えがあります。

ところが、中学校の先生は「石油はあと30年しかもたないぞ」という。当時僕は15歳だったので、「そうか、45歳になったら、また薪割りに逆戻りか」と、本当にがっかりした記憶があります。

しかし現在、石油はまだ枯渇しておらず、あと50年はもつといわれています。科学技術が進んで、地球にはまだまだたくさんの石油が埋蔵されていることがわかってきたからです。

近視眼的な考えは、ともすれば悲観論に陥りがちです。しかし歴史的に見れば、悲観論は全敗しています。マルサスの人口論（時代が進むにつれて過剰な人口が必然的に発生するため、人類は否応なしに貧困に見舞われる、というもの。1798年発表）も、結局は外れました。

人間はどうしても接線思考、すなわち現状の延長線上で物事を考えてしまうため、なかなか一段上ステージが上がった技術進歩を想定することができません。

しかし、グーグルが開発した量子コンピュータは、現在のスーパーコンピュータが1万年かかる計算をわずか3分ちょっとで計算するそうです。このニュースに対しては、ライバル会社のIBMから、もとの計算が1万年かかるというのはスパコンの能力の過小評価で、現在のスパコンなら数日かかるだけだという反論も出されました。

いずれにしても、1940年代に最初のコンピュータが登場したときからすれば夢のような話です。このように人類は、想像できないような異次元のステージに到達することができるのです。

人間は決して賢くない動物ですが、それほど愚かでもありません。これまでも数々の危機を何とかやり繰りして克服してきました。僕はよく楽観主義者だといわれます。それは、歴史上、悲観論が全敗していることを見れば、とりあえずは楽観論に与(くみ)しておけばいいのではないか、と考えているからです。

## なぜ日本人は気候危機への感度が鈍いのか

日本では気候危機に対する意識レベルが低いとしばしば指摘されます。とくにヨーロッパと比較してみると、日本はまだまだ気候危機に対する感度が鈍いといわざるを得ません。

ヨーロッパでは炭素税を導入する国が増えていますが、日本でまだ実現していないことは先に述べました。また、ヨーロッパでは、カーボンオフセットの航空券がよく売れます。これは飛行機に乗る際に自分が排出する$CO_2$に、相当する金額を寄付することで排出の埋め合わせをするという仕組みです。日本の航空会社でも導入していますが、なかなか浸透しません。

日本人の意識が低いことには、メディアの責任も大きいと思います。ちょっと前の話で恐縮ですが、COP21が合意に達したとき、たまたま僕は世界の報道をザッピングするテレビ番組に出ていました。アジア、ヨーロッパ、アメリカなど、そのときモニターしていたすべての国の報道がCOP21を別格で取り扱い、他のニュースをほとんど流さなかったのに対して、日本ではほんの少ししか報じられませんでした。いかにメディアの感度が鈍いかということです。

これも5年ぐらい前の話になりますが、笑えない話もありました。SDGs(持続可能な開発目標。持続可能な世界を構築するにはどういう取り組みをしていく必要があるかを指針にした国連の概念）に取り組んでいる人から聞いたのですが、欧米の経営者にインタビューすると、ほとんどの人は2030年までのＳＤＧｓを念頭に置いて、我が社ではこういう戦略を立てているといった話をする。ところが日本の大企業の経営者にインタビューすると、我が社は来年売上げをこれだけ伸ばしますなどという話ばかりになる。そこで、ＳＤＧｓに話を向けると、多くのトップは「それは2030年のことだからまだまだ時間がある」と真剣に取り合わず、3割ぐらいのトップは「それ、何ですか？」と聞いてくる、というのです。

ＳＤＧｓについては、現在ではさすがにこんなことはありません。むしろバスに乗り遅れないように、ＳＤＧｓのバッジを胸につける経営者が増えてきました。

でも、気候危機のような世界レベルの問題について、日本の経営者は意識が低くて、目先のことしか考えていないという傾向は、あまり変わっていないように思います。これはメディアも同じではないでしょうか。

しかし、菅首相は、2020年10月26日に開会した臨時国会での所信表明演説で、「2050年までに、温室効果ガスの排出を全体としてゼロにする」という方針を表明しました。「国連気候行動サミット」の方針を受け入れたのです。

これによって国内の空気も少しずつ変わってくるのではないでしょうか。

# ［論点5］憲法9条は改正すべきか

**基礎知識**

## 改憲・護憲論争のスタート地点

日本国憲法は、1946年6月、当時の吉田茂内閣が第90帝国議会に「帝国憲法改正案」を上程し、いくつか修正が加えられたのち可決、11月3日に公布された。施行は翌1947年5月3日。以後、一度も改正されることなく現在に至っている。

新憲法は、形式上は帝国憲法の改正手続きに則って改正されたが、政府原案はGHQ（連合国軍最高司令官総司令部）が作成した、象徴天皇制をはじめとするモデル草案にほぼ沿う形でつくられた。「押しつけ憲法」と批判されるのは、そのためである。

1952年に日本が主権を回復すると、「独立国である以上、憲法は日本人の手によって制定すべき」という声が、保守政治家を中心に急激に高まった。1955年の保守合同で自由民主党が誕生すると、党の政治綱領に「現行憲法の自主的改正」が盛り込まれた。以来、「自主憲法制定」は今日まで自民党の党是とされてきた。

押しつけ論に対しては、GHQが草案作成時に日本人の民間研究者による草案を参考にしていたことや、GHQ草案を国会で審議する過程で、後述する芦田修正ほか日本側独自の修正がなされたことから、必ずしも押しつけとはいえないという批判がある。

また、「現行憲法は押しつけられたものかもしれないが、選びとったのはまぎれもなく日本人であり、国民主権、平和主義、人権尊重という理想が体現されている。なぜ変える必要があるのか」として、改正に反対する勢力はつねに存在してきた。

## 改憲論・護憲論の対立ポイント

改憲派と護憲派の最大の対立点は、9条だ。改憲派は「自国の安全を守るための戦力や交戦権まで否定されては、主権国家とはいえない」といい、護憲派は「日本が再び軍事大国にならないためにも9条は変えてはならない」と主張する。

現憲法は次のように謳っている。

［日本国憲法第2章　戦争の放棄］
（戦争の放棄と戦力及び交戦権の否認）
第9条　日本国民は、正義と秩序を基調とする国際平和を誠実に希求し、国権の発動たる戦争と、武力による威嚇又は武力の行使は、国際紛争を解決する手段としては、永久にこれを放棄する。
2　前項の目的を達するため、陸海空軍その他の戦力は、これを保持しない。国の交戦権は、これを認めない。

9条1項では、国際紛争を解決する手段としての戦争の放棄を明記している。改憲派の主張は、ここでいう戦争とは「侵略戦争」のことであって、他国の侵略から自国を守る戦争は含まれていない。したがって自衛のための戦争は認められている。当然、自衛権の発動を裏づける実力組織である自衛隊の存在は合憲ということになる。

だが、続く9条2項の条文は、「戦力」としての実力組織を否定している。となると自衛隊は憲法違反ということになる。実際、憲法学者の間では条文上、「自衛隊は9条2項が保持を禁じている戦力に相当する」とする議論は根強い。

戦後、護憲派の重鎮として多くの憲法解説書を著した宮沢俊義東大教授は、「戦争の放棄を実効的ならしめるためには、どうしても軍備の廃止が必要である。軍備を全廃してしまえば、実際問題として、戦争はやりたくてもできなくなるはずである」としたうえで、「（9条1項の）戦争放棄という目的を実効的ならしめるために、戦力を否認しようというのが第2項の趣旨だと解すべき」と述べている（『全訂日本国憲法』日本評論社、1978年）。つまり、9条は全体として非武装を規定しており、自衛隊は当然ながら憲法違反だというのである。

憲法制定時、吉田茂首相は、「本条の規定は、直接には自衛権を否定はしておりませぬが、第9条第2項において一切の軍備と国の交戦権を認めない結果、自衛権の発動としての戦争も、また交戦権も放棄したものであります」と答弁している。

この政府解釈が大きく変わるのは、この8年後、自衛隊が発足した1954年頃からだ。同年12月の国会で、鳩山一郎内閣の防衛庁長官が、次のような政府答弁をした。「憲法は戦争を放棄したが、自衛のための抗争は放棄していない。（中略）したがって自衛隊のような自衛のための任務を有し、かつその目的のため必要相当な範囲の実力部隊を設けることは、何ら憲法に違反するものではない」

自衛隊の存在を合憲とする主張は、その根拠を9条2項の冒頭の「前項の目的を達するため」という文言に置いている。憲法制定の審議過程で、将来の状況変化を見越して芦田均議員（のち首相）が提案した、いわゆる「芦田修正」である。「前項の目的」とは侵略戦争を指し、「陸海空軍その他の戦力」とは侵略戦争を遂行できる水準にある「戦力」のこと。したがって9条2項は、自衛のための「戦力」は否定していないというわけである。

## 9条の下で規模拡大してきた自衛隊

専守防衛のための必要最小限の装備しか持たない自衛隊は、9条2項にいう「戦力」には当たらず、合憲である——日本政府は長い間、この解釈に立って「自衛隊は違憲ではない」としてきた。

そのため、自衛隊は発足以来、さまざまな制約を課せられることになった。

たとえば、1976年に三木武夫内閣は「軍事大国化を防ぐ」との名目で防衛予算を「GNP＝国民総生産（のちにGDP＝国内総生産）の1％以内」とする枠をつくった。この予算枠は1987年に撤廃されたが、暗黙の制約として今日まで維持されている。

また、自衛のための武力行使についても、1972年、第1次田中角栄内閣の統一見解で、①日本に対する急迫不正の侵害があること（違法性）、②自衛力を行使するよりほかに防衛の手段がないこと（必要性）、③自衛力の行使は必要最小限度にとどまること（均衡性）、という3要件が打ち出された（武力行使の3要件）。

しかし、2015年の安保関連法の制定にあたって、第3次安倍内閣は、それまで「保有しているが行使できない」とされていた集団的自衛権についての政府解釈を変更。同盟関係にある国に武力攻撃事態が生じた場合、自衛隊を出動できるようにした。集団的自衛権が限定的ながら行使できるようになったのである。

こうして自衛隊は、「9条の縛り」を受けながらも徐々に活動範囲を広げていった。所轄官庁も防衛庁から防衛省に昇格。その存在は国民の間に定着した。兵力も発足当時は14万人規模だったのが、いまや総兵力は25万人近く、米国の軍事力評価専門機関グローバル・ファイヤーパワーの総合ランキングで世界5位（2020年）とされる陣容を誇るまでに至った。

ここに至っても、「戦力」には相当しないといえるのか。自衛隊を憲法上に明記すべきとする改憲派の主張に一定の説得力があるのは、自衛隊の規模と憲法規定との隔たりがますます大きくなっている現実があるからだ。

## 9条改正の動きは、いまどうなっているか

では、9条改正の動きは、いまどの段階にあるのか。2017年5月3日の憲法記念日に、安倍首相は、民間団体が主催する「公開憲法フォーラム」に宛て、「2020年を新しい憲法が施行される年にしたい」とするビデオメッセージを送った。そのなかで「9条1項、2項を残しつつ、自衛隊を明文で書き込む」という9条改正案（加憲案）を提案した。

その5年前、自民党が2012年に発表した「日本国憲法改正草案」では、9条1項はほぼ現行のままとし、2項を「前項の規定は、自衛権の発動を妨げるものではない」と改め、新たに「9条

の2」として、自衛隊に代わる国防軍の存在について1項から5項にわたって明文化していた。

安倍首相の提言を受け、自民党では憲法改正推進本部が提言を条文化するための議論を開始したが、2012年草案とは異なる内容だけに反対意見が多く、とくに9条1項、2項をそのまま残すことについては、党内に反対意見が続出した。党執行部は、これらの反対論を押し切り、2018年3月、自民党の新しい改憲素案をまとめた。

自民党による新しい改憲素案では、現在の9条全体はそのまま維持され、自衛隊の存在を明記する「9条の2」が新たに設けられた。

［加憲案］
9条の2　前条の規定は、我が国の平和と独立を守り、国及び国民の安全を保つために必要な自衛の措置をとることを妨げず、そのための実力組織として、法律の定めるところにより、内閣の首長たる内閣総理大臣を最高の指揮監督者とする自衛隊を保持する。
2　自衛隊の行動は、法律の定めるところにより、国会の承認その他の統制に服する。

この改憲素案では、自衛隊の存在が明記されるだけでなく、自衛権の発動については「我が国の平和と独立を守り、国及び国民の安全を保つために必要な自衛の措置をとる」と記され、これまで歴代の自民党内閣が自衛権の発動としての武力行使について課してきた「必要最小限の範囲」という縛りが、外されている。

これに対して、立憲民主党などの野党は、集団的自衛権の行使に歯止めが利かなくなると反対している。

憲法改正の発議には、衆参両院で3分の2以上の賛成が必要だ。2020年現在、衆議院は、自民公明両党に、日本維新の会や無所属の一部を加えた改憲に前向きな「改憲勢力」が3分の2以上を占めているが、参議院では3分の2を割っている。

安倍首相は、2021年9月までの自らの総裁任期中に憲法を改正したいと訴えてきたが、2020年9月、悲願を果たせないまま退陣した。

菅首相は安倍政権の政策を継承すると述べているが、憲法改正に必要な憲法審査会開催ならびに国民投票法改正の見通しは立っておらず、先行きは不透明だ。

## 憲法を社会に合わせるか、社会を憲法に合わせるか

憲法については、普通の法律とは異なった側面があります。それは、憲法に合わせて社会をつくるのか、それとも社会が変化したら憲法を変えるのか、という議論がまず底流にあるということです。

普通の法律であれば答えは明白です。世の中が変わったら、法律も変えなければなりません。金融取引の形態がITやAIによって変われば、金融商品取引法や金融商品販売法も当然に変えるべきです。

ところが、憲法はそう一筋縄にはいきません。憲法は、国のあり方そのものを定めたものだからです。憲法に規定されているのは、その国のあるべき姿でありビジョンです。ですから、世の中が変わったからといって、簡単に変えていいというものではありません。加えて、発生史的に述べれば、マグナカルタ以来、憲法には国家権力を制限し市民の権利を保障・伸長させてきたという長い歴史があります。

したがって、憲法が先か、社会が先かという議論の答えは、基本的には「憲法が先」です。憲法は国のあり方を定めているので、社会を憲法に合わせなければならないのです。この考え

方は、フランス革命によって人権宣言（人間と市民の権利の宣言）が世界に先駆けて発信され、それに沿った1791年憲法が制定されたフランスで、忠実に受け継がれています。

フランスは共和政の国ですが、いまは第5共和政と呼ばれています。この「第5」とは何か。これは憲法が大きく4回変わったことを意味します。憲法は国の姿、あり方を新しくつくりかえるものなので、憲法が変わったら国の形も変わるとフランス人は考えて、このような名前のつけ方をしているのです。

これに従えば、わが国の明治憲法下の政治体制は第1立憲政、現在の日本国憲法下の体制は第2立憲政と呼ぶべきでしょう。このように憲法は安易に変えるべきものではありませんが、未来永劫不変というわけでもありません。国民が国の目指すべきあり方を変えようと合意すれば、フランスのように憲法も変わってしかるべきです。

以上が憲法問題の総論だと思います。

## 国論は「自衛隊は合憲」で統一されている

次に各論に入ります。社会を憲法に合わせるという総論から問題になるのは、自衛隊の存在です。9条2項では、「陸海空軍その他の戦力は、これを保持しない」と明記されており、これを文字通り素直に読めば、自衛隊は戦力に該当するので憲法違反ではないかという疑問がわくのは当然です。

では、自衛隊はどのようにして誕生したのでしょう。1950年6月に朝鮮戦争が勃発し、日本を占領していた米軍が朝鮮に転用されて、日本における兵力が一時的に空白になりました。そこで最高司令官マッカーサー元帥が7月に当時の吉田首相に対して、警察力の増強に関する書簡を提示し、8月にはGHQがポツダム政令（占領軍の命令）として警察予備隊令を発し、これに従って警察予備隊（自衛隊の前身）がつくられたのです。

当時の日本は連合軍の占領体制下にあり、いわば超法規的権力によって警察予備隊が発足させられました。社会を憲法に合わせるという大原則を貫徹することは、占領下ではそもそも無理な相談だったのです。

その後、内閣法制局の解釈により、憲法は固有の自衛権を禁じているものではないとして自衛隊は合憲ということになりました。最高裁も、1959年の砂川判決で、日本に固有の自衛権があることを認めています。

護憲政党を謳う共産党ですら、「（野党連合政権入りしたら）自衛隊を容認するし、政府の憲法判断としては合憲という立場をとる」（2018年10月24日のJ－CASTニュースによるインタビュー）と志位委員長が明言しています。

憲法学者の間では「条文解釈上は違憲ではないか」という意見が根強いようですが、現在の日本では、憲法9条と自衛隊の関係は合憲ということで国論がほぼ統一されていると考えていいと思います。また現状として、自衛隊については、憲法を変えなくても誰も困らず、何も不都合は生じていません。ただ憲法の条文として明記されていないというだけのことです。

## 「押しつけ」で何か悪いことはあったのか

「押しつけ憲法論」についてはどうでしょうか。

現在の日本国憲法は、実質的に占領軍によって押しつけられたものであり、日本人自身がつくり出したものではないから、改めてつくり直すべきだという考え方です。ちなみに、細かいことをいえば、明治憲法の草案も日本人ではなくドイツ人のロエスレルが書いています。

「押しつけ憲法論」は、一見もっともらしいのですが、当時の日本には主権がなかったので（独立国ではありませんでした）、押しつけられたのは憲法だけではありません。前述したように、警察予備隊もそうですし、1ドル＝360円というかなり円安の為替レートもそうでした。細かい法律論争に入るのは避けますが、憲法学者の大半は、日本国憲法は明治憲法の定める改正手続きに従って制定されているので、合法的に成立したと解釈しています。

では、押しつけられたこと自体が日本にとって悪かったのかどうか。歴史にイフ（if）はないので答えようがありませんが、それは、その後の日本がどうなったかで判断されるべきでしょう。戦後の復興、高度成長期を通じて、憲法も自衛隊も1ドル360円も、どれも日本の発展の邪魔にはならなかったのではないでしょうか。

憲法に関する本質的な議論は、ほぼ以上に尽きると僕は考えます。それが、ややこしい問題に見えるのは、保守と革新によるイデオロギーの対立問題になってしまっているからです。

## イデオロギーの対立と化してしまった憲法問題

政治的な潮流には、大きく分けて保守と革新という2つの立場があります。

連合王国（イギリス）の思想家で、フランス革命を批判したエドマンド・バークから始まる近代の保守は、人間は本来万能ではないという立場に立つものです。人々が長年それに沿ってやってきて誰も困っていなければ、理屈はともかくとりあえずはそれを維持し尊重しよう、問題が生じたらそのとき変えればいい、という考え方です。

一方、革新とは、人間は賢い頭脳を持っているので、理性で考えたらきっといいものを生み出せる、だから人々が慣れ親しんだものであっても、誰も困っていなくても、よくないところがあると思えば改めるべきだし、積極的に物事を変えていこうとする立場です。その典型例が、一〇進法を用いたフランス革命暦です。

この本質的な定義からすれば、憲法を変えようと主張している人は、いま誰も特段困っていないものを頭で考えて変えようといっているので、革新ということになります。逆に、現行の憲法のままでいいと考えている人は、保守ということになります。

ところが現実には、憲法を変えようと主張しているのは保守のはずの政権与党の自民党であり、憲法を変えないでおこうと主張しているのは革新のはずの野党です。日本では保守と革新の内実がねじれており、自民党も野党も、本来の自分たちの立つべき立場とは矛盾したことを唱えています。そして、憲法問題はもはや変える必要があるかどうかという本質的な議論を離れてイデオロギーの対立となり、必要以上にややこしくなっているのです。

## 本当に困っていることがあるなら変えればいい

改憲論者の中には、「日本と同じ敗戦国のドイツも憲法を変えている。日本だけ変えないのはおかしい」と主張している人がいます。ただしドイツの改正内容をよく見ると、州の名称が変わったから憲法の記載も変えるといったレベルの、用語や名称の改正がほとんどです。

僕は、憲法改正は、制定の経緯がどうだったかといった過去の手続きなどではなく、コンテンツ（中身）で検討するのが真っ当な考え方だと思います。現在の憲法で本当に困っていることがあれば変えればいいし、そうでなければわざわざ変える必要はありません。イデオロギーや思い込みで言い争うのは不毛です。

僕自身は、現状では日本国憲法を変えるべきだと感じるところはほとんどありません。

ＬＧＢＴＱなど、人々の多様な生き方を尊重するとすれば、憲法24条の「婚姻は、両性の合意のみに基いて成立」するという記述は改正すべきではないかという声があります。これも、現行の記述のままでも同性婚に当てはめて読むことは十分できるという憲法学者の意見があります。

意外に思われるかもしれませんが、日本国憲法は先進国の中ではもっとも新しい憲法の１つです。日本国憲法の原型は、戦争を否定した初の国際条約である１９２８年のケロッグ＝ブリアン条約（パリ不戦条約）です。ゆえに、理念としては大変よくできていて、コンテンツにおいてとくに困ったところはないと僕は考えています。

## 憲法についてふだんからみんなで話し合ってみよう

では現在、憲法改正をめぐる政治状況がどうなっているかというと、基礎知識のページにもあるように、自民党の憲法改正推進本部が９条の改憲素案を取りまとめました。現行の９条はそのままにしておいて、新たに「９条の２」を付け加えて自衛隊の存在を明記するというものです。

この改憲素案に関して、安倍前首相は「現状を変えるものではなく、現状をより明確にするためのもの」だと説明していました。つまり、現状に何も問題はないが、自衛隊を条文化して現状をより明確に示すために改憲したいといっているわけです。この言葉を額面通りに受け取るかぎり、あまり必然性を感じさせる改憲論議とは思えません。

この改憲素案が実現するかどうかは、市民がどう判断するかにかかっています。最終的に憲法改正を決定する国民投票もそうですし、その前段階として、憲法改正を発議するために必要な、衆参両院で改憲勢力が3分の2以上を占められるかどうかも、決めるのは市民です。

憲法改正問題を考えていくには、メディアの役割と責任が大きいのですが、残念ながらこの点において、日本のメディアはかなり劣化しているように思われます。国民投票が行われることになっても、なかなか深い議論にはならず、噛み合わない双方の主張がただそのまま流される様子が容易に想像できます。これは私たち市民にとって、本当に不幸なことです。

メディアは私たちが鍛えなければなりません。いまはツイッターやフェイスブックなど、個人が発信する手段があります。「ここがわからない」とか「これはおかしい」といった声を上げ、議論しようという雰囲気を醸成することが大切です。

ふだんから憲法問題を友だち同士や家族で話し合うなどして、ひとりひとりが自分のできるところから行動に移すことで、世の中は変わります。その確信をもって行動を続けることが、民主主義社会を維持するための必要条件だと、僕は考えます。

# 安楽死を認めるべきか ［論点6］

基礎知識

## 安楽死・尊厳死とはどんな死か

安楽死は、一般に「積極的安楽死」と「消極的安楽死」に分かれる。積極的安楽死とは、耐え難い苦痛にさいなまれている、助かる見込みのない人に対し、医師が致死剤を与える等して死に至らしめること。一方の消極的安楽死とは、延命措置をしないことによって患者を死に至らしめることをいう。

近いものとして「尊厳死」という語もある。1976年に「安楽死協会」として活動を始めてリビング・ウイル（終末期を迎えたときの医療の選択について事前に意思表示しておく文書）の普及に努め、現在は会員が10万人を超える「日本尊厳死協会」（1983年に改称）という団体がある。

ここでは、「尊厳死」を、「不治で末期に至った患者が、本人の意思に基づいて、死期を単に引き延ばすためだけの延命措置を断わり、自然の経過のまま受け入れる死」と定義している。考え方としては「消極的安楽死」に近いといっていいだろう。

## 医師による安楽死が許される4つの要件

現在のところ、安楽死や尊厳死について定めた法律は存在しない。日本尊厳死協会は、長年にわたって尊厳死の法制化を求め、2012年には超党派の議連が法案をまとめたが、反対が根強く、国会には提出されていない。

したがって、日本の病院で、もし積極的安楽死が行われれば、医師は殺人罪（もしくは嘱託殺人罪）に問われるだろう。

消極的安楽死・尊厳死については、厚生労働省や関連学会がガイドラインを発表しており、医療現場で少しずつ実施されるようになってきた。

その内容は、あらかじめ本人の意思がある、または家族の希望・同意がある場合に、胃ろうなどの人工栄養、人工透析や人工呼吸器など生命維持措置による治療を開始しない、もしくは、いったん始めた治療を中止するというものである。2017年には、本人の意思・かかりつけ医の確認ができれば、救急隊員が蘇生行為を中止することも認められた。

ここに至るまでには、いくつかの安楽死事件と裁判があった。

1991年には東海大学医学部付属病院で、医師が家族の依頼を受け、末期がんの患者に塩化カリウム等を注射して死亡させるという事件が起きている。

これに対して横浜地裁は1995年、医師による積極的安楽死の要件として以下の4つを示した。

①耐え難い肉体的苦痛がある

②死が避けられず、死期が迫っている

③肉体的苦痛を除去・緩和する他の方法がない

④患者の明らかな意思表示がある

事件では要件の②しか満たしていないとして、医師は殺人罪で有罪となった。

1996年には京都府の国保京北病院（当時）で、2002年には川崎市の川崎協同病院で、いずれも末期患者の死期を早めた医師が殺人容疑で逮捕される事件が起きた。医師らは執行猶予がついたり不起訴になったりして実刑は免れている。

2006年には富山県の射水市民病院が人工呼吸器取り外しによる患者の死亡を公表。この病院では6年の間に7人の末期患者の人工呼吸器を取り外しており、これに関わった医師らが殺人容疑で書類送検された（不起訴）。

厚生労働省が末期患者の治療中止の手続きを定めたガイドラインを作成したのは、この射水市民病院事件がきっかけだった。その後、複数の関連学会も独自にガイドラインを作成し、現在に至っている。

積極的・消極的を問わず、安楽死に関する法律が存在しない日本では、これらのガイドラインが、医師に「刑事責任を問われない延命の差し控え・中止」を保証する役割を果たしている。

## 京都ALS患者嘱託殺人事件

2020年7月には、難病のALS（筋萎縮性側索硬化症）の女性患者に頼まれ、薬物を投与して殺害したとして、医師2名が嘱託殺人の疑いで逮捕された。この事件を受けて、一部の政治家からは、安楽死・尊厳死を法制化すべきだという声が上がった。

だが、逮捕された医師は、SNS上で患者と知り合っただけで主治医ではなかった。診療を行ったこともなく、患者と会ったのは犯行当日が初めてだったという。また亡くなった患者は、24時間の介護が必要な状態ではあったが、病状は安定しており、死期が迫った状態ではなかった。

したがって、この事件はそもそも安楽死かどうかを検討する対象にもならないというのが、多くの医療関係者や弁護士の見方だ。

## 安楽死のできる国

世界には、日本と違って積極的安楽死が法律的に許されている国がある。

2001年、世界初の安楽死法を制定したオランダでは、「2名の医師が診断」「患者の安楽死要請が自発的である」「痛みが耐え難い」などいくつかの要件を満たせば、医師が薬剤を注射して死に至らしめることができる。薬剤を本人に渡して、本人が服用するケースもある（合法的な自殺ほう助）。対象は12歳以上。健康保険が適用される。

ベルギーにも、オランダに似た法律があり、こちらには年齢制限がない。精神的な苦痛も対象にしているため、まだ若いうつ病患者が安楽死を許されるケースもある。

スイスでは、積極的安楽死ではなく、医師による自殺ほう助だけが許されている。あらかじめ自殺ほう助団体の会員になっていること、医師だけではなく弁護士の了解を得ることなどが条件で、それを満たせば外国人でも対象になる。すでに会員登録済みの日本人も何人かいるという。

2019年6月に放送されて反響を呼んだNHKスペシャル「彼女は安楽死を選んだ」は、このスイスの自殺ほう助団体の会員になった女性が、スイスにわたって亡くなるまでを追ったものだ。

アメリカでは5つの州とワシントンD.C.で、自殺ほう助が合法化されている。1976年、植物状態であったカレン・アン・クインランという女性の人工呼吸器を外すことを両親が求めた、いわゆる「カレン裁判」で両親が勝訴して以来、アメリカは「死ぬ権利」の先進国だった。オレゴン州の住民投票で、全米で初めて医師による自殺ほう助が許されるようになったのは1997年のことである。

## 安楽死賛成派と反対派の対立ポイント

がん末期の緩和医療が進歩して、がん患者は死ぬ前の苦痛を以前ほど恐れなくてもよくなった。代わりに人々が恐れるようになったのが「身体の自由を失った状態での長生き」や認知症である。とりわけその傾向は高齢化の進む日本で強い。

ヨーロッパやアメリカの場合、一部で安楽死が認められるようになった背景には、「いつ死ぬかを決めるのは個人の権利だ」という考えがある。しかし日本では、その人自身の生きていたくないという意思より、「家族や周囲の人に迷惑をかけたくないので、早く死なせてほしい」という配慮から安楽死を望むケースが少なくない。

医師の意見はさまざまだ。

「医師の使命は、最後の瞬間まで患者の生命を救うために努力することにあり、安楽死はその使命に反する」というのは、ストレートな反対意見だ。

だが、QOL（生活の質）を高めるという観点からは、延命だけを求めていいのかという葛藤、延命治療の中止で刑事責任を問われることはないのかという不安など、現場の医師の悩みは深い。

障がい者団体からは、安楽死容認の動きを危惧する声が上がっている。周囲に迷惑をかけるのを嫌って安楽死が認められることは、障がいのある当事者に、「自分としては生きていたいけれど、家族に迷惑をかけたくないので死を選ぶ」ことの強制になりかねない。安楽死の容認は弱者の排除につながるということが懸念されている。

自分の頭で考える

## 人間に「自由に死を選ぶ権利」はあるか

安楽死や尊厳死を認めるべきか否かというテーマは、人権、つまり人間の権利をどう考えるかという問題だと思います。

もっともシンプルなのは、すべての人間には自分の好きなように生きる権利があるとする考え方です。人それぞれが好きな生き方を自由に選択できる社会が人間にとってあるべき姿であり、人権が保障された状態だと考えるのです。

現在では多くの社会、多くの人々がそのように考えていると思います。異議を唱える人はほとんどいないと思いますが、問題は、その「好きな生き方」の中に、自殺や安楽死を含めて

「自由に死を選ぶ権利」も含まれていいかどうかです。

僕自身は広義では含まれていいと考えていますが、さらに問題となるのは「自由に死を選ぶ」ことをどう定義するかです。

一見、本人の自由意思に任せればいいではないかと思われるかもしれません。しかし、最近の学問が明らかにしたことの1つは、そもそも人間には自由意思などというものは存在せず、人間の行動のかなりの部分は脳の無意識の領域によって動かされているという事実です。

つまり近代の文明社会は、自由意思という名の虚構の上に成り立っているに過ぎません。「故意」「過失」の有無によって犯罪を規定する刑法はその典型です（この点に興味があれば、小坂井敏晶『社会心理学講義』〈筑摩書房〉などを読んでみてください）。

自由意思が存在しないのであれば、自由意思によって安楽死や尊厳死を認めることはできなくなります。ナチスの時代のように、その社会の基準に合わないと認定された人が、「自由に死を選ばされる」恐れも多分にあります。

さらに、自らは誕生をコントロールできない人間が、そもそも死をコントロールできるのか、という哲学的な問いもあります。

## 終末期の延命をめぐる混乱と悲劇

そういった根元的な問題はさておき、現実的なレベルでこのテーマを考えると、カギはACPにあると思います。ACPとは「Advance Care Planning（アドバンス・ケア・プランニング）」の頭文字を取ったものです。

簡単にいえば、まだ元気なうちに、将来、自分の意思決定能力が低下したときに備えて、望む医療や介護の方向性について、本人が家族や医師や介護提供者などと話し合いを持ち、コンセンサスを共有しておこうという仕組みです。たとえば、年をとって脳溢血で倒れ、意思表示ができなくなったら、そのときに治療をどうするかということを、前もって決めておくということです。

日本ではまだ普及の途上にありますが、これから社会が超高齢化に向かって進展していくことを考えれば、必須の制度といっても過言ではないでしょう。

なぜACPが必要かというと、本人の意思が明確に示されていないと、医療の現場では、往々にして修羅場となる場合があるからです。

たとえば、とある家族で、父親が倒れて救急搬送されました。

病院へ到着すると直ちに救急外来の処置室に運び込まれ、当直の医師が対応に当たりました。救急車に同乗してきた母親は部屋の外でやきもきするしかありません。医師は人工呼吸器を装着しなければ患者はすぐに死ぬと判断し、人工呼吸器を取り付けました。

おかげで父親は一命を取りとめ、落ち着いたところでＩＣＵへ移されました。そこへ急を聞いて駆けつけた息子が、父親の姿を見て驚きました。人工呼吸器が装着されていたからです。経緯を母親に聞くと、救急対応で母親も知らないうちに付けられたといいます。母親は「でもお父さんが助かってよかった」といいますが、息子は釈然としないままです。息子の嫌な予感は後々現実のものとなります。

父親は助かったものの、いつまで経っても意識が戻らず、人工呼吸器を付けたまま昏睡の日々が続きます。大掛かりな人工呼吸器を付けているため、個室に入らざるを得ません。また栄養摂取のために胃ろうも行うことになりました。

その結果、月々の医療費負担が個室代金等を含めてなんと数十万円もかかるようになってしまったのです。すでに半年が経過し、その間、家族は病院へ多額の医療費を支払いました。この先いったいどうなるのか、先のことを考えると絶望的になります。医師に見通しを尋ねても、父親が回復するかどうかはわからない、回復の可能性はかなり低いとしかいってくれません。

それならば、いっそのこと人工呼吸器を外してもらおうかとも考えるのですが、現在の法律の枠組みでは、人工呼吸器を外すとその医師が殺人罪に問われかねないというのです。そのため医師は消極的です。

自分たちのあずかり知らぬところで人工呼吸器を付けられたのに、自分たちの意思では外せない。生命が維持されても昏睡状態のままという状態がさらに続けば、家族は医療費捻出のために、家まで売り払わなければならないかもしれません。そうしたら一家全員が路頭に迷うことになります。

いったいいつまで続くのか。いったい医療とは何なのか……。家族は恐怖にも似た気持ちで震えるばかりです。

これは仮定のケースではありますが、決して誇張したものではなく、これに似たケースが数多く起こってきているというのが現実です。

## 40歳になったらACPをつくろう

この家族がここまで追い詰められてしまったのは、ACPをつくっていなかったからです。

もちろん、ACPをつくることとイコール延命治療の否定、ではありません。できるかぎりの延命治療をしてもらって生きられる間は生きたいという希望は、少しもおかしいものではありません。ですが、もし本人や家族の意思が確認・共有されていたら、この家族のような修羅場は避けられたかもしれないのです。

ただし、ACPは本人が主体的に決めるものですが、医師や家族との話し合いの中で本人の意思が誘導される恐れがあるという問題があります。本心では1分1秒でも長く生きたいと思っていても、医師や家族が何となくそちらの方向に持っていくから延命治療は要らないことにした、などというケースはたしかにあり得ます。高齢者や認知症を患っている人の場合などは特に危惧されます。

そのようなことを防ぐ1つの方法は、若いうちにACPをつくっておくことです。介護保険料の支払いが始まる40歳ぐらいからがいいと思います。若いうちに始めるようにすれば、意に沿わないACPが作成されることをかなりの程度まで防げます。意思をはっきり表明できるときからACPに取り組むよう、制度化していくことが望まれます。年をとってしまってからでは遅いのです。

ただ、障がいのある人、中でも精神的な障がいがある人については、慎重な検討が必要です。障がいの程度によっては、ACPの対象外とすべきでしょう。

たとえ虚構であっても、ACPは刑法と同様、あくまで自由意思を前提とした厳正な仕組みとして設計しなければなりません。そうでないと、断種を認めたナチスドイツの「遺伝病子孫予防法」や、日本の優生保護法のように、障がい者への迫害につながりかねません。

## ＡＣＰ作成を医療保険の対象に

ＡＣＰを普及させるには、医療保険制度を活用すればいいでしょう。ご存じのように日本には診療報酬制度があります。日本で行われている医療の内容は、心電図検査は１３０点、虫垂炎の手術は６７４０点などといったようにすべて点数が定められています。１点10円で計算され、医療保険から医療機関へ診療報酬として支払われます。

「ＡＣＰを作成すれば１０００点」などと点数化し、診療報酬が支払われるようにすれば、医師は率先してＡＣＰ作成に取り組むはずです。ＡＣＰは一度つくったらそれで終わりというものではないので、1年おきに更新したらその都度１５００点などと設定すれば、継続的な取り組みが期待できます。

作成されたＡＣＰを、たとえばマイナンバーに紐づけておけば、交通事故に遭っても本人の意思を間違いなく確認することができます。市民の多くがＡＣＰをつくるようになれば、家族も「本人の意思がＡＣＰで明らかなので延命治療は要りません」などとためらわずに話せるようになります。

尊厳死や安楽死の問題は、ＡＣＰが普及した後の段階でゆっくり考えればいいと思います。ＡＣＰによって自分はどのような終末期医療を受けたいのかを明らかにし、そのうえで尊厳死や安楽死という究極の選択について掘り下げていくというのが、社会的にも受容されやすい手順ではないでしょうか。

## 最終的に優先されるべきはやはり本人の自由意思

僕自身についていえば、もうとうに古希を過ぎていますが、大学の学長という社会的役割を担っているので、秘書からは厳しく「健康診断を受けてください」といわれ、それに従っています。

ただ医者嫌いなので、検査などは必要最小限で済ませたいというのが本音です。あとは神様に決めてもらえばそれでいいと思っています。人生の終わりに、チューブだらけには決してなりたくない。

もちろんこれは僕の希望であり、まったく異なる考え方の人もいるでしょう。各人の希望はすべて平等に尊重されるべきです。

超高齢化社会を迎えたいま、自分の死をどのように迎えたいかをそれぞれが考えていくことが、求められているのだと思います。それには社会的な仕組みが必要ですが、残念ながら、現在の日本ではACPのような大切な仕組みが構築されておらず、問題が先延ばしにされています。

人間の死を考えるに当たっては、サラ・マレーという人が書いた『死者を弔うということ』

（草思社）という本がとても参考になります。父親を亡くしたジャーナリストが世界中を回って、人はどのように人を弔っているのかを知ることを通して、父親の死を考え、自分の死について思いをめぐらしていきます。

著者は無神論者で、当初は肉親の死を受け入れきれずに悩みます。しかし、少しずつ父親の死を受け入れていくプロセスを通して、人が死に直面したときに考えること、考えなくてはならないことに気づかされ、読み手も自ずとわが身に置き換えて考えさせられます。

死は病気によるものだけではなく、災害などによって、突然、襲ってくることも少なくありません。どんな人も一度、家族など親しい人と死について話し合っておくといいのではないかと思います。できることはできるときにしておいて、いざというときに備えるのが、危機管理の鉄則です。

そして、家族など親しい人と話し合うにしても、最終的に優先されるべきは、たとえ虚構であろうと本人の自由意思であるべきです。本人のことを決めるのは本人以外にはあり得ません。家族の多数決で終末医療の方針を決めるなどというのは、ナンセンスきわまりません。とても重要なことなので、最後に念のため繰り返しておきたいと思います。

［論点7］

# 日本社会のLGBTQへの対応は十分か

基礎知識

## LGBTQとは

LGBTQとは、レズビアン（Lesbian）、ゲイ（Gay）、バイセクシャル（Bisexual）、トランスジェンダー（Transgender）、クエスチョニング（Questioning）またはクィア（Queer）の頭文字を取ったもので、性的少数者の総称の1つだ。

レズビアンとは自分を女性であると自覚している人による女性への同性愛者、ゲイとは自分を男性であると自覚している人による男性への同性愛者、バイセクシュアルとは恋愛対象が男性・女性の両方の人、トランスジェンダーとは身体の性別と心の性別が一致しない人をいう。

だが、セクシュアリティのあり方はもっと多様で、ＬＧＢＴのいずれにも当てはまらない人、性的指向・性自認（自分の性を何だと思うか）がない人やわからない人、１つに決めたくない人もいる。

そこで最近では、ＬＧＢＴにクエスチョニング（自分の性がわからない・決めていない・決まっていない人）、クィア（性的少数者の総称）の頭文字Ｑを加えて、ＬＧＢＴＱと呼ぶことが一般的になりつつある（性のあり方はこれに限られるものではなく、ＬＧＢＴＱのほかにもさまざまな呼称がある）。

このように、人間の性は多様で、身体的特徴などの見た目だけでは判断できない。法の下の平等は基本的人権の根幹であり、人種や宗教、年齢、性別、障がいの有無による差別が許されないのと同じように、性的指向や性自認によっても差別されるべきではない。

しかし、「男性と女性が対になって結ばれ、子孫を残すことが生物としての自然なありかたである」という考え方、また、そこから生まれた、「結婚は生物学上の男女によるものでなくてはならず、同性愛は悪である」といった宗教的価値観から、性的少数者は社会的に排除され、その存在が表立って語られることすらない時代が長く続いた。

ＬＧＢＴＱの権利獲得運動が世界的に広まったのは１９６０年代以降のことである。

## 性別変更の壁、子どもを持つ壁

日本はもともと、性的少数者には寛容な文化をもつ国だった。しかし、明治以後はキリスト教の影響で、西欧流の同性愛排除が浸透した。LGBTQの権利獲得運動が、日本にも波及するのは1970年代に入ってからだ。

日本のトランスジェンダーにとって画期的な一歩となったのは、1998年に国内で最初の性別適合手術が行われたこと、そして2004年に性同一性障害者特例法が施行され、戸籍の性別変更が可能になったことだ。

ただし、性別変更が許される条件は、生殖機能がないこと（つまり性別適合手術済みであること）、婚姻中でないこと、未成年の子がないことなど、かなり厳しい。

それを乗り越えても次の障がいが待ちかまえる。2008年に合法的に戸籍を変更したある男性の場合、女性と結婚し、人工授精によって子どもをもうけたが、子の出生届提出の際、父親が元女性であったことを理由に嫡出子と認められなかった。婚姻中に生まれた子は人工授精であろうと嫡出子となるのが原則（民法772条の嫡出推定）だが、この男性の場合は、「生物学的に父親ではあり得ない」という理由で父親になれなかったのだ。

男性は提訴し、一審、二審では敗訴、最高裁で逆転勝訴した。法務省は2014年、このようなケースでは子を嫡出子とする出生届を受け付けるよう通達を出した。

## 同性婚の壁とパートナーシップ制度

２００１年のオランダを皮切りに、同性婚を認める国・地域が増え、現在では28の国と地域にのぼる（２０２０年5月現在）。州によってばらばらだったアメリカも、２０１５年に連邦最高裁が同性婚を合憲とした。

日本では戸籍制度の存在もあって、同性婚への道は遠い。トランスジェンダーの性別変更が既婚者や未成年の子を持つ人に許されないのも、戸籍上、同性婚になってしまったり、子の両親が同性になってしまったりするからだ。

その代わりとして機能するようになったのが、２０１５年に世田谷区と渋谷区が始めたパートナーシップ制度である。申請して証明書が発行されれば、病院での緊急時の対応や、賃貸住宅の契約などに際して、家族と同等の扱いを受けられる。現在は60以上の自治体で導入されている（２０２０年10月末現在）。

とはいえ法律婚ではないため、税の控除が受けられない、相続人になれない（一部の保険会社は死亡保険金の受取人として認めるようになった）など、多くの重要な権利が認められず不利益が大きい。

また、パートナーが外国人の場合の問題もある。日本人と外国人の異性カップルであれば、法律婚だけでなく事実婚の場合も、オーバーステイ（在留期限が切れてもそのまま滞在している状態）

になっても、ほとんどは在留資格が認められる。だが、2017年、日本人男性パートナーと20年以上ともに暮らしてオーバーステイ状態になった台湾人男性が、強制退去処分を受けた。男性は処分取り消しを求めて提訴し、2019年に在留資格が認められた。日本人と外国人の同性カップルが法的に保護された初めてのケースだが、まだ制度として保証されたわけではない。

## ダイバーシティ社会とは

人種や宗教、年齢、性別、障がいの有無などにかかわらず、あらゆる人が活躍できる社会をダイバーシティ社会という。diversityとは多様性のことで、「離れる」「分岐する」「放射状に広がる」という意味のラテン語から来ている。

もともとは社会的マイノリティの就業機会拡大を意味していたが、1990年代以降、多様な人材による多様な働き方を認めることで生産性を高めようというダイバーシティ・マネジメントが、アメリカを中心に浸透していった。

ＬＧＢＴＱの権利拡大の動きは、ダイバーシティ実現を目指す流れのなかに位置づけることもできる。

## 憲法24条は同性婚を禁止しているのか

日本における同性愛や同性婚に対する反対意見の代表は、「生物学上男性の父親と生物学上女性の母親とその間に生まれた子ども」という伝統的な家族形態を守るべきである、というものである。また、「同性愛や同性婚を認めたら、ますます少子化が進む」という意見もある。

婚姻について、憲法では「婚姻は、両性の合意のみに基いて成立し、夫婦が同等の権利を有することを基本として、相互の協力により、維持されなければならない」と定める（24条）。「両性の合意のみ」という文言があることから、「同性婚を法的に認めるためには憲法改正が必要である」という解釈や、「憲法は同性婚を想定していないだけで、その趣旨は両当事者の意志の尊重にあるので、憲法改正をしなくても同性婚は法的に認められる」という解釈があり、憲法学者の間でも見解は分かれる。

政府は「現行憲法では同性カップルに婚姻の成立を認めることは想定されていない」という見解で、同性婚を認めることには一貫して消極的だ。

しかし、日本でも多くの会社がダイバーシティの実現を企業理念として掲げるようになり、その一環として、「東京レインボープライド」（性的少数者によるパレードの1つ）に協賛する企業も増えるなど、LGBTQへの差別撤廃の動きは広がっている。

もっとも、日本企業がダイバーシティ実現を目指す背景には、少子高齢化による労働力不足で、従来、生産活動の中心だった男性だけでなく、高齢者や女性にも働いてもらわないと経済活動が立ち行かなくなるという、日本独自の事情もある。

ダイバーシティ実現を、そのような少子高齢化社会の生産性向上の文脈のみで語ることには批判の声もある。

## LGBTQの割合は

博報堂DYグループのLGBT総合研究所が行ったインターネット調査（2019年、約42万人対象）では、LGBT・性的少数者に該当する人は約10・0％という結果が出た。

LGBTという言葉を知っている人は91・0％と前回調査（2016年）の54・4％を大きく上回ったが、当事者のうち、誰にもカミングアウトしていないという人は78・8％。当事者以外の人の83・9％が「自分の周囲に該当者はいない」と回答している。

## 多数決で決めてはいけない問題

日本社会のLGBTQへの対応は十分か。まずファクトチェックをしてみましょう。

日本は世界の先進国ということになっていますが、先進国中の先進国の集まりであるG7でLGBTQの扱いがどうなっているかというと、5つの国で合法的に結婚ができ、1つの国で正式な結婚でなくてもフランスのPACS（連帯市民協約）のようなパートナーシップ（シビルユニオン）が認められています。

それに対して日本では法的な結婚は認められておらず、パートナーシップも60ほどの自治体でかろうじて結べるだけの状況です（2020年10月末現在）。このような国はG7では日本のみです。

僕が創業したライフネット生命は、生保業界で初めてLGBTQパートナーの保険金受け取りを認めましたが、これは原点に立ち返って考えてみれば当然のことです。生命保険ができたのは約250年前、2人で生活していて片方が死んだら残された方は生活に困るというところから始まりました。その原理原則からすれば、2人が同性か異性かは関係ないはずですよね。

認めない理由として憲法を引き合いに出す人もいます。憲法24条の「婚姻は、両性の合意のみに基いて成立」するという記述に照らせば、日本では同性婚は許されないというのです。しかし、たとえば憲法学者の木村草太さんなどは、憲法24条と同性婚やLGBTQは十分両立し得ると主張されています。LGBTQの法律論に関心のある人は木村さんの本を読んでみてください。

LGBTQのような少数派を認めていけば、社会の秩序が崩れてしまう、どこまで尊重すればいいのかキリがない、という声もあります。

そうした問題を考えるときに留意しなければいけないのは、その問題は多数決で決めていいのかどうか、ということです。たとえば、消費税を15%に上げるかどうかは多数決で決めていい。しかし、基本的人権はどのような社会であっても多数決とは関係なく、保障されなければいけない問題です。

LGBTQは基本的人権の問題で、多数決の問題ではありません。

同様に夫婦別姓問題も、ほとんどの場合は女性が姓を変えているので女性に対する人権侵害だという理解が国連でもなされており、やはり多数決の問題ではありません。ですから、国連は3回にわたって、夫婦別姓を認めるよう日本に勧告を行っているのです。ちなみに法律婚で夫婦同姓を強制しているのはOECD加盟国の中では日本だけです。

社会問題について考えるときは、数の論理で判断できるのか、それとも数の論理とは関係のない人権に関わる問題なのかを、分けて考える必要があります。

## 人権の保障はそもそも手間とコストがかかる

ＬＧＢＴＱの人権を保障する政策を実現させていくと、かなりの社会的コストがかかるという指摘もあり得ます。性別を変更する手術を全面的に認め、戸籍の変更を認め、法律婚も認め、それに付随する相続に関する法律も変え、学校などでは更衣室やトイレも改装するなどしていくと、たしかにかなりの手間とコストが必要です。

ですが、そうした現実面の課題は時間をかけて1つずつ解決していくしかありません。たとえば、デンマークでは時間をかけて1つずつ課題を潰していきました。その結果、デンマークではほとんどのトイレが男女別にはなっていません。全部が同じような個室仕様です。基本的人権や個人の尊厳に関わる問題は、時間やコストがかかってもやっていくしかないのです。

コストや手間がかかることでも、慣れればそれが当たり前になるという実例はたくさんあります。たとえば、プライバシーを守るために、個人情報を書いたハガキに黒いシールを貼ることがそれです。これなども面倒といえば面倒だし、コストもかかることですが、プライバシーは大事だという意識が浸透した結果、当然のこととして受け入れられるようになってきました。

ＬＧＢＴＱもそれと同じです。子どもの権利も女性の権利も障がい者の権利も、多くの人権は、最初は「余計な手間とコストがかかる」と批判されながら、現実的な施策をひとつひとつ積み重ねることによって、権利として確立してきたという歴史があります。

## 日本は先進国標準から2周も3周も遅れている

タテ軸で見る、すなわち歴史的に見れば、日本はもともと性的マイノリティに対して寛容な社会でした。室町時代には、足利義満が世阿弥という美少年をいつも自分の側に置いていたため、貴族たちが「あまり人前で男の子をかわいがるのは見苦しい」と日記に残しているほどです。室町時代は、日本文化の象徴といわれる茶道や華道が始まった時代ですが、当時は同性愛に対して寛容でした。

平安時代にも『とりかへばや物語』のように、今日でいえばＬＧＢＴＱにあたる人物が登場する物語があります。ＬＧＢＴＱに厳しい眼を向けるようになったのは、男女差別の激しい朱子学に範を得て天皇制をコアとする家父長制の国民国家をつくろうとした明治以降のことで、それ以前の日本ははるかにオープンな社会だったのです。

ではヨコ軸で見たらどうでしょうか。

日本は特別な国だから他国は参考にならないという人がときどきいますが、そもそも人間はホモ・サピエンスという同一種です。世界の先進国がこぞってやろうとしていることは基本的

には間違いが少ないという仮定に立ったほうが、賢明な選択ができると思います

したがって、ＬＧＢＴＱについては、ヨコ軸で考えても、社会的に認めていく方向が妥当だと判断できます。冒頭でも述べたように、Ｇ７の中で同性婚を法律で認めている国は５カ国、国の制度としてパートナーシップ（シビルユニオン）を認めている国が１カ国です。これに対して日本は２０２０年10月末現在でまだ60ほどの自治体がパートナーシップを認めているだけなので、エビデンスベースで考えれば２周、３周遅れもいいところです。

## 同性愛は動物としての本性に反するのか

男と女が結婚して子どもを授かるのが生物として自然なありようだ、同性愛は動物としての本性に反しているという意見もあります。その意見は１００％間違いではありませんが、かといって、そのこととＬＧＢＴＱの権利を保障することとは矛盾しません。

動物には大きい配偶子を持つ性＝メスと、小さい配偶子を持つ性＝オスがいます（生殖細胞のうち、接合して新しい個体をつくるものを「配偶子」といいます）。人間も動物なのでオスとメス、両者の配偶子が合体して子孫をつくります。

ところで、人間以外の動物でも、子どもをつくらないものがいます。大きい配偶子のもの同士が一緒に生活したり、その逆だったりするケースがあり、少数派が存在するのです。

ＬＧＢＴＱや障がい者は、端的にいえば、すべての動物において一定の確率で生じる少数派であって、存在して当たり前なのです。ハンディのある個体やマジョリティとは性質の異なる個体が一定割合含まれているのが、多様性があるということであり、それが自然の本来の姿です。

したがって、人間においても、そのような少数派をインクルージョン（包摂）するほうが、社会のあり方としては、はるかに健全だといえます。

## 多様性を活かすインクルージョンの発想

ＬＧＢＴＱからは逸れますが、インクルージョンは都市のあり方にも当てはまります。

20世紀の都市論は、世界遺産になった上野の国立西洋美術館を設計したル・コルビュジエの思想が1つの基盤になっています。都市の中に大きな道を縦横に走らせ、ここは住宅地区、ここは商業地区、ここは工業地区とセパレート（分離）してゾーニングするという発想です。ブラジルの首都ブラジリアはこの思想に則って建設されています。

この考え方に真っ向から反対したのがジェイン・ジェイコブズというアメリカ人のジャーナリスト・都市研究家です。彼女は真っ直ぐな道など面白くも何ともない、道はくねくねと曲がっていて、どこへつながっているのかわからないほうが楽しい、町も商店やオフィス、住宅などがごちゃ混ぜのほうがいい、なぜならば人間は仕事もすれば、モノも買うし、生活もしているのだから、と主張しました。インクルージョンの発想です。

20世紀の都市論は、この2つの思想のあいだで争われました。どちらの町が楽しいかはいうまでもありません。どこかの国へ行き、とてもきれいで大きくて真っ直ぐな目抜き通りがあって、その裏になんだか怪しげな小道があるとしたら、皆さんはどちらの道を歩くでしょうか。

僕なら迷うことなく怪しげな道のほうへ行きます。大きくて真っ直ぐな道は車には便利でしょうが、人間にとっては決して魅力的ではありません。一目で遠くまで見通せてしまう道より、人の営みのにおいがする路地を歩きたいというのが、人間の素朴な心理ではないでしょうか。

こんなことからも、僕は、セパレートの思想よりもインクルージョンの思想のほうが、人間性に即していると思います。

セパレートの思想は産業革命によって均質な労働者を確保するために生まれました。学校がその典型です。そして、セパレートの思想は均質な労働者に加えて、国民皆兵にも合致したため、国民国家の中で急速に市民権を得ていきました。それ以前の人間社会はインクルージョンの社会でした。つまり、セパレートの思想のほうがずっと新しいのです。

インクルージョンの思想に基づけば、事業主に一定割合の障がい者を雇用するよう義務づけている障害者雇用促進法は意義あるものといえます（民間企業は２・２％、国や自治体は２・

5％）。

ところが、2018年には、国や自治体が、障がい者の雇用率を水増しするという、実に情けない事実が次々と発覚しました。

2周も3周も周回遅れの日本で、LGBTQや障がい者など少数派の人たちが安心して暮らせる社会の実現は、急務です。少数派の人たちに優しい社会は、実は多数派の人たちにとっても暮らしやすい社会なのです。

ちなみに最近の僕は、LGBTQより広い概念であるSOGI（Sexual Orientation & Gender Identity　性的指向と性自認）という言葉を、なるべく使うようにしています。

# ネット言論は規制すべきか［論点8］

基礎知識

## ヘイトスピーチ規制は「表現の自由」の侵害になるか

ヘイトスピーチは日本語では「憎悪表現」と訳されることが多い。さまざまな定義があるが、最大公約数的には、「人種、民族、国籍、宗教、性別、性的指向など、個人では変更困難な属性に基づいて侮辱、扇動、脅迫などを行うこと」といえる（ヘイトスピーチを研究している社会学者・明戸隆浩氏の定義による）。

2016年に「ヘイトスピーチ対策法」が施行された。正式名称は「本邦外出身者に対する不当な差別的言動の解消に向けた取組の推進に関する法律」。罰則はないが、ヘイトスピーチをなくすための基本理念を定め、国と地方自治体に施策を求める内容だ。

立法のきっかけは、東京・新大久保や神奈川・川崎、大阪・鶴橋などで「在日特権を許さない市民の会」（通称「在特会」）を中心とした団体が、民族差別を煽る街頭デモを何年にもわたって繰り返したことだった。

国連人種差別撤廃委員会から日本政府に対し、ヘイトスピーチ規制のための法を整備するよう勧告が出されるに至り、与野党がそれぞれ法案を作成した。審議の結果、規制の対象は、ヘイトスピーチのうちでも、実質的に在日コリアンへの差別にほぼ限定されるような条文になった。それが喫緊の課題だったということが大きな理由だが、それだけでなく、対象を広くすればするほど、恣意的な運用が可能になり、言論の自由が侵される恐れがある、ということも考慮された。

大阪市では、対策法の成立前に、ヘイトスピーチに対する全国初の規制となる「ヘイトスピーチ抑止条例」を定めている。罰則規定はないが、有識者会議でヘイトスピーチにあたると判断された場合、当事者の氏名が公表されるという内容だ。

2019年12月には、川崎市で、最高で罰金50万円の刑事罰を科すという、全国で初めての罰則付きヘイトスピーチ禁止条例が成立した。

大阪市のヘイトスピーチ抑止条例に対しては、「曖昧で恣意的な解釈の恐れを払拭できず、表現の自由が侵害される」として、住民訴訟が起こされていたが、2020年1月、大阪地裁は「合憲」として、市民側の請求を棄却した。

## YouTube動画削除は「表現の自由」の侵害になるか

街頭デモ以上に、ヘイトスピーチの温床となっているのがネットだ。もともと「在特会」をはじめとするヘイトスピーチの担い手たちは、既存の右翼団体とは違いネットを主たる活動の場とすることから、「ネトウヨ」と呼ばれる。彼らは、過激な発言によって、あえて〝炎上〟を起こすことも、注目を浴びるための手段としている。

ネットの中でもとくにYouTubeでは、言論活動というよりは広告料収入を目的にしたヘイト動画が大量に投稿されていた。

これに対して、2018年5月、ネット掲示板「5ちゃんねる」の利用者たちから、YouTubeの通報システムを利用して、ヘイトスピーチ的な動画を削除させる運動が始まり、約2カ月で30万本以上の動画が削除された。

この事態を受けて、YouTubeは、ヘイトスピーチや差別的言動に対するポリシーを発表、規制を強化し、ポリシーに反するアカウントは凍結されるようになった。

## SNSで誹謗中傷された木村花さんと伊藤詩織さん

2020年5月23日、プロレスラーの木村花さんが亡くなった。木村さんはテレビのリアリティーショー『テラスハウス』に出演していた。番組内での木村さんの言動をめぐって、ツイッター上で1日に100件近い誹謗中傷の書き込みがあったといわれる。

木村さんの事件を受けて、ツイッターやラインなどのSNSを運営する企業の業界団体は、「禁止事項の明示と措置の徹底」や「健全なソーシャルメディア利用に向けた啓発」など6項目からなる取り組みを実施するという緊急声明を発表した。

また、ジャーナリストの伊藤詩織さんは、ツイッター上で誹謗中傷を受けたとして、6月には漫画家のはすみとしこ氏ら、8月には衆議院議員の杉田水脈（みお）氏と元東京大学特任准教授の大澤昇平氏に対して、投稿の削除と損害賠償を求めて提訴した。

一連の誹謗中傷は、伊藤さんが元TBSワシントン支局長・山口敬之氏から性的暴行を受けたとして告発・提訴したことに対するものだ（2019年12月の東京地裁一審では、伊藤さん側が勝訴している）。この「男気ある告発」が日本人女性のあり方を大きく変えたとして、2020年9月、伊藤詩織さんは、「TIME」誌の「世界で最も影響力のある100人」に、テニスの大坂なおみ選手とともに選ばれた。

## 「表現の自由」と「名誉毀損」

このようにSNS上での誹謗中傷やプライバシー侵害は、近年、大きな社会問題になっている。

これらを防止するために、運営企業に、該当する投稿やアカウントの制限・削除といった対策を求める声は大きい。

だが、運営企業が投稿削除・アカウント凍結などの規制を強化することに対しては、基準が明確でなく、表現の自由を侵害するものだという批判もある。

ここでまず前提となるのは、憲法21条は、個人と公権力の関係において、公権力は個人の表現の自由・通信の秘密を侵害してはならないと定めたものということだ。したがって、私企業が、運営するSNS上での投稿やアカウントを、利用者が契約時に同意した規約に反するという理由で制限したり削除したりすることは、憲法で保障された「表現の自由」の侵害にはあたらない。

だとしても、SNSをはじめとするネット上の言論空間は、いまや、誰もが自由にその意見を表明できる公共的な言論のプラットフォームとなっている。その点では、私企業によるビジネスであっても、人権として保障された「表現の自由」を損なわない運営が求められることになる。

さらには、利用者の「表現の自由」も無制限に認められるものではない。刑法には名誉毀損罪・侮辱罪があり、民法でも他人の名誉を毀損する行為は不法行為とされ、SNS上の発言も当然その対象となる。

SNS上の発言は、簡単に、しかも匿名でできるため、多くの人が、加害者であるという自覚がないまま他人への誹謗中傷を行ってしまう。発言に際しては、不特定多数の人が目にする「公の場」で発してもいいものかどうかを、常に慎重に自己チェックすることが求められる。

## 「あいちトリエンナーレ2019」の問題提起

2019年8月、愛知県で3年に1回開催される国際芸術祭「あいちトリエンナーレ2019」の企画展の1つ、「表現の不自由展・その後」の展示が、開催3日後に中止された。慰安婦を象徴する少女像や、昭和天皇の写真が燃える映像作品について抗議が殺到し、犯罪予告の脅迫もなされたためだ。

その後、抗議を受け付けるコールセンターの設置、展示方法を改めるなどの対策がとられ、会期終了1週間前に展示が再開された。

「表現の不自由展・その後」展は、政治的中立性を損なうなどの理由で、公立美術館などでの展示を拒否された作品を集めたもので、抗議が寄せられることは芸術監督の津田大介氏など実行委員会側も想定していた。

だが、テロ予告や脅迫の電話・ファックスなど、事務局の対応能力をはるかに上回る抗議が殺到したことは、自分と異なる意見を認めず徹底的にバッシングするという、日本の不寛容社会化の表れともいえる。

実行委員会会長代理を務める河村たかし名古屋市長が、「日本国民の心を踏みにじる行為で、行政の立場を超えた展示」と展示中止を求めたほか、「表現の自由を逸脱。私は絶対に開催を認めない」（黒岩祐治神奈川県知事）、「税金を投入してやるべきでなかった」（松井一郎大阪市長）など、政治家の発言も相次いだ。

また、あいちトリエンナーレ2019には、文化庁から補助金が交付される予定だったが、展示中止後の9月26日、補助金の全額不交付が決定された。いったん採択された補助金が後に不交付とされるのは、異例のことだった。

このような政治家の発言、国の対応については、「公権力による検閲」「表現の自由の侵害」という強い批判が寄せられた。

なお、不交付が決定された補助金は、2020年3月に減額した上での交付が決定された。いったん不交付とされた決定が覆るのも異例中の異例のことだ。

## フェイクニュースに翻弄される世界

ネット言論をめぐっては、フェイクニュースの問題も大きい。ヘイトスピーチと同様、フェイクニュースにもさまざまな定義があるが、総務省の「令和元年版情報通信白書」では「嘘やデマ、陰謀論やプロパガンダ、誤情報や偽情報、扇情的なゴシップやディープフェイク、これらの情報がインターネット上を拡散して現実世界に負の影響をもたらす現象」「そこには必ずしも『フェイク（嘘）』ではないものも含まれ」るとされている。

フェイクニュースのもたらす影響が世界的に問題になった大きなきっかけは、2016年の米大統領選だった。この選挙では、フェイクニュースを信じた人々によってトランプ陣営が有利になったといわれている。実際、マケドニア共和国の10代の青年は、トランプ支持者向けのニュースを捏造して自分のサイトに掲載し、半年で約6万ドルの収入を得たと、選挙後に証言した。

以来、フェイスブックが虚偽と判断したコンテンツを大量に削除するなど、アメリカのメディアはフェイクニュースに敏感になったといわれてきた。

だが、トランプ大統領が再選をねらう2020年、大統領選を前にふたたび事件が起きた。

2020年5月、ミネソタ州ミネアポリスで、黒人男性が白人警官に押さえつけられて死亡。BLM（Black Lives Matter　ブラック・ライブズ・マター）を掲げる抗議デモが全米に広がった。

このデモに対してトランプ大統領はツイッターに「略奪が始まれば銃撃を始める」などと投稿。ツイッター社は「暴力の賛美を禁止するルールに違反する」として、投稿に閲覧制限をかけた。

他方、フェイスブックは、CEOのマーク・ザッカーバーグ氏が「SNSの運営企業は真偽の審判者になるべきではない」「政治的な発言は民主主義社会において最も慎重に扱うべきものの1つ。政治家のメッセージは皆が見られるようにすべき」と発言し、トランプ氏の投稿を掲載し続けた。

フェイスブックのこの方針に対しては企業から反対の声が上がり、広告出稿を中止する広告ボイコット運動には、ユニリーバ、コカ・コーラ、ホンダなど、数百社が名を連ねた。

フェイスブックはこれを受けて方針を転換、8月には「子どもはコロナにほぼ免疫がある」というトランプ大統領の投稿を誤情報として削除した。また、大統領選の投票1週間前は、政治広告を制限すると発表した。

トランプ大統領のツイッター上の発言に対しては、大統領就任前から、事実として間違っている、差別・分断を煽るなどの批判があった。米紙ワシントン・ポストは、大統領就任から2020年5月までの3年半の間に、内容に誤りがあったり誤解を招いたりする投稿が約3700件に上ると報じている。

「言論の自由か規制か」という議論の前に、「発言の内容が事実か嘘か」をチェックしなければならない時代になったのは、世界中のメディアが直面する課題だ。欧米でも日本でも、既存メディアや市民団体がフェイクニュースをあぶりだすファクトチェックの体制を整えようとしているが、大量に氾濫する玉石混淆の情報に追いつかないのが現状だ。

自分の頭で考える

## 言論の自由はどこまで保障されるのか

社会のICT（Information and Communication Technology）化が進むにつれて、ネット言論の問題が浮上してきました。ネットを使えば誰でも簡単に情報発信ができるという利便性がある半面、無責任な情報や人を傷つける発言、虚偽の情報なども発信されるようになり、大きな社会問題になっています。フェイクニュースなども、いまや無視できない存在です。

この問題を考えるにあたって大前提となるのは、言論の自由は広く認められなければならないということです。

ただし、公務員は、行政の政治的中立性と市民・住民の信頼確保のために、政治的行為を行うことが法律で制限されています。まったく同様に、憲法99条は、国務大臣、国会議員、裁判官その他の公務員の憲法尊重擁護義務を定めているので、これらの公職にある人が憲法に反する発言をすることも制限されています。この憲法99条の認識が政治家にもメディアにも乏しいのが、この社会の大問題の1つだと、僕は考えています。

ところで、言論の自由があるからといって、何を発言してもいいかというとそうではありません。ヘイトスピーチに代表されるような差別的発言や、虚偽の事実に基づく誹謗中傷など、平等権や名誉権、プライバシー権など、他人の基本的人権を侵害するような言論は許されません。これは何もネット言論に限った話ではなく、職場でのパワハラやセクハラなども同じです。

では言論の自由はどこまで保障されるのかというと、憲法はその限度について「公共の福祉」という概念で歯止めをかけています。もっとも「公共の福祉」という概念を乱用すると、表現の自由を含む基本的人権を大幅に制限しかねません。ケースバイケースで、何が公共の福祉なのかを、個別の文脈に沿って具体的に明らかにする必要があります。

たとえば、ヘイトスピーチは人権侵害そのものなので、公共の福祉を適用して、公権力が規制をかけることは十分認められると思います。他方、あいちトリエンナーレ2019で問題になった「表現の不自由展・その後」展のケースは、価値観の相違による賛否両論の衝突なので、表現の自由が尊重されることは当然だと思います。このような場合に、公共の福祉の概念を持ち出すことは明らかに誤りであると考えます。

世界の動向を見ると、人権や民族を差別するヘイトスピーチは、法律によって規制される傾向にあります。

またドイツは、民主主義を否定する自由や権利は認めないという主義のもと、ナチスを賛美したり、ホロコーストを肯定したりする発言を法律で禁じています。

表現の自由の規制をどこまで認めるかは、どこの国にとっても難しい課題です。基本的人権に関わるかどうかという点が大きなメルクマールになりますが、どこで線引きを行うかは、それぞれの社会や文化のあり方に応じて、個別具体的に考えていくしか方法はないと思います。

## 批判には一定の質が求められる

そもそも、人類の歴史を振り返ると、人間が集団生活をおくる動物である以上、どこの社会・組織でも何らかの制約があるのが当たり前で、無制限の自由というものは世の中には存在しません。どこの国にも法律があり、企業には就業規則などがあります。

言論の自由は認めるべきだが、一定の制限があるというのは、矛盾を含んだ話ですっきりしないのですが、現実に世界の多くの国々でそうなっています。

そもそも言論の自由が基本的人権の中でもとくに重要だと考えられているのは、言論プラットフォームにおける「適切な批判」が、社会をよりよいものにしていくために必要不可欠だと考えられているからです。

適切な批判とは、互いに検証可能なデータ（数字・ファクト）を用いて、ロジックを積んで行うものです。単に自分はこれが嫌いだから、というのは批判ではありません。つまり言論プラットフォームの健全性を保つためには、批判にも一定の質が求められるということです。

私たちの周りには新聞や雑誌、テレビ、ラジオなど、さまざまな言論プラットフォームがあります。これまでジャーナリストでも専門家でもない一般の人は、言論プラットフォームを簡単には使えませんでした。誰でも新聞や雑誌に記事を書けるわけではないし、テレビの討論番組に呼んでもらえるわけではありません。

ところが、ネット空間の誕生によって、誰もがネット上の言論プラットフォームに容易にアクセスできるようになりました。お金もほとんどかかりません。その結果、ヘイトスピーチなどの差別発言やデマ、他人を批判する罵詈雑言が飛び交うようになったわけです。

加えて、ソーシャルメディア上の個々人の発信や検索等のビッグデータをＡＩで分析し、個々人の感情を支配して行動を操るソーシャルメディアの恐ろしさも指摘されるようになってきました（クリストファー・ワイリー『マインドハッキング』新潮社）。ＩＣＴやＡＩはとても便利なツールですが、あらゆるツールは毒にも薬にもなる二面性を持っています。上手に使っていくことが何よりも求められると思います。

## メディアは徹底的なファクトチェックを

ネット言論でヘイトやフェイクが飛び交う大きな理由の1つは、匿名で情報発信ができるからです。名前を用いている場合でもハンドルネームがせいぜいで、本名をきちんと出しているケースは少数です。

匿名の言論は、一般に、書いている人間の責任感が希薄になって攻撃的になり、罵詈雑言化しやすいといわれています。つまり、言論のクオリティが低下するのです。他方、きちんと名前を出していたら、数字（エビデンス）・ファクト・ロジックに基づかないで無責任なことをいったり、人を傷つけたりすれば、その個人に向けた厳しい反論が返ってくるので、罵詈雑言にはなりにくい。

もっとも、ネット上の炎上事例で、攻撃的な書き込みをする人はユーザー全体の1・1%で、そのごく一部の人が大量に書き込みをしているという研究もあります（田中辰雄・山口真一『ネット炎上の研究』勁草書房）。匿名の人がすべて罵詈雑言をまきちらしているわけではないということも、知っておきましょう。

匿名による言論活動の問題は、ネットの世界だけに限りません。新聞などでも同じです。日本の新聞では、毎日新聞などは記者の名前を明記した署名記事を原則にしていますが、大半の新聞記事はまだ無署名です。本当は、まず新聞が書き手の名前を出し、誰がその記事を書いたのかを明示して、責任を伴った情報発信を行っていくべきです。

メディアが率先することで、情報発信は名前を出して行うのが当たり前だという環境が醸成されていくのだと思います。

それに加えて、メディアは徹底してファクトチェックを行うべきです。たとえば、政治家など影響力のあるリーダーの発言はそのまま報道するのではなく、その内容に間違いがないかを厳密にチェックし、もし間違っていたならそのことをきちんと報じるべきだと考えます。

## 政治家の発言撤回が許されるのは日本だけ

日本の状況でもう1つ気になるのは、社会的地位の高い人や公職に就いている人が、間違ったことや不適切なことをいっても撤回すればそれで済んでいることです。これは他の先進国ではあまり見られない現象です。

外国人が驚くのは、日本の政治家が平気で発言を取り消すことです。少なくとも先進国では、撤回しなければならないような発言をした政治家は、即、政治生命を失います。これは伝統的には、古代ギリシャの考え方からきています。たとえ神々でも一度口にしたことは取り消せない、というのがギリシャ神話以来の考え方であり、伝統です。それほどいったん口に出した言葉は「重い」のです。

企業でも、社長や部長が「この仕事をやれ」と命令して、翌朝になったら「あれはなかったことにする」と取り消したらどうなるでしょうか。柔軟な意思決定ももちろん必要ですが、それが日常茶飯事になれば現場は混乱し、まともな業務遂行ができなくなります。

それと同じで、リーダーの発言がしょっちゅう撤回されていたら、何が本当かわからず、フェイクニュースと何ら変わるところがなくなります。

## 日本史を題材にした読み物にあふれるフェイクニュース

最近の日本で出回っているフェイクニュースとして、僕が由々しき問題だと考えるのは、「南京大虐殺はなかった」「関東大震災における朝鮮人虐殺はなかった」「731部隊で人体実験は行われていなかった」などといった、いわゆる歴史修正主義者の発言です。何が問題かといえば、これらの発言のほとんどがエビデンス抜きで行われていることです。

これらはもっぱら嫌中・嫌韓のプロパガンダの一環として喧伝されるものですが、こういった政治目的があるもの以外にも、日本史の世界の一部にはフェイクニュースがあふれています。たとえば、本能寺の変にはさまざまな陰謀論が唱えられています。裏には秀吉がいた、いや家康が黒幕だった、足利将軍だ、イエズス会だ、皇室だ、といった具合で枚挙にいとまがありません。

以前、ある著名な歴史作家と対談していて、「本能寺の変は光秀の出来心で誰かの陰謀ではないですよね」と話したら、その大作家は「出口さん、私もそう思いますが、それでは本が売れないんですよ。こんな陰謀論があって、こんな黒幕がいたと書かないとダメなんです」と話してくれました。

小説であれば致し方ないのでしょうが、フィクションではない歴史評論を謳って陰謀論を並べていたら、立派なフェイクニュースといわざるを得ません。

このような日本史を題材にしたフェイクニュースに、歴史学者の立場から鉄槌を下したのが、呉座勇一さんの『陰謀の日本中世史』（角川新書）でした。この本のなかでは、本能寺の変に関わる陰謀論はすべて実証的に否定されています。

　これまでの歴史アカデミズムは、一般の歴史読み物として巷にあふれるフェイクニュースを無視してきました。研究者は学術論文を書いてなんぼの世界、一般書にいちいち「それは間違いだ」と反論しても、研究者には何のメリットもないからです。

　しかし、そのようなアカデミズムの姿勢が日本史を題材にしたフェイクニュースを助長してきたことは否定できません。呉座さんはそこに一石を投じたのです。世界の一流の学者は、最新の知見を市民に還元することを怠りません。呉座さんの本を読んで、遅まきながらようやく日本でもアカデミズムが本来なすべきことをなす人が現れたと、僕は嬉しくなりました。

　この呉座さんの姿勢にならって、出版社などメディアも、売らんかなの方針でフェイクニュースを垂れ流すのではなく、日本の言論環境のクオリティを向上させることに、もっと責任をもって取り組んでほしいと思います。

［論点9］

# 少子化は問題か

基礎知識

## 歯止めがかからない少子化

2019年9月1日現在の日本の総人口は、前の年より28万5000人少ない1億2613万1000人だった。2008年に1億2808万4000人で人口のピークを迎えて以降、日本は、確実に人口減少を続けている。

江戸時代の中頃から明治にかけて3000万人台だった日本の人口は、明治政府の富国強兵政策によって急激に増大する。太平洋戦争が始まる直前の1940年には7000万人を超えていた。だが戦後は一転、食糧難に対応するため人口抑制が歓迎され、第1次ベビーブーム（1947～49年）のあとは、1人の女性が産む子どもの数は、戦前に比べてずっと少なくなった。1948年にできた優生保護法が翌年改正され、「経済的理由」での中絶が許されるようになったことも、人口抑制に寄与した。

1人の女性が一生のうちに産む子どもの数を「合計特殊出生率」（以下、出生率）と呼ぶ。日本の出生率は、第1次ベビーブーム期には4を超えていたが、現在は1・36（2019年）である。一時、1・26（2005年）まで落ち込んだことを思えば、少し回復したものの、人口置換水準（人口維持に必要とされる出生率）の2・07にはまったく及ばない。

こうなることは第2次ベビーブーム（1971〜74年）が終わる頃には予測できていた。にもかかわらず、少子化が戦後初めて問題になったのは1990年、その前年の出生率が1・57だったことが発表されてからだった。

それまで、戦後最低の出生率は1966年の1・58。この年は干支が「ひのえうま」で、日本の夫婦の多くが出産を避けたことによる（ひのえうま生まれの女は男を殺すという迷信があった）。この例外的に出生率が低かった年より、さらに低くなったことが、「1・57ショック」として政界や経済界に激震をもたらした。

## 少子化のデメリットとメリット

少子化とは、人口が少なくなるばかりでなく、15〜64歳の生産年齢人口が減り、65歳以上の高齢化率が上がることを意味する。国立社会保障・人口問題研究所が2017年に発表した推計によれば、2065年の日本の高齢化率は38・4％で、じつに国民2・6人に1人が65歳以上という超高齢社会が到来する。

少子化がなぜ「ショック」をもたらすかというと、それが経済成長を阻害するからだ。まず若年労働力が不足する。子どもや若者を対象としたビジネスが成り立たなくなる。イノベーションが起きにくくなり、社会に活気がなくなる。そして最大の問題は、年金をはじめ、現役世代の拠出によって成り立っている社会保障制度が根本的な見直しを迫られることにある。

一方、少子化のメリットを指摘する人もいる。通勤ラッシュが緩和する。子世代の多くが親の持ち家を相続し、ローンなしで家を持てる人が増える。単身者や高齢者向けのビジネスが伸びる。人手不足により女性や高齢者が生産活動に進出しやすくなり、労働環境も女性や高齢者が働きやすいものに変化する等々。

経済が発展し、医療も進歩して子どもの死亡率が下がると、子どもを「家を支える労働力」と考える必要がなくなり、少なく産んで、ていねいに育てる意識に変化していくのが世界の趨勢だ。

歴史人口学者の速水融氏は、「人口減少は社会の近代化の自然な流れであり、悪いことではない」「社会が成熟し、文化・芸術が花開くのは、人口が減少し経済が停滞する時代」「そもそも日本の理想的な人口規模は7000万〜8000万人、終戦直後くらいの人口」というのが持論だった。

## 少子化は先進国共通の課題

人口減少社会のメリットといわれるものは、個人的な暮らしの質の向上を意味しているものが多い。これに対して、デメリットは社会全体、国全体の質の低下を意味するものが大半だ。メリットは人によって享受できたりできなかったりするが、デメリットのほうはほぼ確実に実現する。

したがって、現実的には、少子化は先進国に共通の解決すべき課題であり、どの国も対策にあの手この手を尽くしている。

なかでも成功例とされているのがフランスである。家族給付の手厚さ（しかも子どもの数が多いほど有利になる）、2週間の「男性の産休」（有給）、充実した保育などの制度をととのえ、1994年には1・66まで下がった出生率を、2010年には2・01まで引き上げた。2010年代後半から再び低下傾向にあり、19年は1・87だが、EUの中ではもっとも高く、日本が「希望出生率」として掲げる1・8より高い。

もちろん日本もそれなりの対策をしてきたが、残念ながら効果はあまりない。日本の出生率低下の最大の原因は晩婚と非婚の増加だが、これに加えて日本に特有の事情として注目されているのが婚外子率（出生数に占める婚外子の割合）の低さだ。

フランスの59・8％を筆頭に、ヨーロッパの多くの国で生まれる子どもの半数以上が婚外子だ。これに対して日本は2・3％程度と、韓国の1・9％に続いて、OECD加盟国の中では2番目に低い（2016年）。日本は婚外子を不道徳とする規範が強いため、晩婚や非婚の増加がそのまま少子化につながってしまうのだ。

この状況とよく似ているのが韓国だ。出生率の低下は日本より深刻で、2018年は0・98と初めて1を割り込み、19年は0・92とさらに落ち込んだ。

なぜ日本と韓国に同様の現象が起きるのか。カギは両国に共通する性別役割分業意識にあるといわれている。日本経済新聞と韓国の中央日報が共同で行った意識調査（2016年）によれば、「夫は外で働き、妻は家庭を守るべきだ」という考えに賛成の人は日韓ともに約4割。企業にも家庭にもその意識が根強くあるため、たとえ共働きでも家事と育児の負担が女性のほうに集中する構造になっている。結婚や出産のハードルが高くなるのは当然だ。

「1・57ショック」当時、女性の高学歴化と就職が諸悪の根源だとして、「女性は家庭に帰れ」と叫ぶ声があった。90年代のバブル崩壊以降は、経済的に妻が専業主婦をしていられる余裕のある家庭が減ったため、少子化対策は必然的に「両親が働きながら子育てする世帯」への支援となった。しかし意識のほうは、いまもあまり変わっていない。

## 古い価値観の押しつけでは解決できない

2015年、安倍内閣は、子育て支援や働き方改革を通して「希望出生率1・8」（産みたいと思う女性が全員産んだときの出生率）を達成するという目標を掲げた。保育園の待機児童を減らし、育休や時短が充実すれば、たしかに産みやすくはなるが、非正規雇用の増加で経済的に結婚すらできない層が増えれば意味がない。

そういった具体的な少子化対策の有効性を考えるうえで避けて通れない問題は、日本が子どもをめぐってどのような社会を目指すのか、すなわち、性別役割分業がなく婚姻する・しないにかかわらず男女が共同で子どもを育てる社会か、それともあくまでも母親が主体となって子どもを育てる社会か、という問題だ。

日本ではまだ、「女性は子どもを産んで一人前」「子育ては女性の仕事」という価値観が根強い。このような価値観の押しつけは、個人の生き方への介入であるとして、子どもを持たない・持ちたくない人だけでなく、子どもを持つ・持ちたい人からの反発も大きい。

旧来型の価値観のもとで経済成長維持＝生産年齢人口を増やすことだけを掲げても、少子化対策に活路は見えてこない。いま求められているのは、個人の多様な生き方の選択を認めたうえでの少子化対策だろう。

と同時に、どんな策を講じたとしても、日本社会の人口減少を食い止めるのは相当に困難であるのが現実だ。税制や社会保障など、人口が減少しても持続できる社会への転換も、求められていくだろう。

**自分の頭で考える**

## 少子化は国民国家固有の現象

大前提として、子どもを産むかどうかは100%女性個々人の自由です。男性は産めないので、発言権はないと僕は思っています。ですから、子どもをつくるのは義務だなどという考え方はまったくの間違いです。したがって、「産めよ、殖やせよ」などというつもりは毛頭ありません。

そのうえでの話ですが、歴史を顧みると、ひとたび繁栄を謳歌した文明は大方の場合、少子化と人口減に陥っています。先進国でありながら人口増を続ける現代のアメリカは、ほとんど唯一の例外です。

そして、少子化によって人口が減少した国や地域はすべて衰退しています。それが厳然たる事実です。文明が栄えると都市が発達し、遊ぶ場所がたくさんできます。さまざまな選択肢が増え、人々は子どもをつくらなくなります。これは古代から世界のどこでも見られた現象です。

4000年前、メソポタミア文明の古代都市バビロンも、人々が遊びに耽った結果、少子化に陥りました。しかし、バビロンで人口が減ると空家が増え、それを伝え聞いてザグロスの山中から、子だくさんの人々がバビロンにやってきて少子化に歯止めがかかったのです。

つまり、人々の移動が自由であれば少子化はなかなか起こらないのです。近代社会の少子化現象は、19世紀に成立した国民国家が国境管理を厳格に行うようになったことが主因であるといえるのです。

## 出生率を回復させたフランスのシラク3原則

2019年の日本の年間出生数はとうとう90万人を割り込み86万4000人となりました。一方で人工妊娠中絶は約16万件もあります（2018年）。出生数の2割ほどの中絶が行われている計算です。

どうしても子どもを持ちたくないという事情があって中絶している人もいるでしょうが、本当は子どもを産みたいのだけれど経済的に見通しが立たず、やむなく中絶を選んだという人も少なくないと思われます。子どもを持ちたくても、育てられる環境にないので中絶に走るというのでは、とても先進国とはいえません。

ホモ・サピエンスの20万年の歴史を見ると、集団保育で、つまり社会全体で子育てをしてきたことがよくわかります。

## 図表6 諸外国の合計特殊出生率の動き(欧米)

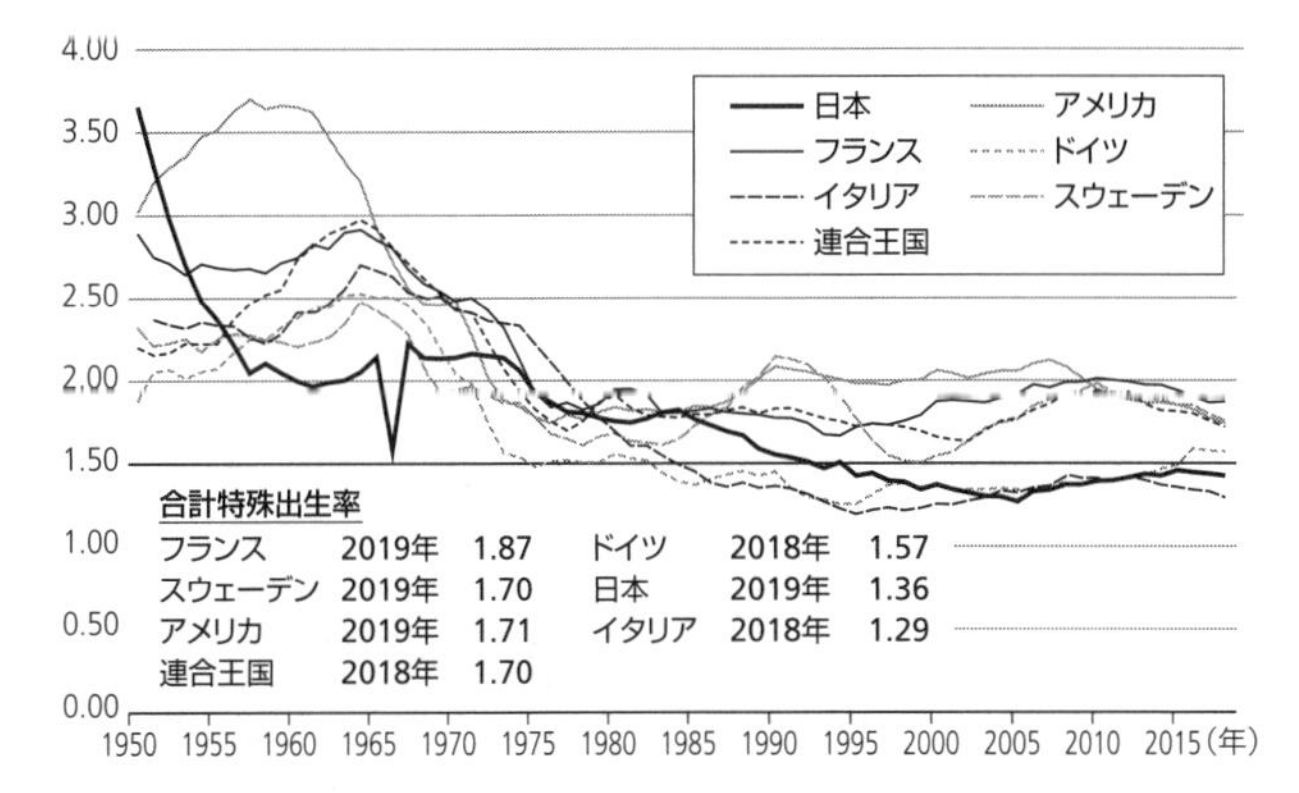


資料:諸外国の数値は1959年までUnited Nations "Demographic Yearbook"等、1960~2017年はOECD Family Database、2018年は各国統計、日本の数値は厚生労働省「人口動態統計」を基に作成。

出典:内閣府「2020年版少子化社会対策白書」

## 図表7 諸外国・地域の合計特殊出生率の動き(アジア)

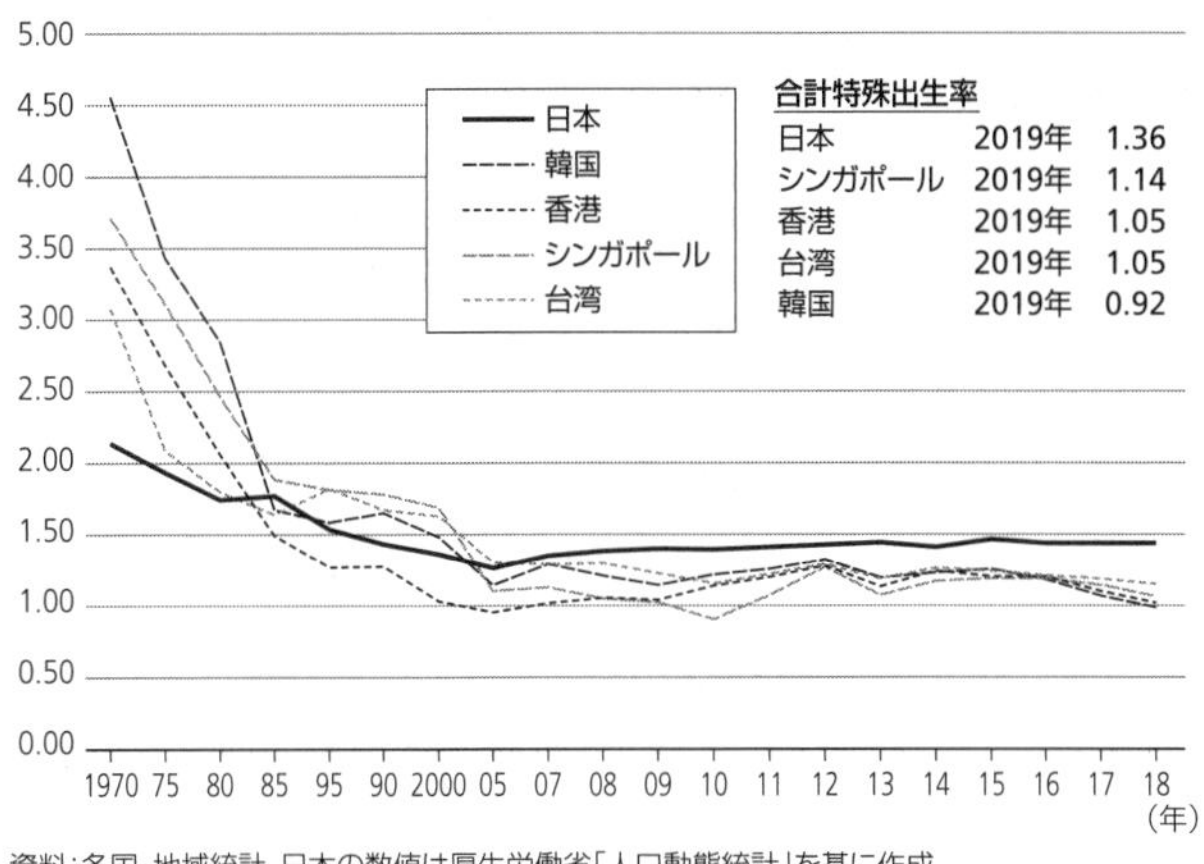


資料:各国・地域統計、日本の数値は厚生労働省「人口動態統計」を基に作成。

出典:内閣府「2020年版少子化社会対策白書」

フランスはシラク3原則という抜本的な子育て支援政策を採ってきました。第1原則は、女性が産みたいと思ったときがベストタイミングなのだから産んでください、という考え方です。これを政策に落としこめば、女性が産みたいときと、女性に子どもを育てられるだけの経済力があるときとは必ずしも一致しないので、出産や子育て費用の足りない分は自治体が給付する、ということになります。それなら、いつ子どもを産んでもそのことで貧しくなることはありません。だから学生でも安心して子どもが産めるのです。

第2原則は保育園は無料で待機児童ゼロ、すなわち希望者は全員、無償で面倒をみますということ。第3原則は育児休業を理由とした降格や異動を法律で厳禁したことです。

さらにフランスでは1999年にPACS（民事連帯契約）という仕組みができ、事実婚であっても、法律婚とほぼ同様の保護が与えられるようになりました。このような政策を講じた結果、フランスではおよそ10年で出生率が1・6台から2・0前後まで回復しました。

## 日本の少子化の根本原因は男女差別

日本の少子化は、長年にわたる無策のツケが回ってきたものです。現在の少子化の進行はいわば必然的な結果です。日本と子育て先進国フランスの違いは、シラク3原則やPACSだけではありません。僕は日本の少子化の根本原因は男女差別にあると考えています。

女性の社会的地位をみると、世界経済フォーラムのジェンダー・ギャップ指数で日本は153カ国中121位、フランスは15位です。フランスでは広汎な分野にクオータ制（女性比率を定めて起用する制度）を導入して女性の地位向上にさらに力を入れています。

日本では小泉政権時代の2003年、議員や企業の管理職など「指導的地位に占める女性の割合を2020年までに30％以上にする」という目標「2030（にいまるさんまる）」が掲げられました。しかし、2020年になっても衆議院議員や企業管理職に占める女性の割合は約1割にとどまり、7月には、「20年代の可能な限り早期に30％程度にする」と目標先送りの方針が示されました。

世界の先進国では、子育ては社会が支える、男女は等しく子育てをシェアするという考え方が常識になっていますが、日本

**図表8　「ジェンダーギャップ指数2020」の上位国及び主な国の順位**

| 順位 | 国名 | スコア |
|---|---|---|
| 1 | アイスランド | 0.877 |
| 2 | ノルウェー | 0.842 |
| 3 | フィンランド | 0.832 |
| 4 | スウェーデン | 0.820 |
| 5 | ニカラグア | 0.804 |
| 6 | ニュージーランド | 0.799 |
| 7 | アイルランド | 0.798 |
| 8 | スペイン | 0.795 |
| 9 | ルワンダ | 0.791 |
| 10 | ドイツ | 0.787 |
| 15 | フランス | 0.781 |
| 19 | カナダ | 0.772 |
| 21 | 連合王国 | 0.767 |
| 53 | アメリカ | 0.724 |
| 76 | イタリア | 0.707 |
| 81 | ロシア | 0.706 |
| 106 | 中国 | 0.676 |
| 108 | 韓国 | 0.672 |
| 121 | 日本 | 0.652 |

資料：世界経済フォーラム
出典：内閣府「共同参画」2020年3・4月号

ではいまだに、子育て（それに加えて、家事、介護も）は女性の仕事で、男性はそれを手伝えばいいという歪んだ考え方を持つ人が少なくありません。子どもが3歳になるまでは母親が子育てに専念しないと子どもに悪影響が出るという「3歳児神話」をいまだに盲信している化石のような人もいます。

子育て、家事、介護がすべて女性にのしかかってくるような社会、結婚して子どもを持ったら自分が苦しくなるのが目に見えている社会で、どうして女性が子どもをたくさん産もうと考えるでしょうか。

もう四半世紀も前の話ですが、フランスでは働いている女性のほうが専業主婦より生涯にたくさん子どもを産むというデータを見つけて、フランスの友人にその理由を尋ねたことがあります。

友人は僕の質問の意味がわかりませんでした。働いている女性は人生に貪欲なのだから、子どももたくさん欲しいと思うに決まっているじゃないか、そんなわかりきったことをなぜ聞くのかと。その答えを聞いて、働く女性のほうが専業主婦よりもたくさん子どもを産めるのは、すばらしい社会だと思いました。皆さんもそう思いませんか。

さらに日本では、家制度の残滓だと思いますが、結婚してから出産するのが今でも正統なあり方とされ、いわゆる「できちゃった婚」は軽く見られる傾向があります。

しかしデータを見れば明らかですが、先進国では、出産してからの結婚が普通のあり方です。これはホモ・サピエンスの本性に見合った形でもあります。

このように見てくると、わが国の少子化は人災、すなわち政治の無策によるものであることがわかります。少子化に一番効くのは、急がば回れで、男女差別を本気になってなくすことです。

にもかかわらず、日本の職場では、そもそも問題設定から間違っているケースが多い。職場では人事担当者が女性に対して、「子どもは、仕事との兼ね合いをよく考えて、タイミングを見計らって産んでください」などという趣旨の〝アドバイス〟を行います。

けれども、赤ちゃんを産むのは当たり前のことであって、子どもか仕事かを選べという選択肢を設定している時点で、考え方が根本から間違っています。子どもと仕事は「or」ではなく、「and」の問題です。仕事との兼ね合いを考えなければ子どもをつくれない、というのがそもそもおかしいのです。日本は、先進国のなかでもきわめて子どもをつくりにくい社会だと僕は考えています。

しかし、逆に考えれば、日本はもっとも可能性のある国だともいえます。改善の余地は山ほどあるので、まだ伸びしろがある。女性にとっては希望のある国だと捉えることもできます。

## 「人口8000万人でちょうどいい」の落とし穴

人口は社会の礎という考え方があります。連合王国（イギリス）出身で日本で活躍している実業家のデーヴィッド・アトキンソンは、戦後日本の高度成長を分析して、その主因は人口の増加にあったと指摘しています。GDP世界第2位の大国になれたのは、日本型経営が優れていたからではなく、何よりも人口が多かったからだというのです。

実際、先進国で人口1億人を超えている国はアメリカと日本しかないので、アトキンソンの主張には一定の説得力があります。人口は基本的な国力であるという彼の捉え方は的確だと思います。

高度成長時代とは逆に、いま日本の労働マーケットは、急速にシュリンク（収縮）しつつあります。僕は団塊の世代で、同期は200万人前後います。日本老年学会と日本老年医学会が2017年1月に提言したように、いまは健康状態が改善しているので75歳くらいまでは十分働けますが、それでもこの200万人が、労働マーケットから去りつつあります。一方、新社会人として労働マーケットに参入してくるボリュームは100万人ちょっとです。差し引きしたらどうなるか、子どもにもわかる簡単な計算です。

先述したように2030年には実に644万人もの労働力が足りなくなるという試算さえあります。労働力不足の影響はすでに現実化しています。コロナで一時的に変動しましたが、日本の失業率はここのところ、「完全雇用状態」（働く意思と能力のある人が全員職に就いている状態）に近いといわれてきました。それは景気がいいからではなくて、人口構成の変化に伴う労働力不足によるものです。

日本は小さい国だから、人口が減って8000万人あるいは6000万人ぐらいになっても、それでちょうどいいのではないかという人もいます。しかし、その考え方には大きな落とし穴があります。

人口が8000万人ぐらいになってもいいと考えている人に尋ねてみると、「現在の日本のこのままの姿で、人口だけが減る」というイメージを持っているケースが大半です。

しかし、人口が8000万人に減少すると、現在の市町村の半分以上は維持できなくなります。僕は三重県美杉村（現・津市美杉町）の出身ですが、いま故郷がどうなっているかといえば、人々は害獣除けの柵のなかでひっそりと農業を営んでいるだけで、完全に鹿と猿と猪の天下になっています。僕の生まれた下多気地区は世帯主の半分が75歳を超えました。そんな歳になったら、害獣を駆除しようにも猟銃が撃てず、害獣は勢力を増す一方です。

過疎の村へ一度行ってみれば、少子化がいかに恐ろしいかがわかります。人口が8000万人になったら通勤ラッシュが楽になっていい、などという話では済まないのです。

私たちが現在の生活水準を維持し、皆さんの故郷が残るためには、ざっくりいって人口1億人ぐらいは必要だと思われます。自分の故郷はいつまでも存続してほしいと願うなら、やはり人口は維持する必要があるのです。

そのためには、男女差別をなくして赤ちゃんを産みたいときに産める、産んでもハンディにならない社会を構築していくことが不可欠です。

## 婚外子を認めたら不倫が増えるのか

もっと子どもを産みやすい社会をという話をすると、「女性がいつでも子どもを産める社会になったら、モラルが乱れて、不倫の温床になる」などという声も上がります。しかし実は、日本はすでに他国に比べて不倫が多いという指摘もあります。

僕はそれは、日本が離婚に不寛容な社会だからだと思います。企業の管理職の中には、「離婚をするのは、仕事ができないやつだ。家族のマネジメントができなくて部下のマネジメントができるか」などと時代錯誤的な発言をする人がいまだにいます。その結果、実質的に破綻しているのに夫婦関係を続ける仮面夫婦が増え、不倫が増えるわけです。

婚外子を認めたら不倫が増えるというのは話が逆で、自由な婚姻形態や婚外子を認めて差別しない社会のほうが、不倫は減るのではないでしょうか。

僕が以前ロンドンで働いていたときに、日本は家族やパートナーを大事にしない国だと痛感させられました。

1992年にロンドンに赴任したときには、現地人の部下が25人ぐらいいました。部下に、「今夜、ご飯でも一緒に食べに行こうか」と誘ったところ、全員に断られました。英語が下手だし、人間的にも魅力がないので嫌われたのかなと思っていたら、現地人の秘書が「それは出口さんが間違っています。仕事が終わったらプライベートの時間であり、カップルや家族で過ごす時間です。もし一緒にご飯を食べようというのなら、カップルで誘えばいいと思いますよ」とアドバイスしてくれました。そこでカップルで誘ってみたら、みんな喜んで来てくれました。

日本のように、アフターファイブはおじさんだけで集って晩ご飯とアルコール、という習慣は世界では稀です。欧米人は、いまつき合っているパートナーをとても大事にします。法的に結婚しているかどうかは関係ありません。ロンドン時代にパーティーを催したら、みんなカップルで参加してくれました。日本は家族の絆を声高に主張する一方で、実際にはあまりパートナーや家族を大事にしていないのではないでしょうか。

## 若い女性の専業主婦願望の裏側

子育てが大変なことは、女性の社会進出の大きな壁にもなっています。

若い女性にアンケートを取ると、意外にも専業主婦願望が強いという結果がよく見られます。それを見て、「日本の女性は働くことを望んでいない」と主張する論者もいます。

しかし、こうした見解は物事の表面しか見ていない見方の典型です。

日本は先進国のなかでも際立って子育てがしにくい社会で、そのしわ寄せがすべて女性の側に押しつけられています。若い女性はそんな社会で苦労している先輩たちを見ています。「それなら専業主婦のほうが楽でいい」という意識が生まれてくるのは、当然のことです。

このようなアンケート結果が出るのは、歪んだ社会構造が女性の意識を変えてしまっているからだと解釈するのが、真っ当な考え方だというのは、ここまで述べてきたことから明らかだと思います。

少子化問題は国の行く末を左右するきわめて大きなテーマです。

政府は幼児教育・保育を無償化し、待機児童ゼロを目標に掲げ、保育の拡充を進めていますが、なすべきことはまだまだたくさんあります。

それは何も難しいことではありません。たとえば、フランスがやっていることをすべて真似すればいい。子どもや孫の時代になっても豊かな暮らしが日本で維持されることを願うのであれば、少子化対策は急務です。

［論点10］

# 日本は移民・難民をもっと受け入れるべきか

基礎知識

## 単純労働者も受け入れるという方針転換

２０１９年４月、改正出入国管理及び難民認定法（入管法）が施行された。

日本はこれまで、研究者やエンジニアといった「高度な専門人材」については外国人を積極的に受け入れるとする一方で、いわゆる「単純労働者」については、受け入れに慎重な姿勢をとってきた。

永住者・日本人の配偶者等を除いて、外国人が日本で単純労働をすることが認められてきたのは、以下の在留資格に限られてきた。

・インドネシア、フィリピン、ベトナムとの経済連携協定（ＥＰＡ）に基づく、看護師・介護福祉士の候補者と資格取得者
・国家戦略特区におけるフィリピン人による家事代行サービス
・留学生（週28時間までのアルバイト）
・外国人技能実習制度に基づく技能実習生

改正入管法では、これらに加えて、指定された業種で一定の能力が認められる外国人労働者を対象とする、「特定技能1号」「特定技能2号」という在留資格が新設された。特定技能の業種には外食、介護、建設、農業、製造業などが含まれる。単純労働に従事する外国人労働者を受け入れるという、大きな方針転換となった。

この方針転換は、深刻な人手不足に悩む経済界からの強い要請によるものだ。

２０１９年10月末時点で、日本で働く外国人労働者の数は過去最高の１６６万人、５年間で約２倍になった。全就業者数に占める割合は２％強だが、建設業・製造業・小売業（コンビニなど）・飲食サービス業ではとくに外国人依存度が高く、日本の産業は、すでに外国人労働者なしでは成り立たなくなっている。

## 問題が多い外国人技能実習制度

改正入管法に対しては、各方面から多くの批判が寄せられた。

主な批判の1つは、外国人技能実習制度を残したまま、その延長として「特定技能」が新設されたことだ。

外国人技能実習制度は「我が国が先進国としての役割を果たしつつ国際社会との調和ある発展を図っていくため、技能、技術又は知識の開発途上国等への移転を図り、開発途上国等の経済発展を担う『人づくり』に協力する」ことを目的に1993年に導入された。

しかし実際には、人手不足に悩む農家や中小企業が割安な労働力を確保するための手段になっており、実習生の側も、技術習得よりも出稼ぎを目的としていることが多い。日本で習得した技術を自国に帰って生かすという目的は、形骸化している。

法外な仲介料を搾取する悪質なブローカーの存在や、賃金・残業代の未払い、セクハラ・パワハラなど、技能実習生に対する人権侵害も大きな問題になっている。

新設された「特定技能1号」は、3年の技能実習を修了するか、技能と日本語能力の試験に合格すれば取得できる。在留資格は最長5年で、家族の帯同は認められない。こちらも、安価な労働力を使い捨てする制度になってしまう可能性は拭い切れない。

ちなみに「特定技能2号」のほうは、在留期間は無期限で家族の帯同も認められる。だが現在のところ業種が限られ、技能試験も始まっていない。

## 日本はすでに「移民大国」

政府は「特定技能」導入に際し、初年度の2019年度には最大で4万7500人、5年間で約34万5000人の外国人労働者の受け入れを見込んでいた。これに対して与党自民党の支持基盤である保守層からは、「事実上の移民受け入れだ」という反対の声が上がった。

政府は国会審議では一貫して「期限を付して、限られた業種に限定的に外国人を受け入れるので、いわゆる移民政策ではない」と弁明したが、そもそも「移民」の定義はさまざまだ。

政府は、移民とは、「入国の時点でいわゆる永住権を有する者」なので、「就労目的の在留資格による受け入れは『移民』には当たらない」、すなわち日本に移民はいない、というスタンスを取り続けている。

他方、国連は、「1年以上外国に居住する人」を「移民」としている。

2019年6月末時点の日本の在留外国人の数は約283万人で過去最多となった。ここには観光客など、3カ月未満の短期滞在者は含まれない。また、日本の年間の外国人受け入れ数はドイツ、アメリカ、イギリスに次ぐ4位で、移民が多いといわれるカナダやオーストラリアなども上回る(2016年)。

つまり、移民受け入れの賛否を問うまでもなく、日本はすでに「移民国家」「移民大国」といってもいいぐらいなのだ。

## 日本は外国人から選ばれる国なのか

外国人労働者が増えることで、日本人の雇用が奪われるという声もある。しかし、少子高齢化により労働力人口がますます減っていく日本では、今後、外国人労働者なしで経済活動を維持していくのはきわめて難しい。

外国人の受け入れは労働力の確保に貢献するばかりではない。移民国家であるアメリカは、世界中から優秀な人材を集めることで、大学や企業の研究を活性化させ、新しい産業を興してきた。多様性によるダイナミズムが、アメリカの経済成長の原動力になっている。雇用をめぐって日本人と外国人労働者が競合するケースもあるだろうが、それによって日本人の側も刺激を受け、生産性を伸ばす機会にもつながる。

もっとも、伝統的に同質性が高いとされてきた日本は、社会のインフラ面でも、精神面でも、近年の外国人の急増に、まだ対応しきれていない。

外国人労働者が多く住む地域では、生活習慣の違いなどから近隣住民とトラブルになるケースがある。今後、外国人労働者を受け入れれば、そうした文化的衝突がさらに多発すると、移民反対論者は危惧する。

旧植民地からの移民を大量に受け入れてきた連合王国（イギリス）・フランスなどの例を引き合

いに、治安の悪化を懸念する人も多い。「自国にくらべればまだまし」と海を渡った移民第一世代なら、移民先での劣悪な待遇も甘受できた。しかし、「人種に関係なく平等な権利がある」と学んだ第二、第三世代は、社会に出て根強い差別に直面し、不満や反感を抱くようになっても不思議はない。イスラム過激思想に傾倒し、単独でテロを引き起こすホームグロウン・テロの犯人は、移民の子孫であることが多かった。

また、「移民」と呼ぶにせよ、政府のように「外国人材」と呼ぶにせよ、日本が外国人労働者の積極的な受け入れを国際的に表明したとして、日本ははたして外国人に選ばれる国なのかという問題がある。ブラックな技能実習制度や、家族の帯同も認めない「特定技能1号」に見るように、日本は外国人が安心して働き、暮らせる国とはいいがたい。

実際、2020年3月末の時点で、「特定技能」の資格で日本に在留する外国人は4000人弱で、目標の1割にも届かなかった。

EPAに基づく看護師・介護福祉士候補者も、英語が通じ、かつ待遇もよいカナダやアメリカを選択しがちで、日本は思うように受け入れが進んでいない。

新型コロナウイルスの感染拡大で世界各国が出入国を制限するなか、政府や経済界が期待するように外国人労働者の受け入れを伸ばしていけるかどうかは、先行き不透明だ。

新型コロナウイルス対策をめぐっては、留学生や、仕事があったり家族がいたりするなど、在留資格を持って日本で生活している外国人に対して、いったん出国したら、原則として再入国を禁止するとした日本の措置も問題になった。G7の他の国では、長期滞在者に対しては自国民と同じ条件で再入国が認められており、日本の措置に対しては、閉鎖的・外国人差別だという批判が内外から寄せられた。

再入国がやっと一部緩和されたのは8月5日、全面解禁されたのはさらに遅れて9月1日からだった。

## 難民申請を認めない国・日本

移民ではなく「難民」として、日本への入国を求める外国人もいる。

2018年に日本政府に対し難民認定を申請した外国人は1万493人。そのうち、難民認定を受けたのは42人、帰国させるには人道的な問題があるとして法務大臣の裁量で「特別在留許可」が認められたのも40人にとどまった（難民と認定されなければ日本語学習や職業訓練などの支援は受けられない）。

2010年に、難民申請後半年から認定手続きが完了するまでの間、日本での就労が可能になったことで、難民申請が増加。2017年には過去最高の1万9629人にまで増えた。法務省は、申請の大部分は就労を目的とした「偽装申請」と見て、2018年に、申請後6カ月での就労許可を廃止して審査を厳格化。その結果、申請者は前年の半分近くまで減った。

だが、偽装申請問題の影響を除いても、日本の難民認定率は、他の先進国と比べて極端に少ない。国際的な立場や人道的な見地からもっと多くの難民を受け入れるべきだという声は、国の内外で大きい。

ただ、難民の増加に伴い、これまで難民を積極的に受け入れてきたヨーロッパの国々でも、反難民感情の高まりが見られる。

2015年、イラク・シリアからの難民がヨーロッパに大量に押し寄せた欧州難民危機の際、ドイツのメルケル首相は、EU最大の100万人の受け入れを決めた。しかしその後、移民による集団女性襲撃事件が起きたことなどで国民の反難民感情は悪化。反移民・難民を掲げる政党が台頭し、メルケル首相も、移民・難民の流入を抑制する政策転換を余儀なくされている。

**自分の頭で考える**

## 移民、難民は優秀な人々

まず、「移民」や「難民」という言葉は、人間の歴史の上では極めて新しい言葉であり概念であることを理解してください。移民や難民は、19世紀に国民国家が最終的に成立し、国境を厳しく管理するようになってから初めて生まれた新しい概念です。もともと人類は、ホモ・モビリタス（移動する人）として地球上を自由に移動する存在であって、あえて移民や難民と呼ぶまでもありませんでした。

もう一点、理解しておいてほしいのは、移民や難民は押しなべて優秀だという事実です。想像してみてください。チベットにラサという町があります。とてもいいところです。ただ、標高が3600メートルと富士山の頂上とほぼ同じ高さにあります。野菜も果物も採れないので、すべて麓からトラックで運んでいます。そのラサに、現在の年収の2～3倍の報酬を得られる仕事があって招かれているとします。皆さんは行きたいと思うでしょうか。

おそらく、行きたいと思う人のほうが少ないでしょう。いくら年収が上がっても、そんなところへ行ったら高山病になるかもしれないから不安だとか、新鮮な野菜や果物が食べられないなんて不便だと、抵抗を覚えるからです。

でも、体力に自信があり、「一発当てたい」という野心や、「新しいことに挑戦したい」という進取の精神に富んだ人の中には、進んで行きたいと思う人がいるでしょう。

この仮定の話でわかるように、実は移民や難民は、心身ともに頑健で強い意志を持つ人が多いのです。人はホモ・モビリタスですが、同時に怠け者でもあるので、基本的には生まれ育ったところで暮らしたい動物です。それでもほかの国へ行こうとするのは、それだけの強靭な意志と体力がある証拠です。そして、歴史的にはそういう進取の精神に富んだ人々を受け入れた社会が栄えてきたのです。

たとえば、1492年、スペインのイサベル1世とフェルナンド2世という愚かな国王夫妻が、ユダヤ人を追放しました。15〜16世紀のスペインは衰退するはずのない覇権大国でした。新大陸で金や銀を採掘し、それを独占していたので、いわば世界の富を牛耳っていたようなものです。

ところが、ユダヤ人を追放してから、スペインは一気に衰えていきました。それは、いまニューヨークからユダヤ人を追放したらどうなるかと考えればすぐにわかることです。ユダヤ人が経営している投資銀行などの金融機関はほとんど消滅するでしょう。そうなれば、いくら世界の金融センターと呼ばれるニューヨークでも、ひとたまりもありません。

スペインはユダヤ人追放のあとも、血の純潔規定（先祖が純粋なキリスト教徒でなければ公職に就けない）などの愚策を続けて、社会の頭脳や働き手が次々と流出して人口が激減、太陽の沈まぬ国とまでいわれたスペインの覇権はあっという間に潰えました。

そしてスペインから追放されたユダヤ人を大量に受け入れたイスタンブールでは、オスマン朝が繁栄の時代を迎えたのです。

## 日本はもともと移民がつくった国

日本は、元来移民がつくった国です。3万8000年前ぐらいに対馬経由で朝鮮半島から人が入ってきて、それから1000年後に今度は琉球から入ってきて、さらに1万2000年後にシベリア経由で北海道から入ってきました。この3つのグループの移民が混ざりあってつくった国が日本です。

日本人の遺伝子を分析すると、きれいに3つのタイプの混血だとわかります。この3つのグループの中では、南方系の人々が主流を占めていたようです。日本語はどうやらオーストロネシア語族（台湾から東南アジア島嶼部、太平洋の島々、マダガスカルに広がる語族）に属するようであり、縄文人のDNAは東南アジアの人々に酷似しているとの見解が出されています。

中国や韓国は特定の遺伝子を持つグループが5割以上を占めているので、単一民族国家はむしろ中国や韓国のことであって、日本は生物学上は明らかに多民族国家です。

そのような経緯を踏まえると、もともと移民がつくった日本という国で、どうして移民を否定するのだという話になります。日本人は単一民族だからという明らかに事実に反する理由で移民や難民は日本社会にそぐわないなどという人は、不勉強というほかありません。

## 留学生の受け入れ拡大が日本の活路を開く

日本は事実上、世界第4位の移民受け入れ大国です。2019年12月末の在留外国人数は約293万人と過去最高を記録しています。スーパーやコンビニ、飲食店、建設現場、工場など、日本中のいたるところで、たくさんの外国人が働いています。

2019年4月から施行された改正出入国管理法のもとで、政府は5年間で約34・5万人の新たな外国人を受け入れようとしています。しかし、政府のやろうとしていることは、チープレイバー（安価な労働力）を導入して当面の労働力不足を凌げればいいという弥縫策で、のちに災いを残しかねません。

なかでも、1993年に導入された技能実習制度は、最低賃金以下の薄給で外国人を働かせているケースが多々あり、人権上の問題が指摘されています。16世紀、カール5世（カルロス1世）治下のスペインで行われていたエンコミエンダ制（アメリカ大陸でキリスト教を布教するという名目で、スペイン人が先住民を酷使した制度。事実上の奴隷労働を先住民に課していた）と同じではないかと酷評する人もいます。

そんな取り繕いではなく、まず日本社会を年齢、性別フリーで女性や高齢者も働きやすい社会に改革したうえで、優秀な移民や難民を受け入れるべきです。日本は先進国の中で男女差別が一番厳しい国です。このような現実を据え置いて外国人をチープレイバーとして受け入れたら、男性、女性、外国人という3つの階層が生まれるのは目に見えています。その結果、格差が広がり、社会が不安定化に向かうことは避けられません。

来る側にとっても受け入れる側にとっても共に都合がよい形で外国人が増えていくには、大学の国際化が大きく寄与できると僕は考えています。

僕が勤務しているAPUは、学生の半分近くが外国人の正規留学生です。APUの留学生の半分ぐらいは、日本にそのまま残りたいと考えています。ところが、彼らが大学卒業後、日本で起業しようとすると、高い壁が立ちはだかります。日本人なら1円で株式会社をつくれるのに、外国人の場合は500万円が必要だからです。

大学を出てすぐの外国人にとっては、法外な金額です。そんなお金をどれだけの人が用意できるでしょうか。外国から日本に来て、日本を好きになって起業してくれるのだから、日本から500万円ぐらい、開業資金として逆にプレゼントすべきではないでしょうか。

あるいは、留学ビザから就業もしくは経営・管理ビザへの切り替えも簡単にはできません。日本で4年間も学生として過ごし、日本語もでき、きちんと大学を卒業しているなら、ビザの切り替えなど自動的に行われてもいいぐらいなのですが、そうはなっていません。ただし、ビザの切り替えについては、2020年4月から一部が緩和されました。

アメリカでは110万人の留学生が学んでいます。アメリカの大学は授業料が高く、一流校だと7万ドルをくだらないともいわれています。生活費を含めれば1年に日本円で1000万円ぐらいはかかる計算になります。もちろん奨学金制度なども充実しているので、留学生の全員が1000万円を持ち込むわけではありませんが、留学生が持ち込むお金は約5兆円という推計もあります。つまり、アメリカの大学は高い国際競争力のおかげで毎年5兆円の有効需要を生み出しているのです（ただし、現時点においては新型コロナウイルス感染症拡大の影響で留学生が激減し、アメリカの大学の多くが経営危機に陥っているという情報があります）。

日本で5兆円以上稼いでいる輸出産業がいったいいくつあるでしょうか。自動車産業ただ1つです。

さらにこの110万人の留学生は、ユニコーン（評価額が10億ドル以上の新興企業）など新しい産業を生み出す母胎になります。外国人の移民を受け入れるのであれば、チープレイバーではなく、まず留学生から始めるべきです。新型コロナウイルスの影響で、当面、労働者にせよ留学生にせよ、国をまたいでの人の移動は制約を強いられますが、長期的に見て、日本のとるべき選択肢はほかにはないと思います。

移民や難民が入ってきたら治安が悪化し、犯罪が増えるという声もあります。データ（エビデンス）で見てみましょう。

過去四半世紀、日本で働く外国人の数は増え続けています。一度も減ったことはありません。

一方、犯罪数はどうかというと、１９９０年代は増加傾向にありましたが、２００６年からはほぼずっと減り続けています。この事実からわかるのは、外国人が増えても犯罪は増えなかったということです。移民や難民が入ってきたら犯罪が増えるというのは、単なる憶測にすぎません。

## 人間社会の成り立ちはそもそもがインクルージョン

そもそも人間をセパレート（分離）するという発想は新しいものです。人間社会の本来の成り立ちはセパレートではなくインクルージョン（包摂）です。

世界最古の文明をつくったのはシュメール人です。メソポタミアにいた人たちですね。シュメール人たちは、人間は誰がどうやってつくったのだろうと疑問に思いました。彼らが暮らしていたのはチグリス川とユーフラテス川の河口です。何でも泥をこねてつくっていたので、きっと人間も神様が泥をこねてつくったのだろうと考えました。この考えはそのまま『旧約聖書』が借用しています（アダムの誕生）。

ところが人間は大勢います。神様は四六時中泥をこねて頑張ったのでしょう。いくら神様でも、そんなに頑張ったら疲れるに違いない。疲れたら神様もビールぐらい飲むだろう。ビールはシュメール人の発明なので、彼らはそう考えました。そして、ビールを飲んだ神様が、また人をつくらねばならないと泥をこね始め、酔っぱらってうまくこねられなかったときに、人がハンディを持って生まれてきたりするのだろう。彼らはそのように考えを進めました。

この考え方の深いところの1つは、ハンディがある人が生まれるのは神様のせいで、その人自身には何の落ち度もないとしている点です。自己責任論ではありません。もう1つは、神様は疲れたらきっとまたビールを飲むので、ハンディがある人はずっと生まれ続けるだろうと考えた点です。つまり、ハンディのある人は、確率の問題として、つねに一定程度は生まれると考えたわけです。

そのような考え方の帰結はどうなるか。ハンディのある人を差別したり、虐げたりすることにはならず、ハンディのある人には、その人に合った比較的楽な仕事（たとえば神殿の清掃など）をしてもらおうというように、社会全体がインクルージョンの方向に向かいます。人間社会の歴史の始まりは、このようにインクルージョンが基本だったのです。

ところが、産業革命によって工業が主役になると、ハンディのある人は工場労働には不向きなのでセパレートしようという考えが生まれてきます。均質な労働者は国民国家の要請する国民皆兵にも向いているので、あっという間にセパレートの考えが広まりました。学校教育がその典型です。

とくに日本人はこの「セパレート」指向が強く、障がい者施設や高齢者施設を、「自然の豊かなところがいい」などという口実で、山の中につくったりしています。それは実際には、〝異分子〟をセパレートしようとする、歪んだ考え方です。

移民や難民についても、同じようにインクルージョンで考えるべきです。移民や難民は犯罪者の温床で厄介者だなどというイメージは根拠のない色眼鏡であって、あまりにも不見識な意見といわざるを得ません。

## 日本社会の成長に移民の力は不可欠

ただし、外国人に日本の社会にソフトランディングしてもらうためには、日本語の能力が不可欠です。

言葉は文化です。APUは、英語で入試を受けて入ってくる新入生に、みっちり日本語教育を行っています。加えて1回生は原則として全員がAPハウスという国際教育寮に入寮します。シェアタイプの部屋では、国内学生と留学生が同室に入り生活を共にします。そこでさらに日本語を身につけ、日本の生活に慣れると、2回生以降、留学生が別府の町で下宿をしてもアパートを借りても、地元住民との間でほとんどトラブルは生じません。

他の先進国でも、たとえばドイツは、移民に600時間以上のドイツ語学習を法律で義務づけています。受講は無償かせいぜい一部の負担で、教育のための費用は原則として社会が負担します。急がば回れで、そのほうが結局のところは社会全体で負担するコストが小さくなるのです。

外国人はゴミ出しをきちんとしてくれないとか、排水管に油を流されたといった、マスコミが興味本位でとり上げる地元住民とのトラブルも、一定期間日本語を教え、最低限守ってほしい日本の生活様式を理解してもらう教育サービスを社会が提供しさえすれば、解決する問題です。

移民や難民に対してもっと門戸を広げることは、日本が先進国として国際社会で果たすべき責務です。と同時に、日本が経済の閉塞状態を打破し、社会が成長していくためには、移民や難民のダイバーシティにあふれた優れた能力を借りることが不可欠です。

ユニコーンが生まれるキーワードは「女性」「ダイバーシティ」「高学歴」です。それはアメリカの現状や過去の歴史が如実に物語っています。

［論点11］

# 日本はこのままアメリカの「核の傘」の下にいていいのか

基礎知識

## 「核の傘」とは何か

現在、核兵器を保有する国は、アメリカ、ロシア、イギリス、フランス、中国、パキスタン、インド、明言はしていないが保有しているとされるイスラエル、そして北朝鮮の9カ国で、核弾頭の総数は約1万4000発に及ぶ。

このうちの9割以上を米露両国が保有し、現在では1発で広島型原発の3000倍に相当する威力を持つものまで開発されている。核兵器を持たない国は、核攻撃の脅威に曝される。そこで、核を持たない国は核保有国と軍事同盟を結び、自国を守ろうとする。

たとえば、核を保有するA国と保有しないB国が軍事同盟を結んでいるとする。B国に対して核保有国のC国が核攻撃を仕掛ければ、A国は自国が核攻撃されたのと同じことだと見なし、C国に核の報復攻撃を行うと公言する——これが核戦略における世界共通の考え方だ。

AB両国がそうした軍事同盟で結ばれていることを予め公表していれば、C国は自滅を避けるため、B国に対する先制核攻撃を躊躇せざるを得ない。つまり、核保有国Aが非核保有国Bに核抑止力を提供していることになる。このような場合に、B国はA国の「核の傘」の下にあるという。日本とアメリカの同盟関係は、まさにこれだ。

## 核拡散防止条約は事実上破綻

日米両国は、日米安全保障条約（安保条約）で結ばれた同盟国だ（1951年9月、サンフランシスコ講和条約と同時に締結され、1960年に改定された）。この安保条約第5条は「日本の施政下の領域に対する武力攻撃があった場合、日米で自国の憲法上の規定及び手続きに従って共通の危険に対処する」、第6条は「日本国の安全と極東における国際平和と安全の維持のためにアメリカ軍が施設・区域を使用できる」旨を定めている。

1975年8月の日米首脳会談後の共同新聞発表文書では、日本に武力攻撃があった場合、アメリカは「核兵力であれ、通常兵力であれ、日本を防衛する」と、核による報復攻撃も辞さない旨の文言が明記された。この条約が反故にされない限り、核抑止力は存在しているということになる。

日本政府は、これまで「核は持たず、つくらず、持ち込まさず」という非核三原則を掲げ、自ら核武装しないことを明言してきた。そのうえで1970年に核拡散防止条約(NPT＝Treaty on the Non-Proliferation of Nuclear Weapons)に署名した。この条約は、同年に発効した核軍縮を目的とする国際条約で、核保有国の米・英・仏・露・中5カ国に核軍縮を義務づけ、それ以外の加盟国に核武装を禁じる条約だ。「核の傘」という言葉が使われるようになったのは、この条約が成立する前後からだ。

アメリカは、北大西洋条約機構(NATO)加盟の欧州諸国や韓国にも「核の傘」を提供している。一方の核大国ロシアは、東西冷戦下ではワルシャワ条約機構を構成する東ヨーロッパ諸国に「傘」を提供していたが、1991年、冷戦終結とともに同機構が解体したため、「傘」に入る国は少なくなっている。

また、NPTへの加盟を拒否したパキスタン、インド、イスラエルは核兵器開発に成功し、一度加盟しながら脱退した北朝鮮も新たな核保有国として登場した。その意味で、国連安保理常任理事国の5大国にのみ核保有を認めたNPT体制は、事実上破綻しているといってよい。

## 核兵器禁止条約が発効

ＮＰＴが「核の傘」を前提にした条約であるのに対し、核兵器の開発・実験・保有・使用等を全面的に禁じ、核保有国に対しても核兵器の廃絶を義務づけたのが、核兵器禁止条約だ。２０１７年7月に国連総会で採択され、２０２０年10月に批准した国・地域が50に達したため、２０２１年１月の発効が決まった。

ただし、現状の核保有国は、「現実にそぐわず、かえって核軍縮の妨げになる」といった理由で参加せず、日本、韓国、ＮＡＴＯ加盟国も参加していない。唯一の戦争被爆国である日本に対しては、批准すべきだという声、また、少なくとも締約国会議にはオブザーバー参加し、「核なき世界」の実現に貢献すべきだという声は大きい。

## アメリカはいざというとき日本を守ってくれるのか

では、アメリカの「核の傘」は現実に日本にとって核抑止力として機能しているのか。これは言い換えれば、いざというときアメリカは本当に日本を守ってくれるのか、アメリカを信用してよいのか、という問いでもある。

そしてそれは、日本の安全保障をあくまで日米同盟を前提として考えるか、それとも他国に頼らず自主防衛を目指すべきか、という大きな争点につながる。

たとえば、日本が領有権を持っている尖閣諸島に、もし中国軍が強引に上陸したら、どうなるか。日本は領土侵害だとして、自衛隊を出動させ中国軍排除に出ることになるが、その場合、アメリカ軍は第七艦隊を派遣するなどの共同作戦を展開してくれるはず、というのがアメリカを信頼する側（親米派）の意見だ。

アメリカはこれまで、「尖閣諸島が日本の施政権下にあることを認め、安保条約第5条の対象となる」と繰り返し表明してきた。しかし、その一方で中国に対しては、「尖閣諸島の所有権について日中どちらの主張にも与しない」ことを、ニクソン政権（1969～74年）以来一貫して表明してきた。これはダブルスタンダードであり信頼できない、というのが、アメリカに懐疑的な側（自主独立派・反米派）の見方だ。

実際、安保条約第5条にはアメリカの〝逃げ道〟ともいえる文言が記されている。日本が武力侵攻を受けた場合、アメリカは「自国の憲法の規定と手続きに従って共同対処をする」とあるのがそれだ。アメリカ合衆国憲法は連邦議会に戦争を宣言する権限を認め、その戦争権限法では外国に部隊を派遣する場合は、議会の承認が必要と規定している。緊急時に大統領が部隊派遣を決定しても、最終的には議会の承認がなければ軍は動けない。

## 日本は日米同盟にただ乗りしているのか

議会を動かすのはアメリカの世論だ。アメリカ国民には、「日米安保条約はアメリカの負担だけが大きく、片務的だ」という思いがある。

第二次大戦後の日本の歴代政権は、国防をアメリカに依存することによって軍事防衛予算を最小限に抑え、資本を経済政策にふりむけるという「軽武装国家」を志向してきた。また、憲法第9条を楯に集団的自衛権の行使を否定し、日本の有事以外にはたとえアメリカ軍が日本周辺で攻撃されても自衛隊は助けに行かないという立場をとってきた。戦後日本のめざましい経済成長は、日米安保体制のおかげで低コストでなしとげられたといえる。

日本が経済大国として浮上するにつれ、アメリカ国内には日本の「安保ただ乗り」を批判する声が高まっていった。日本は現実には、在日アメリカ軍のために巨額の「思いやり予算」を負担しているし、近年は集団的自衛権の行使を容認する安保法制を成立させている。

しかし、アメリカ国内では「日本はフェアではない」という見方が根強い。それを代弁したのがトランプ大統領だった。日米安全保障条約が不公平だというのは、就任前からのトランプ大統領の持論だった。2019年6月にはアメリカのメディアのインタビューに対して、「日本が攻撃されたら我々は日本を守るが、我々が攻撃されても日本は我々を守る必要がない。不公平な条約なので変える必要がある」と述べるほか、12月には、在日アメリカ軍駐留経費について、日本の負担増にも言及している。

アメリカの「核の傘」が実際に機能するかどうかは、そのときどきのアメリカの国益を、議会や世論がどう判断するかによるといえる。

## 日本は核武装して自主防衛に踏み切るべきか

日本には、第二次大戦末期の1945年4月、ソ連（現・ロシア）から日ソ中立条約の破棄を一方的に通告された経験がある。アメリカも、もし日米安保条約がアメリカの国益にそぐわなくなったと判断すれば、破棄することもあり得なくはない。同条約は、第10条の末尾に、「日米のいずれかの国が、条約終了の意思を通告すれば、通告後1年で終了する」旨が明記されている。その日が絶対に来ないという保証はない。

そこで、自主独立派は、日本は日米同盟に寄りかからず、自分の国は自分で守るという気概を持ち、自主防衛の体制を準備していく必要がある、と主張する。中には、核武装も選択肢の1つだと論じる人もいる。

ただ、核武装については、唯一の被爆国として国民の反発は強い。

また親米派の中にも強固な反対論がある。核武装を含めた自主防衛体制を確立するには、現在の数倍の防衛予算が必要になるからだ。さらに核武装を目指すとなれば、非核保有国に強いられているNPT体制を突破しなければならず、周辺諸国や核保有国の承認を得るには並大抵の外交努力ではすまない。その膨大なコストを考えれば、核武装は非現実的だというのが彼らの主張だ。

自分の頭で考える

## 核兵器は保有していても使えない「最終兵器」

現在の世界の安全保障は、国際連合や地域をベースとした国家連合（NATOなど）による集団的安全保障が原則ですが、それに加え、核兵器を持つ大国が持たない国を守り、自国の傘下に置くという構図が基本になっています。いま地球上の核兵器をすべて使えば、人類を500回以上絶滅させることができるといわれています。核保有国が互いに抑制し合うことで、世界の安全保障は維持されています。

核兵器は保有していても実際には使えない兵器です。一度使えば、相手も報復に使う。そうなったらお互い全滅してしまうとわかっているので使えないのです。だから核兵器は「ドゥームズディ・デバイス（Doomsday Device、終末兵器）」と呼ばれているのです。ドゥームズディとは「最後の審判の日」の意味です。

このロジックが働いているので、核兵器は持っていても使えず、持っていること自体に意味があるとされています。

核兵器を持たない国は、スイスのように自立するか、どこかのグループに入るかという選択を迫られます。日本はアメリカと安全保障条約を結んでアメリカの核の傘の下に入っています。もし日本に核兵器を向ける国があっても、アメリカから報復を受けるので、日本に対して核兵器は使えないというロジックです。つまり、核兵器を保有していなくても、核兵器を持っているのと同じ扱いを受けることになるのです。

## 日本にアメリカと組む以外の選択肢はあるか

どうも日本人には、日本は小国だという意識が強いようですが、決してそうではありません。「世界第2位の経済大国」というポジションからは滑り落ちましたが、日本の経済力を購買力平価に換算したGDPで見るとまだ世界第4位です。アメリカと中国がトップを争っていて、次にインド、そして日本です。G7に限れば、日本は依然としてアメリカに次ぐ第2位の経済大国です。

世界地図を見ると、中国やロシアといった大きな国と隣接しているので小さい国だと思いがちですが、その認識も間違っています。日本の地図をそのままヨーロッパの上に投影してみれば、ドイツ、ノルウェー、フィンランドが日本と同じぐらいの大きさで、連合王国（イギリス）もイタリアも日本より小さい。日本がいかに大きい国かがわかります。

その大きな日本を守る力があるのはどこかといえば、選択肢は3つに限られます。アメリカ、中国、EUです。

「核の傘」に入るという理屈の上では中国と組んでも、EUと組んでも同じです。しかし、この3つのうちどこと組むのが現実的かというと、アメリカしかありません。中国と組むのは国民感情や過去の経緯等があって難しいですし、ヨーロッパは地理的に遠すぎます。少なくとも当面の間は、日本はアメリカと同盟を結ぶしかない。これが日本が置かれている状況です。

他国の力に頼らずとも、日本自身が核兵器を持てばいい、そうすれば他国の核の傘などに入らずともすむ、という論者もいます。ですが、それは事実上不可能です。

なぜなら、日本にそれだけのお金がないからです。バブル期に世界の9%を占めていた日本のGDP（購買力平価ベース）の世界シェアは、いまは4%まで縮小しています（P76図表4）。加えて、政府にはまったくお金がありません。バブル期の平成元年と現在の予算を比べると、税収はそれほど変わらないのに対して、借金が膨れ上がっています。教育予算、公共投資、防衛費は実額でほぼ横這いです。日本には新たな政策投資に振り向けるお金がないのです。そんな状況で核武装するなど、非現実を通り越して、妄想もいいところだと思います。第一、日本の核武装はアメリカも中国もロシアも誰も喜ばないでしょう。

選択肢にロシアが入っていないではないかと疑問を覚える人がいるかもしれません。しかし、日本とは逆に、ロシアは意外に小さな国です。かつてソ連はアメリカと並ぶ超大国といわれていました。しかし現在のロシアの名目GDPは1兆6600億ドルほどで（2018年）、アメリカの21兆ドル、中国の14兆ドルはもとより、日本の5兆ドルにも遠く及びません。順位でいえば世界12位で、韓国やカナダ、オーストラリアと同じくらいです。また、ロシアの人口は極東ではきわめて少なく、ヨーロッパ側に偏っているということも、同盟の相手としてはマイナス要素です。

とはいえ、ロシアはGDPのスケールからすると軍事に破格のお金をかけているので、核兵器という観点だけで見れば、たしかにアメリカに次ぐ大国です。そこで、ロシアとも交渉してアメリカと天秤にかけるという戦略も考えられなくはありません。

ただ、そのためには日本にしたたかな交渉力が求められます。プーチン大統領に対抗できるような政治家や官僚がいまの日本にいるかどうか。安倍前首相はプーチン大統領と30回近く会談しましたが、北方領土返還も平和条約締結も実現しませんでした。そうした現実を考えたら、ロシアが安全保障のカードになるとはとうてい思えません。

## 中国の台頭は日本にとって脅威か

世界の安全保障は戦後長らくアメリカとロシア（ソ連）の核の傘の下に維持されてきましたが、冷戦終結以降、基本的な構図が変わりつつあります。

これまでは、核兵器を保有する5大国が核拡散防止条約をつくり、現状の国際秩序を維持したままで核の拡散をコントロールしようとしてきました。しかし、北朝鮮のようにお金がなくても国力のすべてを注ぎ込んで核兵器を持とうとする国が出現したり、インドやパキスタン、イスラエル、さらにはイランといった国々が、5大国中心の核管理の枠組みをよしとせず、独自に核兵器を開発したり、開発に着手しようとする動きが出てきています。

トランプ政権の誕生も核管理に混乱をきたしました。２０１８年10月、トランプ大統領はロシアとの間のＩＮＦ条約（中距離核戦力全廃条約）を破棄すると突然表明。それに対抗して、ロシアもアメリカが破棄するなら自分たちも破棄するとプーチン大統領が宣言。２０１９年8月に条約は失効しました。

それでもしばらくは、世界最強のアメリカと軍事同盟を結んでいる限り、日本を攻めようという国は現実にはありえないでしょう。つまり、日米同盟が堅持されている限り、日本への脅威は事実上存在しません。

中国が尖閣諸島を奪いにくるかもしれないという人もいますが、中国は実は大変慎重な国で、アメリカの尻尾を直接踏むようなことは最近は一度もしていません。なお、尖閣諸島をめぐっては、日本は中国と対立しているだけではなく、領有権を主張する台湾との間でも同じ問題を抱えていることは知っておくべきです。

## 中国はアメリカ中心の世界秩序を壊したいのか

アメリカと中国の関係も、本当に一触即発という事態になるとは思いません。

２０１７年のトランプ大統領の就任後、将来のハイテク覇権と軍事覇権の争奪を背景に、米中の貿易戦争が激化、２０２０年の新型コロナウイルスへの対応をめぐっても両国は対立を深め、「米中新冷戦」とまでいわれるようになりました。ただし、『ジョン・ボルトン回顧録』でいみじくも指摘されているように、トランプ大統領の言動は、すべて再選戦略に沿ったものであったことにも留意すべきです。

米中関係は案外に懐が深いところがあり、ワシントンと北京が対立しているように見えても、実質的には二国の関係には何の影響もないという見方もあります。シリコンバレーと北京バレーや上海、深圳のハイテク分野での結びつきが、多くの人が想像する以上に深いというのがその理由の１つです。コロナ禍のもとで、私たちがお世話になっているＺｏｏｍは中国人の若者が１９９７年にアメリカに渡って起業したアメリカのユニコーンです。

いまアメリカと中国の間では若い世代間で、圧倒的な人の交流があります。１９９５年にアメリカへ留学した日本人は約５万人で、中国人は約４万人でした。いまはどうかというと、アメリカへ留学している日本人は２万人を切り、中国人は37万人に増えています。日本と中国の立場は逆転し、もはや太刀打ちできないくらいの差がついています。

これらの留学生たちは、大学や大学院を卒業したあとも交流を持ち続けるので、米中関係は太いパイプラインでつながれているといえます。日本は対中国という観点からも、これからの日米の人事交流をもっと真剣に戦略的に考える必要があります。

「中国脅威論」もあります。中国はアメリカがつくった世界秩序を壊して、中国中心の新たな世界秩序をつくろうとしているというのです。「一帯一路」政策がその証拠だといわれます。

しかし、実はいまの世界秩序ほど中国にとって都合のいいものはありません。

現在の世界秩序は、かつてルーズベルトが夢に描いた「4 Policemen（フォー・ポリスメン）」の延長と見ることができます。当初ルーズベルトは、自分とスターリンと蔣介石とチャーチルの４人で第二次世界大戦後の世界を仕切っていけばいいと考えていました。しかし、スターリンと蔣介石を信用できなかったチャーチルがド・ゴールを無理やり入れて、「5 Policemen（ファイブ・ポリスメン）」に修正させました。この５カ国が国連の常任理事国です。

ファイブ・ポリスメンの間の勢力バランスは、経済力と軍事力によって決まります。中国は経済力ではアメリカとほぼ並びつつありますが、軍事力ではまだまだです。中国がアメリカと同じような規模の空母艦隊を持つまでには、どう見てもあと20年ぐらいはかかりそうです。一方、近年、人民元がＩＭＦのＳＤＲ（特別引出権）に加えられ、決済通貨としてドルに次ぐシェアを占めるようになりました。経済力が向上したので黙っていても中国にナンバー２の座が転がり込んできたのです。

現状の世界ほど中国にとって心地よい枠組みはないのに、どうしてアメリカと喧嘩してまで新しい秩序をつくるモチベーションが生まれるのでしょうか。一貫して国際連合を中心とした枠組みや自由貿易を守るといっているのも、中国のポーズではなく本音だと思います。中国脅威論を唱える人は、そのあたりの認識が不足していると思います。

## 東西冷戦から思考停止したままの日本

日本にとって本当の安全保障上の問題があるとすれば、それは中国や北朝鮮ではなく、やはりアメリカとの関係でしょう。

日米同盟がこれまでうまく機能してきたのは、東西冷戦があったからです。冷戦時、日本は地政学的に不沈空母そのものでした。アメリカがロシアや中国と対立しているときには日本列島に大きな戦略的価値がありました。ところが、冷戦が終結してしまえば、アメリカにとって日本はかつてほどの価値はありません。ですから、日本の危機は実は冷戦崩壊から始まっているのです。

ところが、日本は思考停止に陥ったままです。自衛隊最強の機甲師団は、いまでも旧ソ連（ロシア）をにらんで北海道に配置されています。半ば無用の長物と化しており、合理的な判断ができていない1つの証拠といえます。いつまでも冷戦時代の思考パターンのままでいると、アメリカのほうが「同盟相手として信頼できない」と思うかもしれません。そうなったときが、日本にとってもっとも危機的な状況になるでしょう。

# ［論点12］
# 人間の仕事はAIに奪われるのか

基礎知識

## AIはどこまで進化したか

「AI」とはArtificial Intelligenceの頭文字で、日本語では「人工知能」という。1956年にアメリカで開かれた「ダートマス会議」で名づけられた。

初期のAIは「推論」と「探索」により、代数問題や幾何の定理の証明など、特定の問題を解くことができるようになった（第1次AIブーム）。その後の冬の時代を経て、1980年代には、コンピュータに「知識」を与えることができるようになり、医療や金融などの分野で、専門家のようにふるまうプログラム（エキスパートシステム）が開発された（第2次AIブーム）。

しかしそれでもまだ実用化には至らず、AIはふたたび冬の時代を迎える。その突破口となり現在に至る第3次AIブームを生んだのが2000年代に研究が進んだ「機械学習」だった。機械学習とは、「ビッグデータ」と呼ばれる大量のデータを処理して、コンピュータが自ら知識を習得していく仕組みのことだ。それに続いて、コンピュータ自身が、知識を定義する要素を習得する「ディープラーニング」が実用化され、その能力は飛躍的に向上した。

その結果、AIは将棋の名人に勝利し、多言語を高精度で翻訳し、企業の採用面接を行い、亡くなった歌手も紅白歌合戦で新曲を披露できるようになるまで進化した。

## 産業革命のときはどうだったか

人間の仕事がAIに奪われる、すなわち「AI失業」にまつわる最初の警告は、2013年にオックスフォード大学のオズボーン教授とフレイ博士が発表した、「今後10年から20年でアメリカの702の職種の雇用の47%がAIに置き換わる」という内容の論文だった。置き換わる可能性の高い上位100位までの職種のなかには、一般の事務員や小売店の販売員、運転手などのほか、スポーツの審判や料理人などの専門職も含まれている。反対に残る可能性が高い仕事としては、小学校教員や看護師、グラフィックデザイナーなどが挙げられている。

国内では2015年に野村総合研究所から、「今後10～20年後に労働人口の49%がAIやロボットに置き換わる可能性がある」という趣旨のレポートが出された。

これをきっかけに、にわかに「ＡＩに勝てる優秀な人材しか生き残れない」という深刻派と、「人間にしかできない仕事に労働人口が移動するだけ」という楽観派の間で、「ＡＩ失業論争」が巻き起こった。

19世紀の産業革命の際、機械に職を奪われた人々が機械や工場の建物を打ち壊した「ラッダイト運動」という労働運動がある。連合王国（イギリス）ではそれまで、手動の織機による繊維工業が盛んだった。産業革命によって蒸気機関などを動力とする織機が導入されると、高賃金の熟練労働者は失業、職を失わなかった者たちも機械に合わせて過酷な労働を強いられた。政府は軍を動員して打ち壊しを鎮圧したが、この運動は数年続き、多数の死傷者と刑死者を出す結果になった。

はたしてＡＩは21世紀のラッダイト運動を招くのか。楽観派は、産業革命がもたらした光の面に注目する。一時的に大量の失業者は出たが、機械化によって商品の製造コストが下がり、消費者ははるかに安い値段で大量に商品を入手できるようになった。経済が振興し、それまでなかった職業が次々と生まれ、結局は失業は解消された。

たしかに、大局的に見ればそれは間違っていない。だが、個別に見れば、失業した熟練工が新たに生まれた職業に就いて、従来と同じ賃金を得られたかといえば、そうではない。ＡＩの場合も同じ道をたどる、というのが深刻派の懸念だ。

### 実用化のスピードとコスト次第

もう1つの争点は、AI導入のスピードと範囲だ。各種レポートでは、今後10年から20年で劇的な変化が起きると予測されているが、それは確かなのか。

これには、現場から懐疑的な声も出ている。AIを導入するにはコストがかかるし、余剰となる人員を整理する手間もかかる。たとえ代替可能であっても、いまいる従業員を使いつづけたほうがコストが低いなら、経営者はAIより人間を選ぶだろう。

また、人間の従業員は、1人で何通りもの仕事をこなしていることが多い。商店であれば、仕入れもすれば接客もし、レジ打ちもし、清掃もする。これに対し、現在のAIは特定の決まった作業を行う特化型だ。1人の人間ができることをAIがまるごと代替する汎用型AIの実用化には、まだかなりの時間がかかると見られている。

### 「人間にしかできない仕事」はあるか

導入のスピードには諸説あるとしても、最終的(数十年後)にはかなりの仕事がAIに代替されるであろうことは、楽観派も認めている。

そうした世界で、人間にどんな仕事が残っているのか。楽観派は、「AIにできない仕事は必ずある」という。問題は、それがどんな仕事なのかということだ。

2018年に出版されて話題になった『AI vs. 教科書が読めない子どもたち』(新井紀子著、東洋経済新報社)には、驚くべきデータが多数盛り込まれていた。

著者はAIを東大に合格させるプロジェクト「東ロボくん」を率いる数学者だ。AIとの比較のため、子どもたちの読解力を調査しつづけた結果、彼らの多くが教科書や試験問題などの簡単な文章の意味を理解できていないことがわかったという。本来、文章の読解は、AIには難しく、人間には得意な作業のはずだが、現代の子どもたちの多くはAIに勝てる武器を持っていないということになる。

2018年の経済財政白書は、AI等の高度化により、中スキル(事務補助員など)の定型的な業務が代替されることで、労働市場が低スキル(販売や単純作業など)と高スキル(管理職や専門職)に二極化する可能性を指摘している。

この二極化はそのまま賃金の二極化につながる。人間の仕事はAIに奪われないとしても、AIが普及した社会は、人間が能力によっていまよりさらに厳しく選別される社会になるかもしれない。

## AIの脅威は煽られすぎ

ＡＩの急速な進歩に伴って、人間の仕事がＡＩにどんどん奪われるのではないかという危惧が広がっています。この種の危惧の発端となったオックスフォード大学のオズボーンとフレイのレポートでは、現在ある仕事の実に47％がここ20年のうちにＡＩに代替されると推測しています。日本でも、２０３０年頃には労働人口の約半数がＡＩに取って代わられるだろうという予測を野村総研が発表しました。こうした未来予測に触れて、ＡＩ恐るべしという気持ちに多くの人が傾いているのだと思われます。

ただ、社会にそんな気運が広がっているのは、必要以上に危機感を煽る情報発信がなされていることも一因です。ことに、活字離れに苦しむ出版業界が、耳目を引く本を売ろうとして、ＡＩ脅威論ブームをつくりだしているようにも思えます。

僕自身は、ＡＩ脅威論をかなり疑っています。ＡＩといえども、基本的には自動車やスマホと同じようなツールですから、ただツールとして上手に使えばそれでいいわけです。

たしかに、社会はものすごいスピードで進化するので、これからどんなことが起こるかは誰にもわかりません。たとえば、僕が子どもの頃、いずれみんながペットボトルで水を飲むようになると予想した人は1人もいなかったことでしょう。

そんな昔のことでなくても、僕が還暦でインターネットを主な販売チャネルとするライフネット生命を立ち上げたときには、契約はパソコンで行われることを想定していました。ところが、その後スマホが普及し、いまはスマホからの契約者のほうが多くなっています。たった10年先のことですら、まったく予測できなかったわけです。

しかし、これも、冷静になって考えてみればパソコンというツールがスマホというツールに変わっただけ、単にデバイスがシフトしただけで、本質的なところがドラスティックに変わったわけではありません。

未来のAI社会を描く映画でも、実はそれほど大した話は出てきません。『レディ・プレイヤー1』という、スピルバーグがつくった2018年公開の映画があります。舞台は2045年を想定していて映画自体はとても面白いのですが、冷静に見れば現在の延長線上の話ばかりで、本質的に新しいことは何も登場しません。どんなことでも描けるはずの映画でも、その程度なのです。

つまり、AIが進化したら人間の仕事がどうなるかは、いまの段階では詳しくわかるはずがない。けれども、何もかもがまるっきり変わってしまうことはないと思うのです。

産業革命のとき、連合王国（イギリス）ではラッダイト運動が起こりました。機械によって人間の仕事が奪われたという不満と不安で、人々は機械を打ち壊しました。いまのＡＩをめぐる状況とよく似ています。

しかし結局のところ、失業が増えるどころか、労働需給はむしろタイトになりました。一時的に多少の混乱はありましたが、長い目で見たら機械の普及によって経済が大きく成長し、労働力が以前にも増して必要となったのです。あとから見れば、心配することは何もなかったわけです。

ＡＩによって人間の仕事が奪われるという発想は一種の悲観論です。しかし、そもそも悲観論の類は、少なくともこれまでの歴史上では、すべて外れて全敗しています。それほど賢くない人間の想像力では、技術の進歩や社会の進化を見通しきれないからです。

僕は基本的に楽観論者なので、ＡＩに仕事を奪われて人間のすることがなくなるという悲観論には与しません。

## いまから何を勉強したらいいか

「将来の仕事がＡＩに奪われるのなら、いまから何を勉強しておいたらいいですか」と尋ねられることがよくあります。そんなときは、将来のよくわからないことを心配するより、いまの仕事を一所懸命やって実績を上げるとか、英語を勉強してＴＯＥＦＬ ｉＢＴ（TOEFL

Internet-Based Test）で90のスコアを取るなどして実力をつけたほうがいいですよと、アドバイスしています。

今後、どの仕事がなくなり、どんな新しい仕事が出てくるかは誰にも予測できませんが、「考える力」や「探求する力」「問いを立てる力」がもっと必要になるのは確かです。数字（データ）とファクトを使って、自分の頭でロジックを考え、自分の言葉で説得力のある情報発信を行う力はオールマイティです。そのような力を身につけるほうが、「AIの進化でなくなる仕事」のリストを見て右往左往するよりはるかに役に立ち、人生もずっと楽しくなるはずです。

さらにいえば、仕事という観点では、現在の日本はとても幸運な社会です。社会にとってもっとも厳しい状況は、一般論で述べれば、ユース・バルジです。バルジとは「膨らみ」の意味で、ユース・バルジとは、人口構成で若い世代が膨れ上がっている状態のことをいいます。

ユース・バルジの状態になると、社会は不安定になります。仕事にあぶれる若者が大量発生するからです。仕事がないとお金もない、デートもできないし、結婚もできないということで、不満をため込んだ若者たちによって社会が不穏になります。

中東がいまユース・バルジに見舞われています。中東の混迷の根本原因は、実は宗教問題ではなく、ユース・バルジです。日本はその真逆の社会です。

新型コロナウイルス感染症による経済危機で、失業率が上がり、新卒採用も抑制されましたが、これはあくまで一時的なものです。これまで何度も述べてきたように、生産年齢人口の減少により、日本が深刻な労働力不足に陥りつつあるという長期的、構造的なトレンドは変わっていません。だから、仕事の心配をする必要は実はあまりない。

将来のことを心配して対応を検討するにしても、AIの果たす役割がもう少し具体的にわかるようになってから考えても決して遅くはないと思います。

## 人間の仕事は当面なくならない

AIのプロに話を聞いても、AIはハイスピードで進化しているけれども、5年や10年で人間の労働力を何百万人分も奪うことはとてもできない、という人がほとんどです。

AIといっても、要はコンピュータなので、基本原理は0と1で表現されます。逆にいえば、0と1に直せないものは苦手です（量子コンピュータが実用化されると、そうではなくなるようですが）。

AIが囲碁や将棋、チェスに強いのは当たり前です。それらのゲームにはファジーなところがまったくありません。論理の積み重ね、0と1の積み重ねで答えが得られます。

囲碁では、人間のプロ棋士が生涯にチェックできる対局数はおおよそ1万局が限界だそうです。しかしAIは1日で優に1万局対戦することができます。これはウサイン・ボルトが自動車と100メートル競走を行うようなものです。ボルトがどれだけ速く走っても、スピードで自動車に敵う（かな）はずがありません。

このような世界では、ＡＩはすでに人間の脳には永遠に理解できない高みに到達しているといっていいでしょう。

しかし、そのような世界がすべてではありません。ＡＩはファジーなものは苦手です。たとえば、今日僕とあなたが出会い、明日再び出会うとします。あなたが今日と違う服を着ていても、人間の僕にはすぐにあなただとわかります。あなたのほうも、道ですれ違ったらすぐに僕だと認識して、お互い「あ、昨日はどうも」と挨拶をするでしょう。

ところが、ＡＩだとこうはなりません。ＡＩはあなたを写真のように覚えるので、服が違ってしまうと同一人物だとわからなくなるのです。

人間は服が違うのにどうして同一人物だとわかるのか。人間の脳は0と1ではなく、ファジーに記憶しているからです。そこが人間の脳のすばらしいところです。ファジーな認識を持つ人間の脳は、バラの花を5、6本見たら、他の種類のバラに出会ってもすぐにバラだと識別できるようになります。ＡＩは2万～3万枚のバラの写真を見せないと、識別できるようにはなりません。

ＡＩの専門家たちが、5年や10年でＡＩが人間の仕事を何百万人分も奪うことはとてもできないと考えているのは、このためです。やがてはAIもファジーな認識能力を獲得できるようになるのかもしれませんが、それがいつになるのか、どこまで可能になるのかはまだ誰にもわかりません。そんなわからない先のことをあれこれ悩んでいるよりは、いまの自分を磨くほうがよほど有益なのは、先に述べたとおりです。

政府は入管法を改正して外国人労働者を受け入れることを決めました（2019年4月施行）。このプロセスで、政府は今後5年間で約35万人を受け入れると表明しています。これは、今後5年間では、35万人程度の労働力もAIでは置き換えることができないと政府が白状したようなものではないでしょうか。

## 貧者の武器、民主主義のツールとしてのAI

AIについては、とかく脅威論ばかりが語られがちですが、実はAIはとても便利な道具です。人間が賢くなることをサポートしてくれるし、貧者の武器にもなり得ます。

これまでは、学校がなく、先生がいなかったら、子どもたちは勉強できませんでした。ですが、いまはAIが使えるので、たとえばアフリカの小村でも外国語や最新の経済学を学ぶことができます。

こう話すと、アフリカの子どもたちは通信料金を支払えないではないか、という人が必ずいます。しかし、そのぐらいは、支援する側が負担すればいいだけの話です。現地に学校を建てて先生を集めてくるより、ずっと安くすみます。

アフリカではいまカラシニコフ銃が野放しになっています。グーグルの元ＣＥＯのエリック・シュミットは、「銃を持ってきてくれたら最新のスマートフォンをただで渡す」「ネットもメールも格安で使えるようにする」といえば、すぐに危険な武器を回収できるだろうと、著書『第五の権力』（ダイヤモンド社）で述べています。そのような発想はとても大事だと思います。

ＡＩはこのように貧者の武器となり、民主主義を機能させるツールにもなり得ます。民主主義は、一定の教育が施された市民の存在を前提にした仕組みです。発展途上国の教育の振興にＡＩが上手に使われたら、それは民主主義にとっても大きな力となります。

もっともＡＩはツールなので悪用されるリスクがないわけではありません。ビッグデータとＡＩを組み合わせた監視社会の到来は、ジョージ・オーウェルが『一九八四年』で描いた通りです。便利なだけに、使い方によっては毒にも薬にもなる一面があることを忘れてはならないと思います。

だからこそ、ＡＩが台頭する時代においては、前述した「考える力」や「探求する力」、「問いを立てる力」を身につけることが、ますます大切になってくるのです。

［論点13］

# 生活保護とベーシックインカム、貧困対策はどちらがいいのか

基礎知識

## 生活保護とはどんな制度か

憲法25条は「すべて国民は、健康で文化的な最低限度の生活を営む権利を有する」とし、国民の生存権を定めている。この権利を具体的に保障したのが生活保護の制度だ。

役所に申請し、以下の要件を満たすと認められれば支給を受けることができる。

- 世帯収入が「最低生活費」より少ない
- 資産などを活用しても生活できない
- 働けない、働く場がない

・年金などほかの制度を使っても「最低生活費」に満たない「最低生活費」は、居住地や家族構成などによって厚生労働省が毎年算定している。ここから収入を差し引いた額が生活保護費として支給される。
保護費の内訳は、食費や光熱費に該当する生活扶助のほか、住宅扶助、医療扶助、教育扶助、介護扶助、出産扶助、生業扶助、葬祭扶助の8種類からなる。

具体的には、生活扶助費としてはおおよそ以下の金額が支給されている（2018年10月時点）。
・3人世帯（33歳、29歳、4歳）
東京都区部　15万8900円／地方郡部　13万3630円
・高齢者単身世帯（68歳）
東京都区部　7万9550円／地方郡部　6万5500円
生活保護の受給世帯は、2008年のリーマン・ショック後に急増し、2017年11月に164万2971世帯と過去最多を記録したが、その後は減少傾向にある。受給世帯の5割以上を高齢者世帯（65歳以上）が占め、そのうちの約9割が単身世帯だ。

## 制度をめぐる多くの問題

生活保護をめぐっては、問題が絶えない。

1つは、保護費を受給できるまでのハードルが高いことだ。受給者増加を抑えたい地方自治体が、窓口を訪れた人に対しさまざまな理由をつけて追い返し、申請そのものを認めないケースは少なくない。いわゆる「水際作戦」だ。

また、扶養してくれる親族がいないことは受給の要件ではないにもかかわらず、申請をすると、ほとんどの場合、扶養義務のある親・子・兄弟姉妹に、援助をしてくれるかどうかの扶養照会がされる。それを嫌って、申請をしない人も多い。

生活保護基準を下回る経済状態の世帯のうち、現実に生活保護を利用している割合を「捕捉率」というが、厚労省の推計でも捕捉率は2割程度だ。

不正受給の問題もある。かつては、暴力団が組織的に医療機関と結託して医療扶助を詐取するケースがあった。最近でも、暴力団が身分を隠して保護費を受給する、収入があるのを隠して受給するなどのケースがある。これらはしばしばメディアで大きく取り上げられるが、不正受給の件数は、厚労省の発表では全体の2％程度だ。

使途にも論争がある。クーラーや車は、ぜいたく品として保有してはならないのか。パチンコやギャンブルに使うのはどうか。猛暑だった2018年以降、エアコンの購入費は認められるようになった。車の保有はケースによる。受給者がパチンコやギャンブルをすることは法律上は問題ないが、市民感情としては反発が大きい。

さらに、生活保護世帯の子どもの大学進学が制度的に認められていないという問題もある（現状は「世帯分離」という措置で対応）。生活保護世帯の大学等（大学・短大・専修学校・各種学校）進学率は35・3％であり、全世帯の73・0％に比べるとはるかに低く、「貧困の連鎖」の一因になっている。

2018年10月からは、保護費の中核である「生活扶助」の支給基準が見直され、約7割の世帯で3年間にわたって段階的に最大5％引き下げられている。改定の目的は、「生活保護を受けていない低所得世帯の消費支出額との均衡」を図るためとされている。だが、支給基準を変えずに、低所得世帯の消費水準を上げるという施策も選択肢としてはあり得る。社会保障費の増大による財政事情の逼迫を背景として、はじめから「引き下げありき」の改定だという批判は大きい。

## ベーシックインカムとは何か

生活保護法は戦後の1946年にできた法律だが、そのもとになる救貧制度は、明治時代に連合王国（イギリス）の制度を参照にしてつくられた。当初から、「働けない人」に対する支援という位置づけだ。

これに対して、働こうと働くまいと関係なく、国民すべてに一定の支給をするという最低保障の考え方がある。それがベーシックインカム（以下、BI）だ。ヨーロッパでは18世紀からあった考え方だが（16世紀にトマス・モアが書いた『ユートピア』が起源だとする説もある）、主要国で本格的に導入している国はまだない。

仮に日本で導入する場合、金額としては1人あたり月額7万〜15万円ほどが提案されることが多い。

ＢＩの是非をめぐっては以下のような意見がある。

〈メリット〉

・生活保護は、収入があるとそれに応じて支給額が減らされる。そのため、いくら自立を促しても労働に対するモチベーションが出にくい。隠れて働く不正受給の温床にもなる。それに対してＢＩは、労働の有無に関係なく支給されるので、労働へのモチベーションを阻害しにくい。

・年金や生活保護などの社会保障が廃止され、全国民に同額を支給するＢＩだけになれば、行政コストが大幅に削減される。

・生活保護は個人よりも世帯を単位とする傾向の強い制度だが、ＢＩは完全に個人単位。したがって家族の人数が増えれば集積のメリットが生まれ、子だくさんほど有利になる。少子化対策として期待される。

〈デメリット〉

・富裕層にまで支給することになるため、国民が納得しにくい。

・他の社会保障にかかっていたコストを振り向けても原資が足りない公算が大きく、その場合は増税でまかなう必要がある。
・「働かざる者食うべからず」の原則が崩れ、モラルが低下し、社会に悪影響を及ぼす。
フィンランドでは、2017年から18年にかけて、世界で初めて、BIの社会実験を行った。25歳から58歳までの失業手当受給者から無作為抽出した2000人を対象に、毎月560ユーロ（約6万5000円）を支給するというものだった。

貧困対策というよりは、就業意欲を高めることにより失業率を下げられるか、社会保障システムを簡素化できるかといったことが実験のねらいだった。

2020年5月に発表された最終報告書では、受給者の生活に対する満足度や幸福度は高まったが、雇用に対する効果は見られなかった（ただし、雇用については、実験期間中にフィンランドで失業手当の支給要件が変わったため、実験による効果を正確に測定するのは難しかったと見られている）。

## AI失業の救済策としてのBI

社会保障制度の1つとして発案されてから長い歴史を持ちながら、実現化には至っていないBIが、近年注目されるようになったのは、AIの普及による失業との関係においてだ。もし将来、人間の仕事の多くの部分をＡＩが代替するようになったら、極端にいえば人間はほとんど働く必要がなくなる。

その場合に危惧されるのは、ＡＩが生み出した富を多く受け取る人と、あまり受け取れない人との格差が大きくなることだ。そこで、労働とは切り離された富の再分配方式として、ＢＩが浮上した。それが実現すれば、ＡＩの進化によって、「働きたい人だけ働けばいい」社会へと移行することになるだろう。

## パンデミックでさらに注目が集まる

２０２０年の新型コロナウイルス感染症のパンデミックによっても、ＢＩへの注目が高まった。経済稼働がストップし、多くの人が収入を失ったことへの補償として、アメリカでは一部の富裕層を除くすべての国民に対して最大１２００ドル、子どもには５００ドルが支給されることが決まった。日本でも「特別定額給付金」として、対象者１人につき一律10万円が支給された。これらは一時的なＢＩと言える。

連合王国でもジョンソン首相がＢＩを検討すると表明し、スペインでも低所得者に限定する形ではあるが、導入が決まった。８月にはドイツで、居住者全員に生活に必要な現金を無条件で支給する、ＢＩの実証実験が始まった。

どの国でも財源の問題があり、即、恒常的な制度として導入することは難しいだろうが、BIが世界的規模で現実的な選択肢として検討される初めての機会になったのは間違いない。

**自分の頭で考える**

## 問題の立て方が間違っている

貧困対策の1つの方法として、ベーシックインカム（BI）というアイデアが浮上しています。従来のセーフティネットとしては生活保護がありますが、BIが生活保護に代わり得るのではないかというわけです。しかし、僕は問題の立て方が間違っていると思います。貧困対策は「生活保護か、ベーシックインカムか」ではなく、「厚生年金保険の適用拡大か、ベーシックインカムか」だと考えています。

厚生年金保険の適用拡大とは、厚生年金保険の加入対象をもっと広げようというものです。現在、厚生年金保険と健康保険について、正規雇用者は全員加入が原則ですが、非正規雇用者はそうではありません。その門戸を広げて、パートやアルバイトといった非正規雇用であっても、被用者なら誰でも加入できるようにしようというのが適用拡大の考え方です。

現在の法律でも、勤務時間や勤務先の規模などの条件つきで、パートやアルバイトにも加入義務が適用されます。2020年5月に成立した年金改革法では、「従業員501人以上」という現在の厚生年金保険適用の要件が、2022年10月から「101人以上」、2024年10月から「51人以上」に拡大されます。これにより適用者は65万人ほど増える見込みです。ですが、これではまったく十分ではありません。

## 厚生年金保険の適用拡大かBIか

社会保険を考え出したのはビスマルクです。ビスマルクが宰相を務めたプロイセンは、石炭産業と鉄鉱業でのし上がった国です。プロイセンの人々は、ひたすら石炭を掘り、鉄を製錬していました。炭鉱での掘削作業も灼熱の高炉作業もどちらも大変な重労働で、多くの労働者が体を壊しました。

鉄血宰相と呼ばれたビスマルクは、プロイセンのために頑張った人たちが体を壊して、貧困に沈むのはおかしい、国の責任で救済すべきだと考えて社会保険をつくりました。日本の厚生年金保険・国民年金保険や健康保険もビスマルクがつくった社会保険が淵源になっています。

国民年金保険と厚生年金保険は、別の制度です。二制度になっているのは、自営業者と被用者、つまりビジネスパーソンとでは条件が違うからです。

自営業の人には定年がありません。たとえば八百屋のおじさんは、何歳になっても店番ぐらいはできるから、その間は収入を得ることができます。2020年の国民年金保険の支給額(40年間保険料を支払った場合の満額)は、年間約78万1700円です。けっして十分な額ではありませんが、そもそも自営による収入があることを前提として設計されているのが、国民年金保険なのです。

これに対して、被用者は日本では一定の年齢になったら職場を辞めなければなりません。定年制という歪んだ慣習があるからです。定年制は即刻廃止すべきですが、その問題にはここでは深入りしないで話を前に進めましょう。定年退職したら普通は収入がなくなってしまいます。それでは生きていけないということで、在職中に企業と被用者が保険料を負担する形で、厚生年金保険がつくられました。

現在の、日本の一番の問題は、その狭間にいる人たちが大量に存在していることです。パートやアルバイトといった非正規雇用の人たちは、定年があるどころか、いつクビを切られるかわからないという不安定な立場におかれ、さらに国民年金保険に追いやられています。少し古い調査ですが、非正規雇用者の厚生年金の加入率は全体平均で男性61%、女性45%というデータがあります(2010年)。人数としては、非正規雇用で厚生年金保険が非適用の人は、日本全体で1300万人ぐらいいると推定されています。

ひとり親世帯の貧困や若者の貧困など、日本の貧困問題にはいろいろな側面があります。ですが、自営業者ではないのに厚生年金保険に加入できず、老後、国民年金保険だけでは食べていけない人が大勢いるということが、現在の日本の貧困問題の本質だと僕は見ています。

冒頭で、貧困対策は「生活保護か、ベーシックインカムか」ではなく、「厚生年金保険の適用拡大か、ベーシックインカムか」だと述べたのは以上の理由によります。

そのうえで、僕は貧困対策としては、社会保険の原理原則に立ち戻って、人に雇われている人（被用者）は全員厚生年金保険に加入できるようにする、適用拡大が喫緊の課題だと考えているのです。

生活保護はあくまで社会保険を補完する制度と捉えるべきです。社会保障のメインは、働けなくなったときの収入を保障する公的年金保険と、病気になったときの医療費を保障する健康保険であり、これが民主主義社会におけるセーフティネットの柱だと考えます。

## 厚生年金保険の適用拡大は一石五鳥の政策

厚生年金保険の適用拡大は一石五鳥の政策です。

第1に、年金財政が大幅に好転します。これは厚生労働省の試算（2019年財政検証オプション試算）でも明らかです。非適用者1300万人のうち毎月5・8万円以上の収入のある

1050万人を厚生年金保険にシフトしただけで、年金財政が大幅に改善されます。

第2に、貧困老人が少なくなります。国民年金しかもらえなくて生活に窮する、ということがなくなります。

第3に、3号被保険者がほぼ自動的に消滅します。3号被保険者とは、厚生年金保険に加入しているビジネスパーソンの配偶者は、保険料を納付しなくても被保険者として取り扱うという制度です。これは、事実上、年金ただ乗りの仕組みです。配偶者控除と並んで性分業（男は仕事、女は家庭）を推進する政策の柱となっています。仕事はするけれど、〝甘い汁〟も吸いたいということで、3号被保険者の要件から外れないよう労働時間を調節する女性がいまだに多いといわれています。そういう人が厚生年金保険に加入すれば3号被保険者がいなくなり、その分、年金財政も改善します。

第4に、適用拡大を行えば、正規雇用と非正規雇用の格差がほぼなくなります。

第5に、すべての中小企業が社会保険料を負担するので（年金保険料と健康保険料は、原則として企業と被用者が半分ずつ負担することになっています）、人を雇いながら社会保険料を払わないことでかろうじて生きながらえているようなゾンビ企業が淘汰され、日本経済の足腰が強くなります。

## 独・シュレーダー政権の社会保障改革

では、なぜ適用拡大が実現しないのでしょうか。それは、保険料負担が増える中小企業の猛反発が予想されるからです。

ドイツでは、2003年にシュレーダー政権が、「アジェンダ2010」と名づけた雇用制度と社会保障改革の一環として、年金保険の適用拡大をやろうとしました。するとやはり、「適用拡大をされたらたまらない。俺たちに死ねといっているのか」と不満を訴える中小企業が続出しました。それに対するシュレーダーの反論は、「ビスマルクを覚えているか」というものでした。

人を雇うということは、その人が病気になったり、年をとって働けなくなったりしたときに責任を持つということだ、だから社会保険料を払えない企業は人を雇う資格がないのだ、と言い切ったそうです。

中小企業の経営者たちも、ドイツ帝国の初代宰相、祖国の英雄ビスマルクを持ち出されてはどうしようもありません。そこで今度は、「その言い分はわかるけれど、パートやアルバイトの給与は少ないから、社会保険料を差し引いたら可哀そうではないか」という理屈で説得しようとしました。シュレーダーは「たしかにその通りだ、だからパートやアルバイトの社会保険料については折半ではなくたとえば企業の負担割合を10割にしてはどうか」と切り返し、改革を断固実行します。

中小企業の経営者は激怒し、シュレーダーは2005年に政権を失いました。しかし代わって登場したメルケル政権も、中小企業経営者に不評だった適用拡大を、元に戻すことはしませんでした。

このシュレーダー改革でドイツのゾンビ企業は潰れて、ドイツ経済の足腰はとても強くなりました。シュレーダーはまさに政治生命を賭けて、社会保障改革と経済改革を断行したわけです。ステイツマン（優れた政治家）とはまさにこういう人のことをいうのだと思います。

日本でも適用拡大を断行すれば、一石五鳥で多くの問題が解決します。しかしこれは、シュレーダーのような、100年先のことを考えて目先の不評を恐れない政治家でなければ、実行することはできません。

## 「エピソード」ではなく「エビデンス」で判断する

ベーシックインカムに魅力を感じる人がいることは理解できます。しかし、日本の社会保障制度は、制度としては実は大変よくできています（そのことを学ぶには香取照幸著『教養としての社会保障』〈東洋経済新報社〉がおすすめです）。それを全部壊してゼロからベーシックインカムを立ち上げるよりは、厚生年金保険の適用拡大を進めたほうが相対的なコストは安いし、時間も短くてすむと僕は考えています。もっともそこは市民が議論をして、選択すればいい問題だと思います。

ベーシックインカム導入の理由として、生活保護の悪用を挙げる人がいます。生活保護を不正に受給している人がいるから、廃止してベーシックインカムに切り替えようというのです。政治家にもこのような主張を唱える人がいます。

しかしこれは、「エビデンス」でなく「エピソード」をもとにした主張です。どんな制度でも悪用する人はいます。厚生労働省のデータを見れば、悪用のケースは2％程度で（どんな制度でも数％ぐらいは悪用されるのは世界共通の話です）、全体的にそれほど変な使われ方はしておらず、おおむね妥当な給付が行われていることがわかります。つまり、エピソードをもとにした生活保護廃止論は当を得ていないのです。

政治家がある主張をする際に、実態を反映した「エビデンス」や「データ」を根拠にしているのか、一部の「エピソード」だけを持ち出して主張しているのかは、峻別しなくてはなりません。ときに、極端な事例を持ち出して、こんなひどい制度がいいのかなどとアジテートするような議員もいますが、このような合理的な判断ができない議員こそ、次の選挙で落選させるべきです。私たちはそこを十分見きわめる必要があります。

また、制度とは異なる次元の話ですが、アメリカのシンクタンクであるピュー・リサーチ・

センターが2007年に47カ国に調査したところ、「国はもっとも貧しい人を助けるべきだ」という設問に対して、「非常にそう思う」と回答した割合が日本は15％で最低だったそうです。皆さん、恥ずかしいとは思いませんか。

日本国憲法には生存権の規定があり、貧しい人を助けるのは国の義務です。にもかかわらず、このような結果となるのは、日本人が勉強不足で（これはファクトチェックを厳しく行わないメディアにも大きな責任があると思います）、極端な言論に感化されやすいことの表れだと思います。

## 人間は働かずにはいられない存在

なお、ベーシックインカムが導入されたら人々は働かなくなるのでは、という議論もあります。しかし、僕はそうは思いません。人間は社会的な動物です。そのような人間の本性からすれば、たとえベーシックインカムが導入されても多くの人は社会と関わり、社会の中で生きていく、つまり働くと思います。

僕はもう古希を超えているので、大学時代の同級生の多くは退職しています。仕事を辞めるときはみんなとても元気です。「これからは毎日ゴルフ三昧だ」「好きな囲碁をとことんやるぞ」等、働かなくて好きなことができる明日からの生活を夢想して溌剌としています。

ところが、1年後に会うと、家裁の調停委員だとかマンションの自治会の理事だとか、たいてい何かを始めているのです。「お前、もう仕事はしないでゴルフ三昧だといっていたじゃないか」とからかうと、「いや、ゴルフは金がかかるし……」などと言葉を濁すのですが、要は、働かない生活に早々に退屈したのだと思います。

お金を稼げるかどうかに関係なく、人間はやはり社会と触れ合って生きていくのが本来の性質なのだと思います。遊んで暮らすだけの人が大多数になるとはとうてい思えません。

将来、もしAIが人間のやる仕事をすべて代わりにやってくれるようになったとしても、人間は必ず何かやるべきことを新しくつくりだして、働くのではないでしょうか。

## BIの根底に見え隠れする自己責任論

深入りはしませんが僕はベーシックインカムに根本的な疑問を抱いています。

ベーシックインカムがここまで人口に膾炙（かいしゃ）したのは、AIとBIということで語呂がよかったからだと思います。しかし、ベーシックインカムの根底には自己責任論の姿が見え隠れします。

自己責任論は、たとえば現在の貧困状態はその人の選択したすべての行為の結果であるから社会は救済する必要がない、といった使われ方をすることが多々あります。実は日本は自己責任論がとても強い国で、世界的に見ても、弱者の救済に対して冷淡な社会となっています。

自己責任論は、一見正しいように見えますが、人生のスタート地点がある程度同じでないと成り立たない考え方だと、僕は思っています。ベーシックインカムは、どうしても、「国（社会）は給付を平等に行いました、あとは皆さんの自己責任ですよ」といっているように見えて仕方がないのです。

最後に一言。ベーシックインカムを導入すると、どのくらいの財源が必要になるのでしょうか。1人月額7万円と仮定すると、7万円×12カ月×1億2600万人で年間約106兆円になります。ベーシックインカムだけで予算を超えてしまいます。夢物語というほかはありません。

# 〔論点14〕がんは早期発見・治療すべきか、放置がいいのか

基礎知識

## 過去40年近くにわたり、がんは死亡原因第1位

日本人の死亡原因の1位はがん（27・4％）で、以下、2位が狭心症や心筋梗塞などの心疾患（15・3％）、3位・老衰（8％）、4位・脳卒中や脳梗塞などの脳血管疾患（7・9％）、5位・肺炎（6・9％）と続く（2018年）。1981年にそれまでの脳血管疾患に代わって1位になってから、がんはその位置を今日までキープし続けている。

がんの治療は、①手術、②化学療法（抗がん剤治療）、③放射線治療の3つ、あるいはこの組み合わせが基本だ。この3つを中心にした、「科学的根拠に基づいた観点で、現在利用できる最良の

治療であることが示され、ある状態の一般的な患者さんに行われることが推奨される治療」は「標準治療」と呼ばれる（国立がん研究センター）。

## がん治療論争、近藤誠氏の主張

多くのがんは、早期発見と早期治療により生存率が向上する。したがって国もこれをがん対策の基本方針としてきた。

これに対し、1996年、慶應義塾大学医学部の放射線科講師だった近藤誠氏が『患者よ、がんと闘うな』（文藝春秋）を著し、多くのがんは手術や抗がん剤治療をせずに放っておくほうがよい、と訴えた。

この本がベストセラーとなったことから、がん治療の是非をめぐる論争が起きた。また2012年には同じ近藤氏による『医者に殺されない47の心得』（アスコム）がミリオンセラーとなり、論争が再燃した。

近藤氏の主張の概略は以下のようなものだ。

・がんには「がんもどき」と「本物のがん」がある。本物のがんは、ほかの部位に転移する能力を備えていて、発見したときに転移が認められなくてもいずれ転移が明らかになるので根治は不可能。したがって治療は無意味。「がんもどき」は、転移せずに体内で終生眠ったままか、症状が出た段階で治療すれば治る。

・猛毒を使ってがんを攻撃する抗がん剤治療は、正常細胞にダメージを与える副作用のほうが大きい。抗がん剤でがんが治る、延命できるというデータはない。

・がんは放置療法がよい。がん死の多くは転移を理由にリンパ節を広範囲に摘出するなど、患者に負担の大きい手術を施したことによる後遺症、いわば「術死」である。

## がん治療論争、医師・研究者の主張

このような近藤氏の主張に対しては、医師・研究者など専門家から、

・「がんもどき説」が正しかったとしても、「がんもどき」と「本物のがん」を見分けることはできない。

・抗がん剤でがんが治る、延命できるというデータは存在する。近藤氏はデータを恣意的に解釈して自説の裏づけとしている。

・そもそも、がん放置療法をはじめとする近藤氏の主張は、学会発表や医学論文の形になっておらず、現代の医療で求められるレベルのエビデンスを欠いている。

といった批判が寄せられている。

がん治療については、ほかにも「○○を食べれば・食べなければ、がんが消える」といった食事

療法のほか、高額なサプリメント、免疫療法（本庶佑氏がノーベル賞を受賞した療法とは異なるもの）など科学的根拠のない、いわゆる「トンデモ医療」が、多く出回っている。

漢方・鍼灸・整体・ハーブなども含め、病院で行われる以外の治療法は、総称して「補完代替療法」と呼ばれる。少し古いが、2001年に厚労省の研究班が行った実態調査では、がん患者の約45％が1種類以上の補完代替療法を利用しているという結果が出た。

## エビデンスの有無だけでは片付かない問題も

近藤氏の主張に対する医師・研究者らの評価はほぼ一致しており、現在の医療に求められるエビデンスレベルでは、近藤氏の主張は論争に値しないといえる。

だが、近藤氏の主張が、手術の後遺症や抗がん剤の副作用に苦しむ患者、死の不安におびえる患者と家族、がん患者予備軍など、多くの人々の医師にはいえない本音を代弁し、共感を得たのは事実だ。これは、他の補完代替療法についても当てはまることだ。

その点について、日本医科大学武蔵小杉病院・腫瘍内科医の勝俣範之氏は、著書『医療否定本の嘘』（扶桑社）のなかで、「これまでの医療は、病気を治すことだけを目的にし、患者さんのQOL（クオリティ・オブ・ライフ）を考慮してこなかった面がある」「医療否定本を医師が否定しても問題は解決しない」「医師は医療否定本が多くの読者の支持を得る背景に学ばなければならない」と述べている。

## 健康診断は効果がないのか

近藤氏はがん放置療法だけでなく、健康診断には効果がないどころか害のほうが大きいという、検診無用論も訴えている。

そもそも、どんな検査にも、病気があるのに見逃してしまう「偽陰性」、病気ではないのに病気だと判定してしまう「偽陽性」、そしてそのままでは生命を脅かす危険がなく治療の必要がない病気を発見してしまう「過剰診断」のデメリットはつきまとう。

現在、国は、胃がん検診（バリウム）、大腸がん検診（便潜血法）、肺がん検診（X線）、乳がん検診（マンモグラフィ）、子宮頸がん検診の5つを「対策型検診」と定め、市区町村における住民検診として実施している。この5つは、受診することで死亡率が低下することが科学的に実証されている。

がん検診にはほかにも「任意型検診」と呼ばれる、人間ドックなどで行われるさまざまな検査がある。これらの中には、検診の効果が科学的に証明されていないものもある。「偽陰性」「偽陽性」「過剰診断」のデメリットも踏まえ、決して安くないお金を払って受けるか受けないかは、まさに自己責任の問題だ。

## 健康寿命を延ばせば医療費は抑えられるか

検診の有効性をめぐっては、医療費削減という点でも議論がある。

2018年の日本人の平均寿命は、男性81・25歳、女性87・32歳。男女ともに世界有数の長寿国だ。だが、老化によって健康を損ない、寝たきりの期間が長く続くのであれば、平均寿命がどんなに長くなっても手放しでは喜べない。

そこで国は、ひとりひとりのQOLを高めて社会の活力を維持するために、「健康上の問題で日常生活が制限されることなく生活できる期間」、いわゆる健康寿命の促進を旗印に掲げてきた。健康寿命は男性72・14歳、女性74・79歳（高齢社会白書2018年版）で、平均寿命との差は男性で約9年、女性で約13年あり、この差を縮めていく必要がある。

そのために、国や自治体は、がん検診、メタボ健診、ロコモ（ロコモティブ・シンドローム）対策の体操教室、禁煙対策など、予防医療のための施策を積極的に展開している。

この予防医療については、健康増進に加えて、医療費・介護費削減の効果もあるという見解がある。

2018年度の日本の医療費は約43兆円、介護費約10兆円、合わせて年間で約53兆円に達する勢いで、この伸びを抑制していくことは喫緊の課題だ。そして、2018年に経済産業省が主導して開かれた「次世代ヘルスケア産業協議会」の資料では、病気の予防や早期治療、早期診断、介護予防の取り組みなどで公的医療費の伸びが半減するという試算が示されている。

だが、予防医療によって、たとえば高齢者の健康状態の改善などの効果はあっても、医療費の削減効果はほとんどないということは、多くの実証研究で明らかにされている。

医療経済学が専門の東京大学大学院教授・康永秀生氏は2019年6月15日付の朝日新聞インタビューで次のように述べている。

「長生きすると、誰しもいずれは病気にかかります。その結果、生涯にかかる医療費は減りません。つまり予防医療は、医療費がかかるタイミングを先送りしているだけで、医療費を減らす効果はないのです。たとえば禁煙対策により肺がんになる人が減れば、短期的な医療費は減ります。でも寿命も長くなるので、一生にかかる医療費の総額はむしろ増えます。メタボ健診、がん検診なども同じことがいえます。これは専門家の間ではほぼ共通認識です」

## ブームとなる健康論争

医療や健康に関する情報はいまや国民的な関心事だ。さまざまなメディアで、「○○は生活習慣病に効く」「××はダイエットによい」といった情報が氾濫しているが、その当否は、専門家でない一般の人々には判断がつかないのが実情だ。

たとえば近年、話題を集めた健康論争の1つに「糖質制限」がある。「ダイエットに効くのは糖質（炭水化物）制限か、カロリー制限か」という論争だ。糖質制限はもともと糖尿病の治療のために血糖値を上げないようにする食事療法で、それがダイエットにも有効とされて広まった。だが、糖質の摂取を減らすことで体調を崩す人が現れ、長期的には死亡リスクを高めるなどの論文も発表されている。

現在では、推進派もアンチも、それぞれエビデンスを示して自説を主張する状態になっており、定まった結論は出ていない。

**自分の頭で考える**

## 子どもの年齢や人生観で答えは変わる

がんは治療すべきか、放置がいいのか、というテーマは、単に医療技術の問題だけではなく、人生観の問題でもあると思います。神様が与えてくれた自分の人生をどう生きるのか。おそらく両極は、病気になったら天命と思って自然の摂理に任せるという考え方と、可能な限りの治療を受けて医療（科学）の力を最大限活用したいという2つの考え方に分かれるのでしょう。

動物としての人間のもっとも大切な役割は、次世代を産み育てるということにあると僕は思っています。人間の赤ちゃんは未熟児ぎりぎりの状態で生まれ、成熟するまで20年ぐらいの年月がかかります。子どもが大人になるまでは親に責任があります。そこで親は生命保険をかけるなどして、万が一のことがあっても子どもが成熟するまでに必要なお金を確保しようとするのです。

しかし、子どもが成人して独立してしまえば、どう生きるかは、もはや親本人の人生観次第だと思います。

がんを治療すべきか、放置がいいかという問題も、子どもが小さければ徹底的に治療すべきであり、子どもが成人したあとなら本人の人生観次第、というのが基本だと思います。

がんに限らず、子どもが小さい間は、親は働いてお金を稼ぎ、子どもの生活の面倒が見られるよう、健康に留意する必要があります。でも子どもが独立すれば、論点6の「安楽死」でも述べたように、ACP（アドバンス・ケア・プランニング）を作成して、医療的ケアは極力受けずに運命に委ねることも、できる限りの治療を受け続けることも、本人が自由に選択すればいいいと思うのです。

## 樹木希林さん、堀ちえみさんのがんとの向き合い方

2013年に全身のがんを公表し、2018年に亡くなられた樹木希林さんは、両極のどちらでもない独自の道を歩まれました。

最初に見つかったのは乳がんで、見つかってしばらくしてから全摘手術を受けました。しかし、手術後に医師から服用するようにいわれたホルモン剤は拒否。周囲から懇願されて一度は飲み始めたものの、体が拒絶しているとして結局中止。その後、体のあちこちに転移が見つかりますが、治療法は自分で選ぶという姿勢を貫きます。外科手術や抗がん剤を使った化学療法は一切受けず、かといって何もしないのでもなく、標準治療とは異なる放射線治療を受けていたそうです。

その間、外から見ている限り、希林さんに悲愴感はありませんでした。女優の仕事を次々にこなされ、インタビューでは「がんになってよかった」とまでおっしゃっています。

希林さんは「ふつうの生活」ができることを優先されたのだと思います。通常の外科手術は体力が戻るまでに時間がかかり、抗がん剤治療は副作用があり、「ふつうの生活」をおくるのが難しくなります。それは希林さんの望むところではなかったのでしょう。

かといって、まったくがんを放置するということもされなかったわけです。自分で考え、自分で選択し、自分の人生を全うされました。

希林さんとは異なる道を選んだ人もいます。堀ちえみさんは、ステージⅣの舌がんが見つかり、一時は治療しないことも考えたそうですが、翻意し、可能な限りの治療を受けることを決意されました。子どもたちのため、家族のために生きなければならないと思ったのが最大の理由だったとご自身のブログに書いています。手術を受けたあとはリハビリを続け、仕事への復帰も果たされました。

樹木希林さんも堀ちえみさんも、どちらも自分がどういう治療を受けるのかを自分の頭で考えて、方針を決められました。がんに限らず、病気との向き合い方は本来そうあるべきだと考えます。

## 信頼できる主治医を持つ

僕自身は、勤務先のAPUが教職員に健康診断の受診を義務づけているので、定期的に受診していますが、それがすべてで、最近では人間ドックなどは一切受けていません。

そもそも、人間の体は気象のように非常に複雑なシステムなので、悪いところがそう簡単にピンポイントで見つかるとは思えません。それなら高いお金を払って人間ドックを受けるよりも、長年自分の健康状態を把握してくれている主治医に相談するのが一番だと思っています。

気になることがあれば主治医に聞けばいいし、具合が悪く、何か大きな病気かもしれないなと思ったら、主治医のほかもう1人ぐらいの医師にセカンド・オピニオンを求める。あとは自分で判断すれば、それで十分だと思っています。

僕の主治医は「出口さんの歳になってすべて問題なしなんて、あるわけないじゃないですか」とはっきりいってくださるので信頼しています。「治すのではなく、いまの状態をそこそこ維持すればそれでいいんですよ」という彼のアドバイスも、僕の性分に合っています。

## 肉食は健康にいいのか悪いのか

がんについては、真偽の見分けがつかない情報が大量に出回っています。たとえば「肉食はがんになりやすい」といった話です。たしかに、赤肉や加工肉を食べると大腸がんの発生リスクが高まるという疫学研究が発表されていたりします。

しかし、歴史的に見ると、ホモ・サピエンスは肉を食べることで進化してきたことが明らかです。

人間の脳の重さは、体重の2％もありません。にもかかわらず、1日の消費エネルギーの2割以上を使っています。小さな部位である脳でそれだけのエネルギーを消費しているとなると、体のどこかほかのところで省エネしなければ、やり繰りがつきません。どこで省エネしているかというと、それはおそらく消化器であろうというのが現在の通説です。

草食動物の消化管はとても長い。植物は消化吸収しにくいため、草食動物は1日のうちのかなり長い時間を食べることにあて、長い腸で時間をかけて食べものを消化・吸収しています。

一方、人間は火を使うようになり、肉を炙(あぶ)って食べるという、消化・吸収を短時間で効率的に行える方法を見出しました。その結果、人間は消化管が短くなり、省エネできるようになったという仮説です。

もちろん個人による体質の差はありますし、現在は、ビーガンやベジタリアンも増えてきています。したがって、全員が全員、肉を食べたら元気になるとは思いませんが、肉食は人間の体のつくりから見れば、理に適っているといえるとは思います。ドミニク・レステルというフランスの動物行動学者・哲学者は、『肉食の哲学』(左右社)という本で、「肉食は我々の義務である」と述べていて、なかなかに刺激的でした。

## 肥満は文明病ではない

ダイエットについても考えてみましょう。

やせたいという願望、痩身志向は、ホモ・サピエンス本来の性質に反するものではないでしょうか。

ホモ・サピエンスは、過去20万年のうち19万年は定住せず、ずっと狩猟採集の暮らしを続けてきました。森のなかを放浪し、常に食料を探していたわけですが、いつもうまく見つかるとは限りません。そのため、たとえば木のウロでハチミツがたっぷり詰まった蜂の巣を見つけたら、ひたすらハチミツを食べまくります。そうやって栄養をできるだけ蓄えることができた個体だけが、自然淘汰で生き残りました。

栄養を蓄えるとは即ち太ることを意味します。つまり、目の前にあるものはすべて食べまくるという遺伝子を持った個体が生き残ったということであり、ホモ・サピエンスはもともと太りやすい体質をそなえているといえます。

社会が豊かになり、現代のように栄養過多の時代になると、肥満が増えます。肥満は教育水準が低い低所得層に多い、肥満になるのは意志の弱い証拠などともいわれます。

しかし、生物学的に見ればホモ・サピエンスは目の前にあるものはすべて口に入れるという性質をもともと持っているのであって、その観点からすれば、肥満は文明病でも何でもありません。高い教育を受けた人は、肥満が健康によくないと思っているので、必死に我慢をしているということなのでしょう。

## 「病は気から」は科学的真実

健康の問題を考えるに際しては、われわれホモ・サピエンスとはどういう動物であるかをきちんと理解することがベースにあってしかるべきです。そのためにおすすめしたい本が、リチャード・ドーキンスの『利己的な遺伝子』(紀伊國屋書店)です。人間という動物を理解するのに最適の本だと思います。

そしてもう1点、忘れてはいけないのは、「病は気から」ということです。これは医学的にも証明された本当の話です。

「病は気から」を一番わかりやすく示すのは、プラシーボ(薬理作用のないものからもたらされる効果)の存在ではないでしょうか。

薬というものは、実はすべての人に効くわけではありません。ある体質の人には効いても、別の体質の人には効かないというのは、よくあることです。もっともよく効くといわれる薬でも、せいぜい7割ぐらいの人にしか効果はありません。

そしてこの7割ぐらいに効く薬のケースを分析すると、うち3割が薬効で、4割がプラシーボだといわれています。つまり、もっともよく効く薬であっても、半分以上は「気持ち」で効いているのです。

プラシーボ効果については、これまでに多くの実験がなされています。脳の働きによるものですが、そのメカニズムはまだよくわかっていません。

「この薬は効く」とプラスの方向に思いこむのとは逆に、心配や不安などマイナスの感情が強くなると、ホルモンや脳内物質が異常分泌されて、体の調子がおかしくなります。だから、精神状態というのは大変重要です。がんになったらどうしようと心配ばかりしていると、本当にがんになる可能性が高まるかもしれないのです。

医療の世界では１９９０年代から「ＥＢＭ（Evidence-Based Medicine）」という概念が提唱されてきました。「科学的根拠に基づく医療」という意味です。ＥＢＭが重要なのは間違いなく、医療者ではない一般の人たちも、自分の身を守るためには科学的に正しい知識は不可欠だと思います。

ですがそれと同時に、がんもその他の病気も、原因から治療まで、科学的な要因だけですべてが明らかになっているというわけではないということも、理解しておく必要があります。体の病気はそれだけが独立して存在するわけではなく、精神状態や生活のクオリティと一体となって存在します。そこで最善の選択をするためには、ひとりひとりが、まず自分はどう生きたいのかという人生の根本の問題を考えることが、どうしても必要になってくるのです。

# 経済成長は必要なのか［論点15］

基礎知識

## 日本人は年々貧しくなっている

一国の経済規模を示す数字を「GDP（国内総生産）」という。国内で1年間に生み出された製品・サービスの合計金額だ。これを国民の数で割ったのが「1人あたりGDP」で、国民の経済的な豊かさを表す指標となる。

1990年台前半の日本の1人あたりGDP（名目）は、世界ランキングで3〜4位が定位置で2000年には2位と、日本国民は世界有数の金持ちだった。ところが、この順位は2000年代前半から下降し始め、2020年現在では25位にまで落ちている。為替やインフレ率の影響もあるが、日本人は相対的に貧しくなっている。

1人あたりGDPの金額自体は90年代以降ほぼ横ばいだが、各国が軒並み豊かになるなか、日本はその波に乗れなかった。これが経済成長の差だ。

「経済成長」とはGDPが拡大することを指し、経済成長率は1年ごとのGDP(実質)の伸び率で示される。90年代以降、全世界の実質経済成長率(インフレ率を加味しない)は2～5%台で推移、ここ10年ではほぼ3%台半ばだ。

とくに成長著しい中国の場合、90年代から2000年代まで毎年のように10%前後の成長を遂げていた。2010年代に入って陰りが見えてきたとはいえ、コロナショック前までは6%台を維持していた。また先進国に限って見ても、ほぼ1～3%台だ。ところが日本は、ほぼ0～1%台で推移している。

## なぜ日本は取り残されたのか

なぜ、日本だけ置き去りにされたのか。1990年以降のバブル崩壊で金融機関が膨大な不良債権を背負い、金融システムが長期にわたって機能不全に陥ったことは原因の1つだ。得意としていた製造業の分野で、安価な人件費を武器に台頭する新興国に太刀打ちできなくなったのも大きい。

そして何より、高度成長時代の経営モデルである年功序列・終身雇用といった制度を、企業は低成長下でも捨てきれなかった。それが非効率を生み、競争力を阻害し、組織をますます疲弊させるという悪循環を生んだのである。

2018年の日本の1人あたり労働生産性は世界37位。主要先進7カ国でみると、1970年以降、最下位の状況が続いている。

しかし裏を返せば、日本にはまだ成長の余地があるとも考えられる。世界経済が堅調に成長している以上、日本も他の先進国を見習って環境やルールを整えれば、せめて先進国並みの成長率は確保できるはず、というのが政府の立場だ。90年代以降、「グローバリゼーション」や「グローバル・スタンダード」といった言葉が頻繁に聞かれるようになったのは、そのためだ。

## グローバリズムの限界が近づいている？

他方、2010年代に入ってからは、その「グローバリゼーション」自体がそろそろ限界に近づいている、との見方がある。

2000年以降、世界経済の成長を牽引してきたのは、新興国だった。工業化やインフラ整備の過程で先進国から莫大な資本が投下され、急速に成長することで先進国に莫大なリターンをもたらす。国民が豊かになった新興国は、先進国にとってモノやサービスの輸出先としても魅力を増す。つまり先進国と新興国の間には、表面的にはウィン・ウィンの関係が成り立っていた。

しかしこれは見方を変えれば、先進国の富や仕事が新興国に移ったということでもある。その結果、先進国では中間所得層が没落し、格差が拡大した。成長を求めることが自国民を貧しくさせるのは、まさに本末転倒だ。

さらに問題は、新興国が軒並みある程度成熟し、これ以上の高成長を期待できなくなっていることだ。それでも無理やり成長を求めようとすれば、過剰投資や過剰設備を生み、やがて資産価格の急騰と急落、つまりバブル崩壊という事態を招きかねない。それが1国の経済のみならず世界経済にも多大な悪影響を及ぼすことは、90年代の日本や2008年のリーマン・ショック後の世界を振り返れば明らかだ。

## 生産性を追求すると格差が拡大する？

加えて日本の場合、急速な少子高齢化に直面している。15歳から64歳を指す生産年齢人口は、90年代以降ずっと減少し続けている。2018年には初めて総人口の6割を下回り、今後も減少の一途をたどる見通しだ。

労働力の主体が減っている中で経済を拡大しようとすれば、1人あたりの生産性を向上させるしかない。

年功序列・終身雇用制は、日本の企業の非効率性の象徴ではあったが、それはある意味で「能力のない者も定年まで面倒を見る」仕組みでもあった。効率を追求すれば、企業はそうした機能を果たさなくなり、末端の仕事はアウトソーシングされ、非正規労働者が増え、格差が拡大する。

実際、バブル崩壊後、多くの日本企業は年功序列・終身雇用制を維持する体力を失い、1990年に20・2%だった非正規雇用者の割合は、2019年には38・3%とほぼ倍増している。

## 「ゼロ成長」ではダメなのか

このような事態を経済成長至上主義の歪みと見て、もう経済成長をあきらめようという意見は、経済学者の中にもある。「成長しなければならない」という強迫観念から脱し、ゼロ成長でも国民全員が豊かに暮らせる道を模索すべきではないか、というわけだ。

日本にはまだ1800兆円もの個人金融資産があるから、当面飢えることはない。だから全員が成長に向けて躍起となる必要はないし、逆に全員が白旗を上げる必要もない。バリバリ働きたい人は働き、収入を減らしてでも家族との時間を増やしたい人には相応の仕事があり、最低限の生活が保障されるような社会――ベーシックインカムの導入は、こうした「ゼロ成長論」と親和性が高い。

実現すれば安心感が広がり、少子化にも歯止めがかかる可能性がある。それが結果的に、将来の経済成長の原動力になる可能性もなくはない。

ただそれは、衰退する経済にどこまで耐えられるかという話でもある。

成長を見込めない国は、海外から金と人を集めることができない。国内の資金や人材も、もっと成長を期待できる海外へと流出していくだろう。そうなれば、経済成長はゼロどころかマイナスに陥るおそれがある。成長がマイナスなら税収もマイナスとなり、社会保障カットや公的債務の増大に直結する。つまり、国民の生活水準は転落の一途をたどりかねない。

また、国民がこのような現実を受け入れられるようになるためには、「経済的な豊かさ」以外の尺度で「豊かさ」を測る必要も生じる。

国連が2013年から公表している「世界幸福度ランキング」のようなものはあるが、そこでも1人あたりのGDPは幸福度を測る主要な指標の1つだ（2020年のランキングで日本は62位、先進国中で最低だった）。

「経済的な豊かさがすべてではない」としても、国家として経済的な豊かさ以外の豊かさをどう求めるか。日本社会でコンセンサスを得る見通しはまだない。

## 自分の頭で考える

### 経済成長不要論者が見落としていること

このテーマに対する僕の答えはシンプルで、「経済成長は必要に決まっている」です。学者のなかには、日本は十分豊かになったのだから、もう経済成長はしなくていい、ＧＤＰやＮＩ（国民所得）といった数字より、人生の生きがいや心の幸せを求める方向にシフトすべきだ、という人がいます。

しかし、その考えは一部正しいところがあるとしても、半分以上は間違っています。

まず、日本は本当に豊かな国でしょうか。１人あたりＧＤＰ（購売力平価ベース、２０１９年）は世界35位で、Ｇ７最下位、アジアでもトップ５に入れていないというのが現実です。名目ＧＤＰが世界３位というのは単に人口が多いからにすぎません。ですから、生きがいや心の幸せを求めるのはいいとしても、経済成長は必要ないというのはまったくの誤りです。いまの私たちの便利な生活は経済成長の下に初めて実現しているということを理解すべきです。

たとえば、東京は周囲の神奈川や千葉、埼玉を加えると世界で一番大きな大都市圏です。グレーター東京とか首都圏と呼ばれているこの地域には４０００万人もの人が住んでいて、世界でももっとも稠密（ちゅうみつ）なエリアとなっています。

そんな地域を維持するにはコストがかかります。たとえば、生活ゴミの収集１つをとってもそうです。生活ゴミを収集するお金はどこから出ているのでしょうか。経済が成長して、税収が確保され、自治体がゴミ回収業者にお金を払えているからこそ、東京圏の清浄さが維持されているのです。

## 図表9　1人あたり購買力平価GDP（上位30カ国・地域）

**2000年**

| 順位 | 国名 | 金額（ドル） |
|---|---|---|
| 1 | アラブ首長国連邦 | 98,364 |
| 2 | カタール | 96,823 |
| 3 | ブルネイ | 66,439 |
| 4 | クウェート | 56,179 |
| 5 | ルクセンブルク | 55,362 |
| 6 | サンマリノ | 52,470 |
| 7 | バミューダ | 47,572 |
| 8 | シンガポール | 43,833 |
| 9 | バーレーン | 42,182 |
| 10 | サウジアラビア | 39,883 |
| 11 | ノルウェー | 36,950 |
| 12 | アメリカ | 36,335 |
| 13 | オマーン | 35,954 |
| 14 | スイス | 35,763 |
| 15 | マカオ | 34,743 |
| 16 | アルバ | 32,032 |
| 17 | オランダ | 31,883 |
| 18 | アイルランド | 30,185 |
| 19 | アイスランド | 29,718 |
| 20 | スウェーデン | 29,629 |
| 21 | オーストリア | 29,387 |
| 22 | カナダ | 29,266 |
| 23 | デンマーク | 28,669 |
| 24 | 香港 | 28,253 |
| 25 | バハマ | 28,034 |
| 26 | ベルギー | 27,795 |
| 27 | ドイツ | 27,209 |
| 28 | イタリア | 27,083 |
| 29 | 日本 | 26,839 |
| 30 | フィンランド | 26,795 |

**2019年**

| 順位 | 国名 | 金額（ドル） |
|---|---|---|
| 1 | マカオ | 129,451 |
| 2 | ルクセンブルク | 121,293 |
| 3 | シンガポール | 101,649 |
| 4 | カタール | 94,029 |
| 5 | アイルランド | 88,241 |
| 6 | バミューダ | 85,418 |
| 7 | ケイマン諸島 | 73,292 |
| 8 | スイス | 70,989 |
| 9 | アラブ首長国連邦 | 70,089 |
| 10 | ノルウェー | 66,832 |
| 11 | アメリカ | 65,298 |
| 12 | ブルネイ | 64,848 |
| 13 | 香港 | 62,496 |
| 14 | サンマリノ | 60,886 |
| 15 | デンマーク | 60,178 |
| 16 | アイスランド | 60,061 |
| 17 | オランダ | 59,554 |
| 18 | オーストリア | 58,946 |
| 19 | ドイツ | 56,278 |
| 20 | スウェーデン | 55,820 |
| 21 | ベルギー | 54,905 |
| 22 | オーストラリア | 53,469 |
| 23 | 台湾 | 53,420 |
| 24 | クウェート | 52,060 |
| 25 | フィンランド | 51,426 |
| 26 | カナダ | 51,342 |
| 27 | フランス | 49,435 |
| 28 | サウジアラビア | 49,040 |
| 29 | 連合王国 | 48,698 |
| 30 | バーレーン | 47,003 |

資料：世界銀行　出典：GLOBAL NOTE

以前、ギリシャが経済危機に陥ったとき、生活ゴミの収集がストップして市民は大変な状態に見舞われました。豊かになったのだから経済成長は要らないという人は、私たちが享受している豊かさが経済成長に支えられているという事実を見落としています。

もっとシンプルに述べましょう。

皆さんの家庭に高齢者がいれば、年々出費がかさんでいきませんか。高齢者は働いてお金を稼ぐことができなくなる一方、医療や介護のお世話になることが増え、その分お金がかかります。日本は世界でもっとも高齢化が進んでいる国です。だとしたら、先進国のなかでもっとも成長して、社会の高齢化によって出ていくお金を取り戻さなければ、相対的に貧しくなるだけです。

それはデータの上からも明らかです。この30年間の先進国の経済成長率は、ざっくりいってアメリカとEUが年平均2・5％前後、日本は1％です。その結果、日本のGDP（購買力平価ベース）の世界シェアは9％から4％へと半分以下に落ち込みました。

## 成長なくして文化なし

「衣食足りて礼節を知る」という言葉があります。人間の歴史を振り返ると、経済がそこそこ成長して、ご飯が食べられて初めて、文化や心の平和、生きがいなどを考えられるということがわかります。衣食が足りない社会に文化が興ったためしはありません。

紀元前500年頃は、ものすごい時代でした。ギリシャにはソクラテスがいて、インドにはブッダがおり、中国には孔子がいました。世界各地で、高度な文化が同時に花開きました。

いったい、どうしてそんなことが可能になったのかというと、この前後に地球が暖かくなり、加えて鉄器が普及したために農業の生産性が大きく上がり、経済が高度成長したからです。だから社会に余裕が生まれて、文化人を養うことができたのです。

このように、経済成長は人間が文化的な生活を享受していくために必要不可欠で、経済成長がなければ人間は人間らしく生きていくことができません。

また、超高齢化社会を迎えつつある日本では、今後、社会保障費をどう工面していくかという課題に直面しています。この課題もある程度の経済成長が達成できれば解決できます。

将来、年金財政が逼迫（ひっぱく）し、支給金額の引き下げや支給時期の繰り下げなどが起きたときのために、若いうちから老後資金を貯めておく必要があるという人がいます。ですが、それは本質的に意味のある対策ではありません。年金問題の解決の基本も、やはり経済成長なのです。この問題については、論点19「年金」の項で、あらためて掘り下げて言及したいと思います。

## 地球の資源で養える人口は130億人

本項のテーマは別の問いも含んでいます。それは「経済成長は永続できるのか」という問いです。

「人口支持力」という考え方があります。これは、地球の資源には限界があるので、それに応じた人口までしか養えないというもので、国連が研究しています。現在の研究成果では、地球の人口支持力は120億人から130億人ぐらいというのが大方の見解です。いまの地球の人口は77億人強なので、まだ当分は大丈夫ということになります。

ところで、地球には広大な海があります。この海が地球の体積のどれぐらいかというと、わずか700分の1です。私たちはこの700分の1の海のことすらよくわかっていません。ましてや、地球という物質全体にいったいどれぐらいの資源があるか、人間にはほとんどわかっていないのが実情です。

今後、私たちが知らない資源が見つかれば、地球の人口支持力は200億人、300億人に増えるかもしれません。私たち人類が、経済成長を永続させることができるかどうかはそれ次第であって、つまり、まだよくわかっていないのです。

ただ明らかなのは、経済成長がなくなれば豊かな生活はおくれなくなるということです。工場が閉鎖されれば、その地域が貧しくなるのと同じです。

## ゼロ成長では社会を維持できない

経済成長がマイナスになるのはダメだとしても、現状維持のゼロ成長ならどうだ、という議論もあります。ところが、ゼロ成長でよしとするのは、現実には大変難しい。端的にいえば、ゼロ成長路線をとった場合、社会・経済上の課題はすべて政治問題化して、暗礁に乗り上げてしまう恐れがあります。

私たちの社会は理想的な姿にはなっていません。どこかが歪んでいるのがふつうで、その歪みを修正していくのは政治の役割です。いまの日本の歪みの1つに、7人に1人といわれている子どもの貧困問題があります。

貧困に苦しんでいる子どもたちを救済するには、お金を投資する必要があります。経済成長が十分であれば、成長によって増えた税収を子どもたちのために投資することができます。ところが、ゼロ成長だったら、ほかのどこかを削って予算を工面するしかありません。そのときには深刻な、政治問題が生じます。

社会の歪みを修復するためなら、自分の分を削ってください、喜んで提供します、などという人はいません。みんな「よそから削れ」というに決まっています。そこで政治は停滞してしまいます。

ゼロ成長路線で社会を維持していくのは現実には不可能といってよく、結局、経済成長はどうしても必要だということになります。

## 生産性を上げ、経済成長を続けるためのシンプルな結論

となると、どうやって経済成長を継続していけばいいかが切実なテーマとなってきます。

経済学的にいえば、経済成長≒人口×生産性です。いまの日本は人口が減少する過程にあるので、経済成長を続けるには、人口減少を上回る生産性の向上を実現しなければなりません。

もう1つの方法は人口の減少を食い止めることです。人口減少がストップすれば、そこそこの生産性でも経済成長を維持できます。

経済成長の鍵を握るのは、結局のところ人口と生産性の2つです。

現状、日本はどちらにもうまく対処できていません。赤ちゃんを産みやすい社会をつくれば人口は増えていきますが、それがほとんど実現できていません。人口問題については論点9「少子化」のところで論じたので、そちらをご参照ください。

生産性についてはもう答えが出ています。

日本は先進国のなかでもっとも生産性が停滞している国です。ＩＬＯ（国際労働機関）が統計をとり始めた１９７０年以降、実に半世紀以上にわたって日本の労働生産性はＧ７最下位を

続けています。

その主たる原因がダラダラ残業にあることは明らかで、だからこそ政府も重い腰を上げて、「働き方改革」を唱えるようになりました。

もう1つの理由は、社会のデジタル化が進んでいないことです。ただし今回のコロナ騒ぎのなかで、市民や企業のＩＴリテラシーはかなり向上しました。今後のやり方次第では、生産性向上への期待は持てると思います。

平成のはじめ、日本のＧＤＰ（購買力平価ベース）は世界の９％ぐらいのシェアだったのが、現在は４％ほどと半分以下になったのは、先に述べました。

世界の時価総額トップ20社を見ても、１９８９（平成元）年にはＮＴＴがトップで、20社のうち14社が日本の企業だったのが、２０２０年９月末ではトヨタの48位が最高です（Ｐ２７６図表10）。スイスのビジネススクールＩＭＤの世界競争力ランキングも１９８９年の1位から２０２０年には34位に落ちました。

現在の世界のトップ企業は、ＧＡＦＡやその同類の新しいサービス産業が大半を占めています。ＧＡＦＡの予備軍と目されるユニコーンは、日本にはほとんど棲息していません。２０１９年７月末現在で、世界のユニコーン３８０社中わずか３匹という体たらくです。

ＧＡＦＡやユニコーンは、高学歴（ここでいう「高学歴」の意味については、論点18「大学

## 図表10　世界時価総額ランキング

1989年

| 順位 | 企業名 | 時価総額（億ドル） | 国名 |
|---|---|---|---|
| 1 | NTT | 1,638.6 | 日本 |
| 2 | 日本興業銀行 | 715.9 | 日本 |
| 3 | 住友銀行 | 695.9 | 日本 |
| 4 | 富士銀行 | 670.8 | 日本 |
| 5 | 第一勧業銀行 | 660.9 | 日本 |
| 6 | IBM | 645.5 | アメリカ |
| 7 | 三菱銀行 | 592.7 | 日本 |
| 8 | エクソン | 549.2 | アメリカ |
| 9 | 東京電力 | 544.6 | 日本 |
| 10 | ロイヤル・ダッチ・シェル | 543.6 | 連合王国 |
| 11 | トヨタ自動車 | 541.7 | 日本 |
| 12 | GE | 493.6 | アメリカ |
| 13 | 三和銀行 | 492.9 | 日本 |
| 14 | 野村證券 | 444.4 | 日本 |
| 15 | 新日本製鐵 | 418.8 | 日本 |
| 16 | AT & T | 381.2 | アメリカ |
| 17 | 日立製作所 | 358.2 | 日本 |
| 18 | 松下電器 | 357.0 | 日本 |
| 19 | フィリップ・モリス | 321.4 | アメリカ |
| 20 | 東芝 | 309.1 | 日本 |

出典：「週刊ダイヤモンド」2018年8月25日号

2020年（9月末）

| 順位 | 企業名 | 時価総額（億ドル） | 国名 |
|---|---|---|---|
| 1 | アップル | 19,806.5 | アメリカ |
| 2 | サウジアラムコ | 18,678.7 | サウジアラビア |
| 3 | マイクロソフト | 15,917.0 | アメリカ |
| 4 | アマゾン・ドット・コム | 15,771.7 | アメリカ |
| 5 | アルファベット | 9,981.8 | アメリカ |
| 6 | アリババ・グループ・ホールディング | 7,799.1 | 中国 |
| 7 | フェイスブック | 7,461.1 | アメリカ |
| 8 | テンセント・ホールディングス | 6,259.1 | 中国 |
| 9 | バークシャー・ハサウェイ | 5,089.4 | アメリカ |
| 10 | テスラ | 3,997.6 | アメリカ |
| 11 | ウォルマート | 3,964.7 | アメリカ |
| 12 | ジョンソン&ジョンソン | 3,919.8 | アメリカ |
| 13 | ビザ | 3,884.2 | アメリカ |
| 14 | 台湾・セミコンダクター・マニュファクチャリング | 3,868.7 | 台湾 |
| 15 | P&G | 3,455.4 | アメリカ |
| 16 | ネスレ | 3,390.8 | スイス |
| 17 | マスターカード | 3,385.3 | アメリカ |
| 18 | サムスン電子 | 3,379.0 | 韓国 |
| 19 | エヌビディア | 3,339.3 | アメリカ |
| 20 | 貴州茅台酒 | 3,090.2 | 中国 |

出典：180.co.jp

教育」をお読みください）でダイバーシティあふれる個性的な人たちが世界中から集まり、侃々諤々（かんかんがくがく）やっているなかから生まれ、大きな成長を遂げています。俗な言い方をすれば、世界中からオタクや変人が集合して面白い場をつくった結果、GAFAやユニコーンに象徴される新しい産業が生まれてきたのです。

ということは、日本へ行ったら何か面白いことができるぞ、と世界中の人に思ってもらえない限り、日がまた昇ることはないでしょう。

ダイバーシティに富んだ面白くてワクワクドキドキする社会を築く。これが、社会を成長させ、生産性を上げるための、シンプルな結論です。

## 大学を成長産業に位置づける

そのための1つの道は、大学を成長産業と捉えることです。大学が成長産業などというと奇異に聞こえるかもしれませんが、論点10「移民・難民」のところでも述べたように、たとえばアメリカへは年間110万人の留学生が世界中から集まっています。アメリカは学費も生活費も高く、分野によっては1年間に1人1000万円以上のお金がかかります。留学生が生み出す有効需要（＝持ち込んだお金）は年間4兆～5兆円にのぼるといわれています。

アメリカだけではなく、オーストラリアのような英語圏の大学は、大学に在学する留学生からの授業料や、付属の英語学校に来る短期留学生からの授業料で稼いでいます。

新型コロナウイルス感染症のパンデミックで、どの大学も留学生の受け入れができなくなり、このようなビジネスモデルに依存していた大学は短期的には経営が厳しくなりましたが、長い目で見れば、大学の国際化の流れが先細っていくことはないと、僕は考えています。

だから日本も、アメリカほどではなくても、大学を戦略的に成長産業と位置づけ、世界中から優れた留学生が集まるように社会を変えていくのがいいと思います。

そのためにはまず、グローバル・スタンダードである秋入学に変える必要があります（もちろんリンガ・フランカ〈共通語〉である英語入試もセットです）。今回のコロナ禍で、秋入学導入の話が持ち上がりました。

2020年春に高校3年生になった生徒たちは、大きな不安を抱えています。だから政府は一言、「来年から大学に秋入学も導入してもらう。つまり春と秋、2回、受験チャンスがあるから心配しなくていいよ」といえばそれで済んだのです。そして、小学校から高校までは、5年ぐらいかけて秋入学にアジャストしていけばよかったのです。

それを、時間軸を分けて考えずに、一拠に画一的に小学校からシフトしようなどと考えたので、秋入学という国家百年のすばらしいアイデアが、反対論続出でつぶされてしまったのです。本当にもったいないことです。

なぜ秋入学がすばらしいのか。僕は昔から、春入学は制度的な拷問に近いと考えています。一生を左右するかもしれない入試を、厳寒期に18歳に強いるのが制度的な拷問でなくてなんでしょうか。

秋入学導入で増えた留学生たちが卒業後、日本で起業してくれれば、明日のGAFAやユニコーンが生まれるかもしれません。もちろん雇用も創出されます。

日本の輸出産業で5兆円を超えているのは自動車産業だけです。日本が経済成長を持続させるためには、大学をれっきとした成長産業、輸出産業の有望株として位置づけるべきです。

## 資本主義に代わるシステムはまだない

最後に、経済成長うんぬん以前に、資本主義そのものが限界にきているかもしれないという話があります。マネーの極端な偏在による富の格差が許容限度を超えつつあるのではないか、というのです。

国際NGOのオックスファムは、世界の1％の富裕層が、世界で生み出されている富の約80％を独占していると試算しています。富裕層が多額の寄付を行っていることを差し引いても、これではあんまりだと思う人が多いのは無理からぬことです。

しかし、よく考えてみると、これは再配分の仕組みが上手くいっていないということでもあります。たとえばわが国なら、マイナンバーと銀行口座を紐づけして所得を正確に把握する、そして、公正に課税して再配分を公正に行えば、問題のかなりの部分は解決されます。

そもそも資本主義に代わる新しい社会システムを、人間はまだ考え出せていません。資本主義に問題があるとしても、現状はだましだましやっていくしかありません。そして、そのなかで、私たちは一定の経済成長を続ける必要があるのです。

皆さんが会社に勤めているとして、ずっと売上げが伸びなかったら、どうなるでしょうか。おそらく社内の空気はどんどん淀んでいくはずです。一方、そこそこ成長していれば、たとえば社長が頑固一徹で人間性に多少問題があろうが、派閥争いがあろうが、社内には活気が出てきます。これと同じことです。

人間はさほど賢い動物ではないので、人間が営む社会にはたくさんの問題があります。それでも「七難を隠し」てくれるのが、経済成長だと思います。最後に繰り返しますが、人はやはり、「衣食足りて礼節を知る」のです。

# 自由貿易はよくないのか ［論点16］

基礎知識

## 自由貿易と保護貿易の違い

自由貿易とは、国家が貿易に介入せず、外国と自由に取引できる環境をいう。逆に、国家が貿易を妨げるさまざまな障壁を設けている場合を、保護貿易という。では、自由貿易と保護貿易とを分ける「貿易に対する国家の介入」とは何か。

第1は、輸入品に対して関税をかけることだ。関税は競争力の弱い国内産業を海外製品から守るためにかける輸入税の1つだ（関税の分だけ、輸入品は販売価格が高くなる）。

第2に、輸入品の流通を妨げる各種の規制がある。特定の輸入品目に対して、①最恵国待遇を与えたり与えなかったりする（貿易相手国を平等に扱わない）、②輸入数量の制限を設ける、③独自の製品規格を設け、輸入品の検査を厳しくする、④食品安全のために各国が独自に設ける検疫、⑤国内の生産者に交付する補助金、などがそれだ。これらは関税ではないが、実質的に輸入品の流通を妨げる効果があるため、非関税障壁と呼ばれている。

さらに、近年のFTA（自由貿易協定）交渉の場では、その国独特の取引法令や、特有の商慣習（閉鎖的な系列取引など）、さらにサービス貿易に対する参入規制（参入分野や出資の制限、安全基準による差別など）、輸出促進を狙った通貨安政策についても協議の対象とされるようになっている。

## 自由貿易で相互の利益が高まるという思想の源流

「自由貿易は、自国と相手国の双方に繁栄をもたらす」という思想の源流は、18世紀、イギリスの思想家アダム・スミスが『諸国民の富』で、「国家の統制や介入を排除して市場の自由競争に任せれば、市場が活性化し、最大の繁栄がもたらされる」と説いた自由主義経済思想にある。

その後、同じイギリスの経済学者デヴィッド・リカードが、各国が自国内で農業を含めてあらゆる分野の製品をつくるより、得意な分野に特化して生産・輸出すれば、相互の利益は高まる、という「比較優位論」を唱えた。この国際分業論は、今日にいたるまで、「自由貿易がなぜよいのか」を説明する理論的根拠とされている。

これに対して、ドイツの経済学者フリードリッヒ・リストは、国内産業を育成するのは政府の仕事であり、貿易自由化は国内産業の成長度によって実施すべきだと説き、輸入品に高関税をかけて輸入を抑制する保護貿易主義の政策を主張した。

リストが生きた18世紀末から19世紀、ドイツは35の小国と4つの自由都市が分立する領邦国家で、国内産業はきわめて脆弱だった。連合王国（イギリス）ではすでに1760年代から産業革命が始まっていた。これに対し、ドイツの産業革命はやっと1840年代になって始まっている。そんな状況で先進工業国の連合王国と自由貿易を開始すれば、国内産業が壊滅する恐れがあった。リストの主張は、後進工業国が自国の産業を保護するという観点からは、説得力のあるものだった。

その後、1871年にドイツ帝国が成立、富国強兵政策が強力に推進された結果、ドイツは連合王国に迫る強大国に成長していった。そのことが、やがて20世紀に、連合王国を中心とする先進工業国と2度にわたる世界大戦を起こす遠因となった。

とくに第二次世界大戦前の世界恐慌時には、それぞれの工業国が自国の産業を保護し輸出を促進するために為替レートを切り下げる一方、輸入品の関税を引き上げる露骨な保護貿易政策をとったため、世界経済が悪化し、第二次世界大戦への導火線となった。

## GATT体制下で拡大した自由貿易

第二次大戦後は、戦前の自国最優先の保護貿易政策への反省から、1947年にGATT（関税と貿易に関する一般協定）が調印された。ＧＡＴＴは、①加盟国を平等に扱うこと（最恵国待遇）、②貿易を制限する措置は関税・課徴金のみを認めること、③関税の軽減などを基本原則として、自由で公平な多角的貿易体制の構築をめざす国際協定である。日本は１９５５年に加盟が認められた。

ＧＡＴＴでは、最初に主要国間で貿易自由化交渉を行い、その合意内容に全加盟国が合意するという形でＧＡＴＴ加盟国全体の貿易ルールにする、という手法がとられた。

８回にわたる交渉で、加盟国間の幅広い分野にわたる関税引き下げを実現し、１９８６年から１９９４年のウルグアイ・ラウンドをもってＧＡＴＴは発展的解消、１９９５年に発足した国際機関・ＷＴＯ（世界貿易機関）に引き継がれた。

ＷＴＯは、財に関する貿易のルール、サービス貿易や知的財産権の保護のほか、貿易に関する投資などについてのルールも協議する機関だ。さらに貿易や知的財産権に関する2国間の紛争解決手続きが制度化され、貿易紛争解決の司法機関としての機能も司ることになった。発足時は77の国と地域が加盟、２０２０年時点の加盟国・地域は１６４に上る。

## 拡大する二国間・多国間協定

新生ＷＴＯのもとで２００１年に開始したドーハ・ラウンド（正式名称はドーハ開発アジェンダ）では、農業分野の関税・補助金の削減、非農産品の関税撤廃、サービス分野の国内規制、開発途上国の開発など幅広い分野で自由化交渉が開始された。

しかし、協議は難航し、20年近く経ついまも合意に達していない。背景には、先進国と経済格差の大きい開発途上国の加盟が増えて、その発言力が増したため、全体調整が難しくなり、GATTのようにまず先進国間で骨組みをつくって全体合意を形成する手法が通用しなくなったことがある。

ドーハ・ラウンドの協議が行き詰まるのと相前後して、世界的に模索されるようになったのが、2国（地域）間もしくは多国（地域）間で結ぶFTA（自由貿易協定）や、FTAの内容に加えて投資や知的財産保護など幅広い分野での連携を行うEPA（経済連携協定）の締結だ。

WTOでは、同一の輸入品にかける関税率は輸入相手国にかかわらず、すべての加盟国・地域で同じでなければならないという原則がある。しかし、FTAの場合は、協定を結んだ相手国・地域に対して適用するだけですむ。関税を下げる場合も、段階的に時間をかけて行うことが許容される。そうしたメリットがあるため、時間のかかるWTOの協議を待つよりも即効性のあるFTA・EPAの締結が選ばれるようになった。

日本は、当初はWTOの協議を重視してFTA・EPAには慎重な姿勢だったが、2002年にシンガポールとEPAを締結したのを皮切りに、2020年10月までに19の国・地域とのFTA・EPAに署名している。

2018年12月には、環太平洋経済連携協定（TPP11）が発効。TPPはもともとアメリカも加えた12カ国で交渉が始まり、2016年に署名に至ったが、「アメリカ・ファースト」として保護主義を掲げるトランプ大統領が就任直後の2017年1月に離脱。その後の再交渉を経て発効に至った。人口約5億人、世界のGDPの13％をカバーする巨大経済圏だ。

さらに2019年2月には日本・EUのEPAが発効、人口約6億人、世界のGDPの約3割をカバーする巨大な自由貿易圏が誕生した。

EPAはこのほか、対コロンビア、対トルコ、日中韓、RCEP（東アジア地域包括的経済連携）も交渉を継続中で、日本が経済連携をする国や地域は、拡大の一途をたどっている。

## 自由貿易反対論者の主張

では、自由貿易の相手国や地域が拡大していくことは、本当に日本国民の幸せにつながるのか。政府も多くの経済学者も、「自由貿易は相手国とウィン・ウィンの関係をつくる」と、自由貿易の推進を主張する。

しかし、自由化に反対する識者は少なくない。反対派が指摘するのは、自由化によって打撃を受ける分野はどうカバーするのかという問題だ。

自由化推進論の根拠は、リカード由来の国際分業論だ。つまり、輸出は得意な分野に特化し、それ以外は生産を止めて輸入品に切り換えればいいという考え方だ。

だが、生産を止めてしまった場合、その産業に従事していた人々は明日からどうすればいいのか。自由化推進論者によれば、「競争力が強く、求人も多い成長産業に転職すればいい」のだが、現実問題として、昨日まで第一次産業に従事していた人々に、明日から別な職につけといっても、厳しいものがある。高齢の労働者ならなおさらだ。

同じことは、製造業分野でも起きている。人・モノ・金の動きが自由になったグローバル経済化では、労働者の賃金はコストと見なされ、企業は、労働コストの安い地域を探し、絶えず生産拠点を移転させ続ける。

日本でも、急激な円高が進んだ1985年以降、競争力を失った輸出産業の海外現地生産が進み、「産業空洞化」が進んだ。当初、食料や繊維産業などで始まったこの動きは、その後、電機、自動車、エレクトロニクスなど、日本の基幹産業にも広がり、今日の地域経済の衰退、経済成長率の低迷を招いているといわれる。

## 反グローバリズムのうねり

1991年以降の東西冷戦の終結後、世界では自由貿易の拡大とグローバル化が急速に進行した。しかし、2008年のリーマン・ショック後、反グローバリズムの動きが世界的に高まっている。

その大きな要因が、先進国における中間層の没落と格差の拡大だ。

京都大学大学院准教授の柴山桂太氏は、これを「新しいタイプの国際分業」の結果だと分析する（「日本よ、いい加減、現実を見よう　自由貿易が社会を傷だらけにする」現代ビジネス2017年9月13日）。

すなわち、「20世紀中盤までの国際分業は、先進国が工業化し、途上国が脱工業化（農産物や原材料の生産に特化）するというかたちで進んでいた」が、80年代以降は、生産拠点の海外移転により、「新興国が工業化し、先進国は脱工業化（ハイテクや一部サービス産業に特化）」していった。その結果、ハイテク産業の恩恵に与る(あずか)ことのできない先進国の中間層の多くが、低賃金労働者へと没落していったというのである。

トランプ大統領の登場と、連合王国のEU離脱も、このような事情を背景にしていた。そしてそこに拍車をかけたのが、新型コロナウイルス感染症のパンデミックによる世界経済危機だ（論点2「グローバリズム」の項参照）。

多大な犠牲を生んだ第二次大戦への教訓から「自由貿易の拡大」を共通目標としてきた世界経済は、いままた深刻な岐路に立たされているといえる。

自分の頭で考える

## 自由貿易か保護貿易かは時間軸の問題

自由貿易は原則的には強者の論理だと思います。自分に力のある者は自由にモノやサービスを売り買いしたいと思うでしょうし、逆に、自分に力がない者は保護してほしいと考えます。主体が強いか弱いかで貿易に対するスタンスは大きく変わります。そして、もう1つ、自由貿易や保護貿易については、時間軸で捉えるという方法もあります。

自由貿易か保護貿易かで国が真っ二つに割れて争った典型的な事例に、アメリカの市民戦争（南北戦争）があります。圧倒的に競争力のある農産物を有していた南部は自由貿易を主張し、ひ弱な繊維産業や軽工業しかなかった北部は保護貿易を主張しました。

当時の世界最強の覇権国家は連合王国（イギリス）でした。経済力にものをいわせて南部の綿花や小麦などを山ほど買ってくれるので、南部はどんどん自由貿易を行ってもっと儲けて優雅な生活をおくりたい、と考えました。『風と共に去りぬ』のスカーレット・オハラの世界です。それに対して北部には、保護貿易でなければ連合王国との競争に勝てない、生まれたばかりの工場が全部潰れてしまうという強い危機感がありました。市民戦争は、そのような両者の思惑のぶつかり合いでもあったのです。

市民戦争が4年もの長きにわたり、60万人以上という、アメリカの戦争史上最大の死者を出したのは、日本でよくいわれる奴隷制度存続をめぐる対立だけではなく、その根底に、自由貿易VS.保護貿易という、明確で妥協が難しい対立図式があったからでした。

結果は、北部が勝利し、アメリカは保護貿易を行うことになりました。それによってアメリカは工業国としてテイクオフを果たします。ところが、話はそれで終わりません。ひとたび大工業国になったら、今度はアメリカが自由貿易を主張し始めます。日本とも自動車をめぐって1980年代にシリアスな交渉を行っています。そして、いまは中国と貿易戦争を行っています。

つまり、自由貿易か保護貿易かは、必ずしも主義主張だけの問題ではなく、その国の発展段階に応じた時間軸の問題だということが見えてきます。ある産業を育成しようとする黎明期には保護貿易を訴え、その産業が成熟して競争力を持つようになったら自由貿易を主張するというのが、アメリカに限らず世界の歴史に共通して見られる現象です。

貿易のあり方を考える際には、このように時間軸に則ればどういうポジショニングになるかを見きわめる視点が重要です。それを無視して、自由貿易か保護貿易かを同じ土俵で議論していてもさほど意味がありません。

それでも、原理的には自由貿易と保護貿易のどちらがいいのかという疑問が生じるかもしれません。しかし、身も蓋もないことをいえば、現実の世界で「原理的に」考えることはそもそも不可能です。

強いていえばリカードが提唱した「比較優位論」という理論があります。国によって得意な産業を国際分業し、そのうえで自由貿易を進めるのが最適解だとする考え方です。ですが、それだと、綿花をつくる国は永遠に綿花だけをつくっていればいいという結論になり、それで良しとする国は、まず存在しないでしょう。

どの国も綿花を栽培するだけではなく、綿織物工場も持ちたいと思うのが自然です。そこでいきなり自由貿易を行ったのでは自国の工場が潰れてしまうので、やはりその段階では保護貿易にならざるを得ません。結局、自国の弱い産業については保護貿易、強い産業は自由貿易ということになります。この問題は、個別に各国の産業の事情を踏まえた議論しかやりようがありません。

## 日本の農業は保護されていない

日本の産業も個別に見ていかなければならないわけですが、日本のほとんどの産業は、自由貿易にしたほうがメリットが大きいというレベルに到達しています。

ＦＴＡの協議などで、日本が保護を訴えるのはもっぱら農業についてです。たしかに日本の農業は、他の産業と比較して競争力が弱いのは事実です。

そのため日本の農業政策は保護が主眼になっているように思われがちなのですが、内実はまったく違います。国は農業を保護しているのではなく、事実上見捨てているのではないかと思わざるを得ません。

戦後、日本政府がやってきた最大の農業政策は米の減反政策です。減反で水田を減らし、米作をやめた農地は、何の作物もつくられないまま放置されてきました。米の作付面積は1960年代のピーク時に比べればほぼ半減、農地全体で見れば約3割も減っています。

よく「食料安全保障」ということがいわれます。いざというときに備えて、自国の食料は自国で供給できるようにしておくべきだ、という考え方です。そうであれば、水田を減らして代わりに何もつくらないというのはまったくのナンセンスです。水田以外の農地をどんどん増やして、国内消費や輸出に振り向ければいい。

輸入農産物に関税を課して制限をかける一方、輸出補助金をたくさん出して農家を増やし農地を広げるというのが、食料安全保障上の理屈としては正しい農業政策です。農地を減らして補助金だけ与え、何もさせないのでは、単なる「飼い殺し」です。

ついでにいえば、政治家が食料安全保障を問題にする際に示す食料自給率の値についても注意が必要です。よく、「日本の食料自給率は40％を割っており、これは主要先進国の中でもっとも低い」といわれます。

食料自給率にはカロリーベースによる数値と、生産額ベースによる数値があります。スーパーで食品を買うとき、まず見るのはカロリーでしょうか、値段でしょうか。ダイエットや病気による食事制限をしている人であれば別でしょうが、多くの人は値段を見て食品を選んでいるはずです。世界では食料自給率は価格（生産額）で考えるのがふつうです。

この「40％を割っている」というのは、カロリーベースの話です。2019年度の日本の食料自給率は、カロリーベースでは38％ですが、生産額ベースでは66％で、他の先進国との差はそれほど大きくありません。

農水省のホームページでは、カロリーベースと生産額ベースの二段書きで食料自給率を示していますが、白書や政府広報などでもっぱら強調されるのはカロリーベースの数字です。農業分野の補助金を確保し、農産物自由化を阻止して既得権益を守りたいグループが、食料安全保障の問題で市民の危機感を煽るために、ことさらカロリーベースの数字を偏重しているのではないかと勘繰らざるを得ません。

世界で、食料自給率を考えるとき、カロリーベースで議論している先進国が他にあるのでしょうか。メディアには、ぜひともファクトチェックをお願いしたいものです。

## 世界的に見れば農業は成長産業

世界的に見れば農業は成長産業で、ネーデルラント（オランダ）は年10兆円前後の農産物を輸出しています。ネーデルラントの面積は九州とほぼ同じです。しかも国土の4分の1は海面下です。にもかかわらず、ネーデルラントは世界に冠たる農業大国として君臨しているのです。日本の農業も本当はやる気になれば、相当な可能性を秘めていると思います。自由貿易でも十分太刀打ちできるようになるはずです。

日本の農業でよく問題視されるのは、農家の高齢化と後継者難です。今後農業を担う人がいなくなるので、どうすればいいのかというわけです。

僕は1つの解は、企業にやらせることだと考えています。2009年の農地法改正により、企業が農業に参入しやすくなりました。参入する企業数は増えていますが、農地面積で見れば、企業経営によるものは全体の7・2％（2015年）と、まだわずかです。

農業とは地方に住んでいる個人が行うものというのが、従来の発想です。しかし、どうして個人でなければいけないのか。企業がやってもいいし、もっといえば、都会に住んでいる人や外国人がやってもいいはずです。

企業が事業主体になれば、高齢化や後継者難は関係なくなります。農地が全国のどこにあっても、また農業従事者がそこに住んでいなくても問題はありません。一経営単位あたりの農地面積が大きくなれば、大型機械を投入できて生産性も上がります。

日本には長年の減反政策で多くの農地が眠っています。それを活用すればネーデルラントを凌ぐ農業大国になることも夢ではありません。日本の農産物は品質が高いことで、すでに海外では人気があります。休眠農地をやる気のあるベンチャー企業に開放し、付加価値の高い農産物をどんどんつくっていけば、近い将来に10兆円ぐらいは輸出できるようになるかもしれません。

どんなことでも、「現在の常識」を前提にしていたら、大したアイデアは出てきません。農業についても、「地方で個人が行うものだ」という前提に立っているかぎり、前へは進めません。逆にそこを疑いさえすれば、突破口は次々と見つかります。

ちなみに僕は、日本が農業について保護主義的な政策をとることに全面的に反対しているわけではありません。

ＥＵ諸国が一番保護している産業は農業です。ＥＵの補助金のほとんどは農業に向けられています。人間は生まれ育った土地に愛着を持つ動物です。その土地の産物は、たとえ競争力が弱くてもなくしたくないと思うのは、自然な気持ちなのでしょう。世界中の多くの国で、農業が保護貿易の対象になりがちなのは、経済原理を超えたところに理由があるのだと思います。

だとしても、前述したように、日本は農業を産業として保護しているとはとてもいえません。現状の「飼い殺し」を続けていたら、日本人の心のよりどころとしての農業も維持できない、というのが僕の考えです。

## 貿易赤字は「悪」ではない

世界の貿易市場で依然として大きな影響力を持っているのは、超大国のアメリカです。しかし、トランプ政権の誕生でアメリカの動きがわかりにくくなりました。

トランプ大統領はとにかくアメリカの貿易赤字を減らしたくて、さまざまな国に対し、高い関税を課すという脅しにも見える態度を示しました。それがもっとも鮮明になったのが対中国です。米中両国の関係は世界経済に大きく影響するので、他の国々や企業は固唾を呑んで見守るしかありませんでした。

トランプ大統領は、どうも貿易赤字でしか経済を見ていなかったようです。本来、アメリカは基軸通貨国なので、貿易赤字が出てもドルを印刷すれば容易にファイナンスすることができます。貿易赤字は、赤字自体が問題なのではなく、その分をファイナンスできるかどうかというのが問題なのです。

また、貿易赤字が出ることとは、相手国の商品がアメリカ市場に依存しているということなので、アメリカがその国の経済の生命線を握ることを意味します。たとえばアメリカ市場で日本の自動車がバカ売れしたら、アメリカには貿易赤字が発生しますが、一方、日本の自動車産業はアメリカに何かいわれたら震え上がることになります。

つまり、貿易赤字は決して損な話ばかりではないのです。さらに、世界一の超大国が貿易赤字を続けるということは、いわば機関車として世界の景気を牽引することにもなります。

対中関係についても同じことがいえるのですが、トランプ大統領はどうもそのあたりの事情がよくわかっていなかったように思えます。

## 日本は自国ファーストではやっていけない

新型コロナウイルス感染症によるパンデミックで、グローバリゼーションの危機が喧伝されるようになりました。しかし、日本は資源のない国なので、自由貿易を掲げ、他国と国際協調していく以外に、生き残る道はありません。現代の快適な生活は、化石燃料、鉄鉱石、ゴムという3つの資源の上に成り立っています。アメリカのように化石燃料世界一の国は自国ファーストでやっていけますが、日本もドイツもフランスも自国ファーストでやっていくことはできないのです。

そのなかで、トランプ大統領のような、ときどき登場する気まぐれなリーダーとどううまく折り合っていくか。これは現政権だけではなく、今後政権交代が起こったとしても、日本のリーダーがつねに舵取りを迫られる重要な課題です。

# ［論点17］投資はしたほうがいいか、貯蓄でいいか

基礎知識

## 日本の個人金融資産の半分以上は「現金・預金」

日本人は投資より貯蓄を好む傾向にある。日本銀行の資料によれば、2020年6月末現在、家計の金融資産残高は1883兆円。このうち現金・預金が54・7％を占め、株式等や投資信託、債券は14・2％にすぎない（他は保険・年金など）。金融資産残高は年々増え続けているが、この構成比は1990年代以降、ほぼ一定だ。

一方、アメリカの場合は現金・預金が12・9％に過ぎず、株式等・投資信託・債券の割合が52・8％と対象的だ。ユーロ圏は両者の中間で、現金・預金が34％、株式等・投資信託・債券が29・

0%となっている（日本銀行「資金循環の日米欧比較」2020年8月21日）。先進各国の中では、日本だけ現金・預金の割合が突出して高いことがわかる。

ただし、日本人も一貫して投資に無関心だったわけではない。過去に数度、日経平均株価の上昇にほぼ連動する形で「投資ブーム」が起きている。たとえば1987年、電電公社の民営化と上場に伴う政府保有株（NTT株）の放出をきっかけに、空前の「財テクブーム」が発生。当時のバブル景気を押し上げる一因になった。ところが1991年のバブル崩壊によって投資家は軒並み多大な損失を抱え、ブームは去った。

その後、1996〜2001年には一連の金融制度改革「金融ビッグバン」が行われた。これによってインターネット専業の証券会社が相次いで登場するなど、個人による投資はきわめて容易になった。しかし、2000年のITバブル崩壊、2006年のライブドア・ショック、そして2008年のリーマン・ショックと証券市場は混乱を繰り返し、そのたびに投資家は翻弄されることになる。家計の金融資産がなかなか投資に向かわないのは、こうした経緯にも要因がある。

アベノミクスの目玉政策だった日銀の異次元緩和とその後のマイナス金利政策は、安倍政権後も継承され、銀行にお金を預けていても資産が増えない時代が長く続くだろう。

他方、好調なアメリカ経済に牽引される形で、新型コロナ以前の日経平均株価は上昇基調にあった。新型コロナによる経済危機はリーマン・ショックを上回るといわれながら、アメリカの株価は高水準を維持し、日本もコロナ前の水準にまで回復した。

貯蓄のままでいいのか、投資をもっと増やすべきなのか、個人としてあらためて考えてみる時期に来ているといえるだろう。

## 「老後2000万円問題」とは何だったか

政府としては、個人金融資産をできるだけ貯蓄から投資へ振り向けたい考えだ。そのために「NISA（ニーサ／少額投資非課税制度）」「つみたてNISA」「iDeCo（イデコ／個人型確定拠出年金）」といった税制優遇制度を相次いで打ち出している。少子高齢化により、公的年金だけで個々人の老後の生活を支えることが難しくなっており、資産活用という、いわば自助努力を促す狙いがある。

2019年6月には、金融庁が「公的年金だけに頼った生活設計では、定年後95歳まで生きるのに、2000万円の金融資産の取り崩しが必要になる」という報告書を発表。「年金がもらえないということか」「国の責任放棄だ」という非難がわきおこる「老後2000万円問題」になった。

だがこれも、そもそもの趣旨は、若い時期からの長期・分散型の資産運用の重要性を訴えることにあった。

個人金融資産を株式市場に振り向けることができれば、金融市場の活性化につながるとの思惑もある。たとえば2019年12月末時点の東証一部の時価総額は約648兆円だから、個人金融資産の約半分を占める現金・預金950兆円から仮に1割（95兆円）が株式投資に使われるだけで、その効果は大きい。

## 貯蓄だけでは資産が減ってしまう？

現在、銀行の定期預金金利は軒並み0・002％程度。100万円を預けても、1年後に得られる利息は20円しかない。

それればかりか、預金だけでは資産が目減りするおそれがある。インフレリスクだ。1990年代のバブル崩壊以降、日本経済は20年以上にわたってデフレの環境にあった。モノやサービスの価格が下がり続け、経済全体が縮小していく現象だ。相対的にお金の価値は上がるから、無理をして貯蓄を投資に回す必要はなかった。

しかし昨今、デフレはようやく解消されつつある。政府・日銀が掲げるインフレ目標の2％にはまだ遠いが、この状態が今後も続くとはかぎらない。たとえば少子化がもたらす労働力不足による賃金上昇や、輸入原材料やエネルギー価格の高騰を契機として、モノやサービスの価格が上昇するという経路は十分に考えられる。

その場合、金利上昇を招いて銀行の預金金利も若干は上がるだろうが、銀行の利ザヤを考えればインフレ率に及ぶはずがない。そのギャップが、資産の目減りを招く。一方、株や投資信託などはインフレ率に比較的連動しやすい。資産としてそれらを持っていれば、インフレリスクはある程度防げることになる。

投資の世界には、「複数の卵を1つのバスケットに入れてはいけない」という格言がある。資産を複数に分けて持つことで、リスクを分散しようという意味だ。資産を殖やすだけでなく、リスクを回避して資産を守ることも、投資の重要な役割といえる。

## 知識・時間・熱意がないなら貯蓄が安心？

ただし、投資である以上は損をすることもある。経済の大原則は「フリーランチはない」。ハイリターンを狙える金融商品ほどハイリスクであり、貯蓄にはリターンはほとんどないが、額面が減ることはない。「絶対に得できる」とか「楽をして儲けられる」道は存在しない。

まして金融機関によっては、ハイリスクで仕組みが複雑な金融商品を勧めたり、頻繁に買い換えを促したりすることがよくある。低金利で軒並み運用難にあえぐ金融機関にとって、個人客の売買のたびに発生する手数料は貴重な収入源だからだ。

そうしたプロのセールストークに対抗するには、自ら勉強して金融知識を身につける必要がある。だが、相応の時間と労力がかかるし、それ自体をストレスと感じる人も多いだろう。

そこで、いっさい投資せず、預貯金で持ち続けることも、選択肢の1つとなる。経済評論家のなかにも投資を勧めない人がいるのは、金融知識を身につける時間も熱意もない場合は、財産を増やすより減らさないことを目指したほうが安全だという理由による。

投資か貯蓄か（あるいは両方か）、自信をもって選ぶには、子どもの頃から金融リテラシーを高める教育が必要となる。アメリカやイギリスでは、小学校から全学年で、貨幣やクレジットカード、利子などについての基礎知識を指導し、予算管理などの演習も行う。日本でも2005年頃から学校での金融教育の重要性がいわれるようになったが、実際は一部の学校で熱心に行われているに過ぎず、金融リテラシーの構築には程遠いのが実情だ。

**自分の頭で考える**

## 「72のルール」で考えれば答えは明快

お金の運用についての大原則に、「72のルール」があります。「72年÷金利（%）」が、元金が2倍になる年数の目安という法則です。

たとえば、銀行の普通預金の金利はいまだいたい0・001%ぐらいです。72÷0.001＝

72,000となり、銀行の普通預金に預けているだけでは元金が2倍になるのに7万2000年かかるという計算になります。石器時代までさかのぼって貯蓄をしてやっと2倍です。ちなみに、僕が日本生命に入社した当時（1972年）の社内預金の金利は11%でしたから、6年半で元金が2倍になっていたことになります。

「72のルール」で考えれば、現在のような低金利下では、お金を殖やしたい場合には貯蓄では意味がないことがよくわかります。一般論で述べれば、金利が低いときは貯蓄より投資ということになります。

## 相対的に安全で有利な唯一の投資法とは

投資とは、原則として元本の保証がないものにお金を投じることです。投資の代表は株式や投資信託です。貯蓄は元本が保護されますが、投資では保護されません。それはかなり怖いことのように思われるかもしれません。

そのリスクをなくすにはどうしたらいいか。それは「安いときに買って高いときに売る」という一言に尽きます。

ただし問題は、いつが安いときであり、いつが高いときであるかがわからないことです。ふつうの市民による投資の歴史は比較的新しく、まだ200年ぐらいしか経っていません。しかも、連合王国（イギリス）とアメリカにしかその経験がありません。彼らが編み出した相対的に安全で有利な唯一の投資法は、「ドルコスト平均法」といわれるものです。

　ドルコスト平均法とは、たとえば、毎月1万円ずつ投資信託を買うという方法です。ある月の値段が1口5000円だったら2口買えます。それが翌月になって1口2500円に値下がりしたら損をしたと腹が立ちます。しかし、その月は4口買えます。逆に、1口1万円に上がったら儲かって嬉しいのですが、その月は1口しか買えません。

　つまり、毎月一定額を買っていれば、結果的に安いときにより多く買っている計算になります。そして、現金が必要になったら、そのときの値段を見て、儲けが出ていれば売る、という単純な話です。損が出ていれば、儲かるまで待てばいいのです。つまりドルコスト平均法は「長期投資」とほとんど同義なのです。

　素人でも儲かる確率の高い投資を行おうとすれば、この方法以外にはないといわれています。日経新聞には投資信託の運用実績の番付が定期的に発表されますが、それを見ているとトップクラスはドルコスト平均法を主体としたものばかりです。ドルコスト平均法はプリミティブな方法ではありますが、同時にとても実践的な方法なのです。

　ドルコスト平均法は若い人にはいいが、年をとってから始めても遅いのではないかと疑問を抱く人がいます。投資にかけられる時間が若い人たちほど長くはないので、あまり効果が出ないのではないかということです。しかし、年をとってから始めても、僕はまったく問題ないと思います。現在は人生１００年時代。60歳で投資を始めても、まだ時間はたくさん残されています。

## 問いの立て方を変えてみよう

ということで、一般人がお金を殖やすにはドルコスト平均法がいいという結論に落ち着きます。

でも、そもそも私たちは何のためにお金を殖やしたい、貯めておきたいと思っているのでしょうか。

投資か貯蓄かという問題は、経済的な損得だけで判断できる問題ではなく、その人の人生観とでもいうべきものと深く関わっています。死ぬまでずっと通帳の残高が増え続けることを無上の喜びとする人もなかにはいるでしょう。ですが、たいていの人はそこそこの金額があればそれでいいと考えているのではないでしょうか。

ロンドンで勤務していたとき、イングランド人の人生観に触れることができました。彼らは子どもが18歳になって独立したら、たいていの人が生命保険を解約してしまいます。親の責任として子どもを育て上げたから、もう義務は果たした、あとは神様の思し召し次第というわけです。生命保険をやめることは貯蓄をやめることとほぼ同義です。日々生きていくだけのお金があれば、それでいいと彼らは考えているのです。

私たちはどうでしょうか。投資や貯蓄をしている人でも、それほど明確な目的意識を持ってはいないのではないでしょうか。アンケート調査の結果を見ると、貯蓄の目的は「不時の出費への備え」という回答がもっとも多く、次いで「老後の生活への備え」「特に目的はない」となっています（ゆうちょ財団「家計と貯蓄に関する調査」２０１８年）。

「老後の生活への備え」は比較的具体的な回答ですが、それ以外は漠然としています。老後のためとはいっても、日本にはかなりよくできた公的年金保険制度がありますから、実際には老後資金は自分たちで思っているほど必要がありません。

つまり私たちは、将来や老後について抱いている現在の漠然とした不安を解消したいという心理で貯蓄を行っているわけです。

そうであれば、このテーマは、「投資か貯蓄か」とは違う視点で捉えることができます。すなわち、「将来や老後に対する不安を少しでも減らすにはどうすればいいのか」と、問いを立て直せばいいのです。

その問いであれば、ドルコスト平均法よりもっと簡単で効果的な方法があります。「働くこと」です。

働けば何がしかの収入が得られるので、確実にお金を殖やせます。働いていれば体力の低下も防止できます。

毎日ウォーキングやジョギングをして健康に留意しようと思っても、雨が降ったら「今日はやめておこう」となりがちです。しかし、仕事であれば「今日は雨が降っているから行きません」ではすまされないので、我慢して出かけるしかありません。それが体力維持に役立ちます。健康寿命が延びます。

僕は、高齢者になって体力が落ちる最大の原因は働かないことだと考えています。それは自分と同年代の友人を見ていてもわかることです。寝たきり老人がいるのは日本だけです。『欧米に寝たきり老人はいない』(宮本顕二・宮本礼子、中央公論新社)という本が出ているので、興味のある方は一読してみてください。

一生何かしらの仕事をしていれば、老後の不安は大きく低減されます。それがもっとも効果的な〝投資法〟といえます。

## 老後のお金はそんなに心配しなくていい

「死ぬまで働くなんて、そんなことができるの?」と思われるかもしれませんが、十分可能です。何より、動物はそうしています。すでに何度も触れたように、日本は世界でもっとも労働環境に恵まれている国です。毎年、200万人前後の団塊の世代が労働市場から退出しているのに、参入してくる新社会人は100万人ちょっとです。定年を廃止して高齢者も働かなければ社会がもちません。

加えて医師の言によれば(日本老年学会と日本老年医学会による2017年1月の提言)、現在の75歳はかつての65歳より元気なのです。死ぬまで楽しく働ければ、お金をそれほど貯める必要はないんですね。老後のためにお金を貯めようという発想自体が間違っていると、僕は思います。

「人が足りないといっても、求人があるのは若い人だけだ」という声もあります。しかし、それは、地方の実情を知らない人のいうことです。

東京はそうだとしても、地方はまったく違います。僕はいま大分県別府市に住んでいますが、地方の人手不足は惨状といっても決して過言ではありません。地方の経済同友会などでは「どんな人でもいいから働きにきてほしい」という声ばかりです。本当は若い人のほうが望ましいのかもしれませんが、もはやそんな〝贅沢〟をいっている余裕はないのです。

日本の完全失業率は、2017年に2・8%と3%を切り、働く意思があれば職に就ける「完全雇用状態」が続きました。2019年には2・4%まで下がり、有効求人倍率は1・60倍になりました。これはアベノミクスの成果だといわれましたが、実際は人口構成の変化によるものです。

コロナショックの影響で一時的には失業率は上昇していますが、中長期的に見れば、労働者にとって日本は実に恵まれたマーケットであるということに変わりはありません。

このような話をすると、金融機関の人からは「出口さんはつくづく金融機関の敵ですね」と冗談をいわれます。「僕の話はおかしいですか」と聞くと、返事は「いや、本当は私もそう思います。でも、年金は将来もあるとは限らないよ、だから老後資金づくりに投資しましょう、といわないと、われわれも商売にならないんですよ」と。冗談半分としても、由々しい話ではありませんか。

## お金を殖やすだけではない投資の喜び

投資について最後にもう一点、触れておきます。ここまでは投資を利殖と考えて話してきました。しかし、投資の目的は利殖だけではありません。

たとえば、自然分解するプラスチックの開発に取り組んでいる会社があり、あなたがその会社に共感を覚えたとします。そこで、その会社の株を50万円買って「投資」することにした――これは、お金を殖やすためというより、自然分解プラスチックを普及させて地球環境の改善に役立ちたいという気持ちから出すお金です。いわば、お金による民主主義です。

投資には、このように企業の思想や方針を支援し、社会に貢献しようという意味合いもあります。もし、その会社の新商品の開発がうまくいって、１００万円の配当を手にしたとしても、それはあくまでも結果です。

欧米ではこうした趣旨の投資が盛んです。従来の財務指標だけではなく、環境（Ｅ）・社会（Ｓ）・ガバナンス（Ｇ）に配慮した経営をしているかどうかを重視するＥＳＧ投資がその好例です。日本でも最近注目されるようになってきました。

今日では、株や投資信託を買うほかに、インターネット経由で資金を提供するクラウド・ファンディングもあり、共感する企業やＮＰＯの活動に、誰でも簡単に投資することができるようになりました。

自分のお金を社会に還元することには、単なる利殖では得られない達成感と充実感があります。そのような種類の投資も、ぜひ視野に入れてほしいと思います。

［論点18］

# 日本の大学教育は世界で通用しないのか

**基礎知識**

## 世界大学ランキング

連合王国（イギリス）の教育誌「タイムズ・ハイヤー・エデュケーション（THE）」による「世界大学ランキング」の2021年版でトップになったのは、連合王国のオックスフォード大で5年連続。以下、スタンフォード大（米）、ハーバード大（米）、カリフォルニア工科大（米）、マサチューセッツ工科大（米）……と続く（P319図表12）。

日本では、東京大が36位（前年と同じ）、京都大が54位（前年65位）。200位以内に入っているのはこの2校だけだ。

THEでは、「教育」「研究」「被引用論文」「国際性」「企業からの収入」の5分野における13の指標で大学にスコアをつけている。なかでも被引用論文のウェイトが大きく、非英語圏の大学がランキング上位に食い込むのが難しい一因となっている。2021年版でも、10位まではすべて英米の大学だ。

とはいえ、中国は、清華大は20位でアジア最高、北京大が23位、200位以内に7校がランクインしている。シンガポールは、シンガポール国立大が25位。香港は香港大が39位で、200位以内に5校がランクイン。韓国はソウル大が60位で、200位以内には7校がランクインと、アジアの国・地域のなかでも日本勢の見劣りが目立つ。

## 勉強しない日本の大学生

OECDが各国の15歳を対象に行っている学力到達度調査（PISA）の2018年の結果で、日本の「読解力」の順位が、前回（2015年）の8位から15位へと大きく後退したことが話題になった。「数学的リテラシー」も5位から6位、「科学的リテラシー」も2位から5位へと順位を落としたが、全体としてみれば、安定的に世界のトップレベルを維持している。

しかし、大学生の学力低下は、1999年に刊行されて話題になった『分数ができない大学生』（岡部恒治他、東洋経済新報社）以来、たびたび問題になってきた。日本の大学生が「勉強しない」のはよく知られている。全国大学生活協同組合連合会の調査（2019年）によれば、日本の大学生の1日の平均学習時間（授業を除く）は文系で33・4分、理系で57・9分。寝る暇を惜しんで課題をこなさなければならない英米の大学とは雲泥の差がある。

## 新卒一括採用がもたらした弊害

なぜ日本の大学はレベルが低いとされるのか。

理由の第1は、「入りにくく出やすい」という日本の大学の特性にある。日本人にとって「いい大学」といえば「入りにくい大学」のことだ。受験競争を突破して一度入学してしまえば、あとはたいして勉強しなくても卒業できる大学が少なくない。

これは新卒一括採用という日本の就職の慣行と密接に結びついている。多くの企業は学生を大学名で選別し、在学中にどんな勉強をしたかはほとんど問わない。そもそも就職活動が3年次から始まるのでは、学生は学業に専念できないし、企業も大学における学業の成果を評価することができない。

日本の企業は新卒者に即戦力を求めず、入社してから必要な教育をするというシステムを構築してきた。新卒一括採用には、若年失業者を出さないという大きなメリットがあったが、その反面、学業へのインセンティブは失われたのである。

理由の第2は少子化だ。1992年の18歳人口（第二次ベビーブーム世代）は205万人だったが、2018年の18歳人口は118万人に減っている。その間、大学進学率の上昇にともなって4年制大学の数は523校から782校へ約1・5倍に増え、数の上では全大学の定員合計が大学入学希望者を上回る「大学全入状態」になった。

間口が広がれば広がるほど学生の質は落ちていく。定員割れを起こす大学も現れ、優秀な学生を選抜できるのは一部の難関校だけになったといっても過言ではない。

## ランキングは上げられるか？　上がればいいのか？

政府は、2004年に国立大学を法人化し、競争原理を導入して大学のレベルを上げようとしている。競争して資金を獲得しないと事実上研究が続けられないような仕組みにしたのだ。

だが、はたして「国際的に通用するレベルの大学」とは何なのか。

安倍政権は2013年に閣議決定した「日本再興戦略―JAPAN is BACK」と題する成長戦略の中で、2023年までに大学ランキングトップ100に日本の大学を10校以上入れるという目標を掲げていた。

しかしこのような政府の方針に対しては、現場の研究者から疑問を呈する声が上がっている。

2004年から公表されているTHEのランキングには、新興国からの留学生の急増という背景がある。1990年代以降、中国をはじめ、インドや東南アジアから大量の留学生が送り出され、世界に留学生という巨大な市場が生まれた。90年代の終わり、連合王国のブレア政権は2005年までに留学生市場の25％獲得をめざすと宣言、高等教育は重要な外貨獲得の手段であり、将来的に連合王国に富と人材をもたらすビジネスだと位置づけた。

この政策を支えたのが、連合王国企業が発表し、連合王国の大学が上位に位置する大学ランキングだった。

霊長類学者で京都大学総長の山極壽一氏は「（連合王国は）自国の大学の優位性を世界にアピールする政策のツールとして、ランキングを活用している」と指摘したうえで、「（連合王国のように）お金を増やす仕組みをつくることなく順位の目標を立てるというのは、方法として間違っている」と、政府の方針を批判。ランキングの上位を目指すことについても「英語圏の二流大学を目指すことに等しい」と疑義を呈している（「週刊東洋経済」2019年6月22日号）。

## 日本ならではの強みはないのか

日本は、明治以来150年にわたって、西欧から学びつつも完全な西洋化はせずに、日本語による知の体系を積み上げてきた。

社会学者でオックスフォード大学教授の苅谷剛彦氏は、「非西洋圏で、ローカルな言語で学問的蓄積を社会や文化に対して行えているという意味では、日本は世界でトップ……歴史や文化の独自性と同時に、それを学問として残してきたことが強み」と述べたうえで、「（大学ランキングの）順位より日本の知がつくってきたコンテンツのほうが国際貢献できるはず」と語る（東京大学広報誌「淡青」34号）。

少子高齢化、介護保険、地震防災、原発事故、省エネなど、日本が世界に先んじて経験してきたことは多い。経済の高度成長とバブル後の低迷なども貴重な経験といえる。日本の大学が研究してきた、これら「課題先進国」としての知見を発信することも、日本の大学が世界に貢献できる道となる。そのためには、ランキングの上位を目指すのとは別の戦略が必要になるだろう。

## 自分の頭で考える

### 15歳までは優秀なのに大学は低評価

まず、日本の教育の現状をデータ（数字・ファクト）で見てみましょう。

ＯＥＣＤが行っている、ＰＩＳＡという学習到達度を調査する世界的なテストがあります。その結果を見ると、日本は15歳レベルではＧ７で最高ランクに位置しています。もっとも中国、

## 図表11　PISA（2018）の全参加国・地域（79カ国・地域）における比較

| 順位 | 読解力 | 平均得点 | 数学的リテラシー | 平均得点 | 科学的リテラシー | 平均得点 |
|---|---|---|---|---|---|---|
| 1 | 北京・上海・江蘇・浙江 | 555 | 北京・上海・江蘇・浙江 | 591 | 北京・上海・江蘇・浙江 | 590 |
| 2 | シンガポール | 549 | シンガポール | 569 | シンガポール | 551 |
| 3 | マカオ | 525 | マカオ | 558 | マカオ | 544 |
| 4 | 香港 | 524 | 香港 | 551 | エストニア | 530 |
| 5 | エストニア | 523 | 台湾 | 531 | **日本** | 529 |
| 6 | カナダ | 520 | **日本** | 527 | フィンランド | 522 |
| 7 | フィンランド | 520 | 韓国 | 526 | 韓国 | 519 |
| 8 | アイルランド | 518 | エストニア | 523 | カナダ | 518 |
| 9 | 韓国 | 514 | オランダ | 519 | 香港 | 517 |
| 10 | ポーランド | 512 | ポーランド | 516 | 台湾 | 516 |
| 11 | スウェーデン | 506 | スイス | 515 | ポーランド | 511 |
| 12 | ニュージーランド | 506 | カナダ | 512 | ニュージーランド | 508 |
| 13 | アメリカ | 505 | デンマーク | 509 | スロベニア | 507 |
| 14 | 連合王国 | 504 | スロベニア | 509 | 連合王国 | 505 |
| 15 | **日本** | 504 | ベルギー | 508 | オランダ | 503 |
| 16 | オーストラリア | 503 | フィンランド | 507 | ドイツ | 503 |
| 17 | 台湾 | 503 | スウェーデン | 502 | オーストラリア | 503 |
| 18 | デンマーク | 501 | 連合王国 | 502 | アメリカ | 502 |
| 19 | ノルウェー | 499 | ノルウェー | 501 | スウェーデン | 499 |
| 20 | ドイツ | 498 | ドイツ | 500 | ベルギー | 499 |

＊1：網かけは日本の平均得点と統計的な有意差がない国
＊2：同得点でも順位が異なるのは、小数点以下の数値の差異による

出典：文部科学省・国立教育政策研究所「OECD 生徒の学習到達度調査2018年調査（PISA2018）のポイント」

シンガポール、マカオや香港には完敗しているので、決して手放しで喜ぶわけにはいきませんが。

ところが、大学になると世界ランキングの中でその順位が、ガクッと落ちます。個人の学習到達度と、大学につけられるスコアを比べるのは乱暴ですが、それでも、中国・シンガポール・香港は、PISAにおいても世界大学ランキングにおいてもアジア圏で上位を占めているので、ひときわ、日本の大学の低評価が目立ちます。

どうしてこんなことになって

## 図表12 「THE世界大学ランキング2021」のトップ20

| 2021の順位 | 2020の順位 | 大学名 | 国名 |
|---|---|---|---|
| 1 | 1 | オックスフォード大学 | 連合王国 |
| 2 | 4 | スタンフォード大学 | アメリカ |
| 3 | 7 | ハーバード大学 | アメリカ |
| 4 | 2 | カリフォルニア工科大学 | アメリカ |
| 5 | 5 | マサチューセッツ工科大学 | アメリカ |
| 6 | 3 | ケンブリッジ大学 | 連合王国 |
| 7 | 13 | カリフォルニア大学バークレー校 | アメリカ |
| 8 | 8 | イェール大学 | アメリカ |
| 9 | 6 | プリンストン大学 | アメリカ |
| 10 | 9 | シカゴ大学 | アメリカ |
| 11 | 10 | インペリアル・カレッジ・ロンドン | 連合王国 |
| 12 | 12 | ジョン・ホプキンス大学 | アメリカ |
| 13 | 11 | ペンシルバニア大学 | アメリカ |
| 14 | 13 | チューリッヒ工科大学 | スイス |
| 15 | 17 | カリフォルニア大学ロサンゼルス校 | アメリカ |
| 16 | 15 | ユニヴァーシティ・カレッジ・ロンドン | 連合王国 |
| 17 | 16 | コロンビア大学 | アメリカ |
| 18 | 18 | トロント大学 | カナダ |
| 19 | 19 | コーネル大学 | アメリカ |
| 20 | 20 | デューク大学 | アメリカ |
| 20 | 23 | 清華大学 | 中国 |

出典：Times Higher Education

いるのでしょうか。

15歳レベルの教育とは、俗に読み書きそろばんといわれるような基礎学力を養うためのものです。初等中等教育であれば、先生が教室の前に立って板書をしながら、一度に多くの生徒を教えるスタイルでやれます。

しかし、大学のような高等教育機関では、学生ひとりひとりの能力・適性・興味関心に沿った指導をしていく必要があります。となると、どんなに優秀な教師でも10人程度の学生の面倒をみるのが限界です。オックスブリッジ（オックスフォード大学とケンブリッジ大学）が高い評価を受けているのはマス授業ではなくほぼ1対1の指導を行っているからです。

このように考えていくと、どうして日本は15歳レベルでは世界のトップクラスなのに、大学になるとランキングが落ちてしまうのかが見えてきます。端的にいえば、大学できめ細かな教育が実践されていないからであり、それだけのお金がかけられていないからです。

日本の教育予算はＧＤＰ比でＯＥＣＤの中では、ずっと最下位レベルです。小中学校では、予算の不足を先生の熱心さと優秀さでカバーして高い学力を涵養できていますが、大学になるとそれだけでは立ち行かない。ある程度のお金をかけないとどうしようもありません。

２０１８年にノーベル医学・生理学賞を受賞された本庶佑先生は、文部科学大臣と面談したときに「教育予算を増やさないと、もう日本からノーベル賞は出なくなります」と明言されました。

## 日本の大学がお金を集められない理由

「予算が足りないというのなら、企業と提携して、企業からもっとお金をもらってくればいい。ハーバード大学はそうしているではないか。日本の大学は努力が足りない」などという人もいます。

ハーバード大学は1636年の学校創設以来、ずっと寄付集めに力を注いできました。いまでは4兆円規模の自己資金（大学基金）を持っています。アメリカの経済成長率は平均2・5％ほどなので、金利もそれに近いと考えると、何もしなくても毎年1000億円を超えるお金が入ってくる計算になります。

日本の大学で1年間に1000億円以上の予算を使えるところが一体何校あるでしょうか。ところで、ハーバード大学はどうしてこれだけ巨額の自己資金を確保できたのでしょうか。

その答えは、前述した「72のルール」にあります。72のルールによれば、7％程度の高度成長が10年続けば元本は2倍、20年で4倍、30年で8倍、40年で16倍、50年で32倍に膨れ上がります。つまり1000億円の寄付を集めれば、50年で3兆2000億円になります。実際、欧米の有名大学の自己資金は、そのほとんどが高度成長期に増殖したものなのです。

しかし、高度成長時代の日本は国立大学が中心で、各年度毎の予算で大学の運営を行ってきました。高度成長期が過ぎ去ったいま、これから自己資金を増やしていこうとしても、自ずと限界があります。

日本では、国立大学のなかではお金持ちといわれている東京大学でも、自己資金は約149億円（2019年度）というレベルです。寄付集めの歴史が長い私立の慶應義塾大学でも688億円（2018年度）。そのうえ金利がゼロなので、ハーバード大学とは比較になりません。

さらに、近年、企業のガバナンス（統治）改革が進んできたことも、大学経営に影響を与えています。ガバナンス改革を志向する企業がまず行うのが、社外取締役の起用です。社外取締役には、その会社が企業価値を増大させる投資をしているかどうかをチェックする役割があります。そこで、会社が何かに投資しようとしたら、取締役会で必ず「この投資は企業価値をどれだけ向上させますか」と質すわけです。

もし皆さんが社長で、ＡＰＵに1億円を寄付しようと考えたとします。以前なら、社長が決めたことはほとんどそのまま通りましたが、現在は社外取締役から、「この1億円の寄付は企業価値の向上にどれほど貢献するのですか？」と必ずチェックが入ります。

しかしこれは、答えるのがとても難しい質問です。大学での研究がどのような成果をもたらすか、やってみなければ誰にもわかりません。でもそれでは、取締役会をクリアできない。このように、企業のガバナンス改革が進めば進むほど、経営者の自由度は下がり、企業から大学にお金が集まらなくなります。とくに基礎研究部門ではそうです。

アメリカの企業の仕組みも日本と同じですが、アメリカでは、企業のトップが、ポケットマネーで基礎研究に多額のお金を出しています。たとえばビル・ゲイツは巨額の個人資産を投じてビル＆メリンダ・ゲイツ財団をつくりました。そして、２０２０年4月には、財団の全リソースを、新型コロナのワクチン・治療薬・治療法の開発のための基礎研究に振り向けると発表しました。

アメリカの企業のトップは巨額の収入を得ていると、よく批判されます。しかしそれは一面的な見方です。彼らの多くはそれを社会に還元しています。100億円もらって、90億円をベンチャーやNPO、財団などに投資・還元するトップと、1億円もらって、社会のために使うことはほとんどないトップと、どちらが社会に貢献しているでしょうか。

## ランクアップの鍵は秋入学と英語による講義

このように、日本の場合、企業から大学への投資にはそれほど多くを期待できないので、すぐに大学の競争力を高めようと思ったら、国費をもっと投入するしかありません。本庶先生はそのことをおっしゃっているわけです。

では、国はどうして教育に投資しないのか。

その答えは実に簡単です。国に新規投資を行う十分なお金がないからです。日本の財政は歳入が少なく（＝OECDの中でも国民負担率が低い小負担の国）、歳出のほうが多いため（＝給付の大半を占める社会保障支出はOECDの平均を超えている、中給付の国）、プライマリーバランスがなかなか回復しません。歳入の不足分は借金（国債）で補ってきており、とても新規投資どころではありません。その結果、教育への投資がなされないというわけです。

一方、大学のほうも危機感が希薄です。世界基準で評価される大学が少ないのは、現代のリンガ・フランカ（共通語）である英語の論文が少ないのが根本原因です。教職員も学生も世界中から優秀な人材を集め、中長期的には、秋入学を前提として、日本語だけではなく英語入試、英語による教育・研究を行っていかなければ、世界のトップクラスに追いつくことはできないと思います。

フランス語に強い愛着を持つフランスでさえ、インシアードという、英語で教育を行う経営大学院を国策でつくっています。ヨーロッパはエラスムス計画という、学生が全ヨーロッパの大学で学べるプランを実施しています。

日本の大学の教員も、英語で講義を行う能力を持っているはずです。やる気と戦略がないだけです。世界標準から外れた春入学も同様です。もし、文部科学大臣が「秋入学を行わず、英語の講義を導入しなければ、交付金を３％減らす」といったら、大学は瞬時に変わるはずです。

## 「文系の学問は役に立たない」は間違った発想

大学教育に関しては、文系軽視の傾向もあります。２０１５年、文部科学省は全国の大学に対して人文社会科学系学部の組織改編や廃止を求める通知を出しました。これに対しては反対の声が噴出し、日本学術会議や経団連も反対の声明を出しました。文科省は「人文系の切り捨てではない」と火消しに走りましたが、同様の方針はその前から打ち出されていたものでした。文系学部の廃止に至らないまでも、研究費や研究環境で、理系ばかりが優遇されているという声はよく耳にします。

しかし、文系の学問、すなわち、文学や哲学は役に立たないという発想は、本当に正しいのでしょうか。

GAFAやユニコーンの経営者たちは、数学や物理学のドクター、マスターを持っているのは当然として、同時に歴史や文学、哲学、美学のドクター、マスターも持っているダブルドクター、ダブルマスターが少なくありません。彼らの独創的なアイデアは、幅広い教養と知識から生まれてくるものです。

ゴールドマン・サックスのCEOであるデービッド・M・ソロモン氏は、有名なディスクジョッキーでもあります。まさに遠く離れた分野のダブルキャリアです。ニューヨークのクラブのステージに立つ人がゴールドマン・サックスのトップに就く。世界はもう、そういう感覚で動いているのです。

そもそも、文系理系の区別自体が時代遅れだと僕は思います。欧米の大学にも一応文系理系の区別があるようですが、専攻も卒業後の就職先も明確に分かれているのは日本だけです。

たとえば近い将来、自動運転の技術が確立したとしましょう。それは理系の成果ということができます。しかし、もし自動運転車が事故を起こしたらどうするのでしょうか。自賠責保険や自動車保険はどう規定しておけばいいのか、法律はどう整備しておく必要があるのか、文系の知見がなければ自動運転は実現できません。

今回の新型コロナウイルスへの対応も同様です。感染拡大を阻止しながら、経済活動をどう回すのか、学校をどうするのか。人間の社会生活は、理系だけでも文系だけでも成り立ちません。

## いま必要なのは「よそ者」「バカ者」「変人」

日本はこれから、好きな人は文学でも物理学でも何でも学ぶことができ、それぞれが好きなジャンルを文系理系の枠を超えて究められるような大学をつくっていく必要があると、僕は考えています。

これからの時代を牽引するのは、好きなことに徹底的に打ち込む人、すなわち個性豊かな尖った人材です。大学に求められるのは、優れたチェンジメーカーを生み出すことです。

私たちは日々、気づかないうちに社会常識のシャワーを浴びています。そして知らないうちに、みんなが同質化していきます。

いま日本に必要なのは、そこに染まらない尖った人たちです。俗な言い方をすれば、「よそ者』「バカ者」「変人」です。彼らこそ、21世紀のダイバーシティそのものです。いまの日本の閉塞感を打ち破る新しい発想は、彼らからしか生まれてこないと僕は思うのです。

# ［論点19］公的年金保険は破綻するのか

基礎知識

## 公的年金保険の仕組み

公的年金保険は、1階部分の基礎年金（国民年金）と、職業に応じた上乗せ給付を行う2階部分の厚生年金を合わせた2階建て、人によっては、その上に企業年金や確定拠出年金のような私的年金を重ねて3階建てになっている。

自営業者やフリーターは基本的に1階部分のみ、会社員と公務員は2階もしくは3階建てだ。公的年金保険という考え方は、厚生年金から始まった。自営業には定年がなく、死ぬまで働いてもよいし、家業であれば後継ぎに養ってもらえる。しかし会社員には定年があり、その後の面倒を会社が見るわけにはいかないからだ。

日本では、戦時中に厚生年金がスタートし、戦後の1954年に新厚生年金となった。1961年には国民年金が始まり、国民皆年金となった。当時は公務員の共済年金があり、職業別に分立する形だったが、1985年の年金改革で現在のような形になった。

## 公的年金保険はなぜ危ないといわれるのか

「年金が危ない」という話は、しばしばメディアに登場する。どう危ないのかは、以下の2点に大別できるが、いずれも理解としては間違っている。

### ①財政赤字だから財源がなくなる

年金制度には積立方式と賦課方式がある。積立方式とは、自分が払い込んだ保険料を運用しておいて、一定の年齢になってから受け取る方式。賦課方式とは現役世代の払い込んだ保険料を、その時代の高齢者の年金として使う方式だ。日本の年金は後者の賦課方式だ。公的年金保険が「世代間の仕送り」と呼ばれるのはそのためだ。

賦課方式の場合、いま集めた保険料を、いま年金として支払っているわけだから、国の財政が赤字でも、保険料が集まるかぎり公的年金保険は破綻しない。

ただし、2018年度の日本の公的年金保険の給付総額（厚生年金と国民年金）52・6兆円のうち、現役世代からの保険料収入で賄っているのは約73%（38・4兆円）。約24%（12・7兆円）は国庫負担で税金から支出している。それでも足りない分が出るため、年金積立金（これまでの保険料収入のうち給付に使われなかった分）の運用益から拠出している。

GPIF（年金積立金管理運用独立法人）が運用する年金積立金の2020年6月末の総額は約163兆円。年金積立金は、国内外の株式や債券に分散投資されている。新型コロナ危機により、2020年は運用実績が赤字になることが危惧されているが、もともと積立金は100年ぐらいかけてゆっくり取り崩していくことを目的に維持・運用されている。積立金の短期の損失で、年金制度自体が大きな影響を受けることはない。

②少子化だから将来世代の支払いができなくなる

賦課方式の年金制度にとって最大のリスクは少子高齢化だ。日本の総人口に占める65歳以上の人口比は、1950年には4・9%だったが、その後一貫して上昇を続け、2019年には28%を超えた。2065年には高齢者1人を現役1・3人で支えることになると予測されている。

そこで2004年の年金制度改正で「マクロ経済スライド」が導入され、現役人口の減少や平均余命の延長に合わせて給付水準を自動的に調整する仕組みができた。これを発動するかぎり、年金が破綻するような給付は行われない。政府が「100年安心年金」を謳うのは、この仕組みによる。2019年には4年ぶり2度目のマクロ経済スライドが実施された。

年金財政は5年ごとに財政検証が行われている。最新の2019年の検証では、年金の支給水準は今後30年にわたり引き下げられていくが、女性や高齢者らの労働参加が進んで実質経済成長率がプラスとなり、実質賃金も1％を超えて上がる場合には、所得代替率（現役時代の所得に対して、受給できる年金がどのくらいの割合か示す）が51・9％まで下がったところで抑制が止まり、以降はその水準で維持されるという見通しが示された。

世代間の格差はたしかにある。しかし、それはもともと1961年の国民皆年金発足のときから宿命づけられていたことだ。すでに受給年齢に達していた人たちは一銭も保険料を負担することなく、支給を受けた。そもそも制度上、すべての世代が同じ水準の額を受け取ることは不可能だ。

## 年金不安を煽りたい人たち

公的年金保険は破綻しない。にもかかわらず、しばしば「破綻するから保険料を払っても無駄だ」と喧伝されるのはなぜか。

もっとも大きな理由は、老後の生活の不安を煽ることが商売になる業界があることだ。個人年金や投資を勧めたい金融機関はその筆頭だし、マスメディアもその1つだろう。

政治的にも、年金不安は、野党が与党を攻撃する際の格好の材料となる。また、増税して財政再建を進めたい財務省や、年金関連の利権を手放したくない厚生労働省も、国民の社会保障への不安が大きいほうが都合がよいかもしれない。

しかし、仮に公的年金保険が破綻するとしたら、それは日本が国債を発行できなくなって、財政が維持できなくなるときだ。その場合は民間の金融機関も破綻するから、金融商品も紙屑同然となる。その意味で、「公的年金保険の破綻に備えて個人で蓄財する」という論理は成り立たない。

とはいえ、税収をはるかに超える歳出を国債でまかなっている日本の財政運営は、決して正常とはいえない。公的年金保険が今後も破綻せずに機能する、そして若年層が過度に不利にならないための対策はやはり必要だ。

また、5年ごとの財政検証でいまのところ「制度は維持できる」と結論づけられているが、経済学者のなかには、財政検証で前提条件として用いられている実質経済成長率や実質賃金上昇率が高すぎると批判する声もある。この前提が崩れてしまえば、当然、「100年安心」も机上の空論となってしまう。

## 制度維持のための対策は必要

結局、制度を維持するための対策の第1は、経済成長を続けることだ。国民年金の保険料は所定の額に物価や賃金の伸びを勘案して毎年変動する。厚生年金の保険料は、所得に一定の料率をかけて決まる。厚生年金は本人と会社の折半だから、給与が多ければ会社も多くを負担する。経済成長がマイナスになり、賃金が上昇しなければ、保険料の総額は減っていく。現役世代の稼ぎで引退世代の年金をまかなう賦課方式にとって、経済成長が必須である理由がここにある。

対策の第2は、受給開始年齢の繰り下げだ。65歳から1カ月遅らせるごとに月0・7%ずつ支給額が上乗せされる制度は以前からあったが、2020年6月に成立した年金改革関連法で、現行の70歳から75歳までの繰り下げ受給が可能になった。

ただし、これは高齢者が働き続け、保険料や税金を負担し続けることを前提とした制度だ。言い換えれば、支えられる立場から、支える立場になってもらう。2014年の内閣府の意識調査では、仕事をしている高齢者の4割が「働けるうちはいつまでも働きたい」と回答、「70歳くらいまで」が約22%、「75歳くらいまで」が約11%だった。

対策の第3は、厚生年金の適用対象をパート労働者にも拡大する「適用拡大」だ。これまで、パートなど短時間労働者で厚生年金に加入できるのは、「従業員501人以上の企業で週20時間以上働き、月収8万8000円以上」等の要件を満たす場合に限られていた。

だが年金改革関連法では、労働時間・月収の要件は変わらないが、企業規模の要件が2022年10月に「101人以上」、2024年10月に「51人以上」へと段階的に緩められることになった。

これにより加入者は約65万人増える見込みだ。

**自分の頭で考える**

## 公的年金保険は仕組み上破綻しない

2018年度の日本の公的年金保険の給付総額は52・6兆円でした。その52・6兆円をどうやって賄っているかというと、年金保険料が38・4兆円、国庫負担が12・7兆円（両者で全体の97%）、そしてGPIF（年金積立金管理運用独立行政法人）が運用する積立金159兆円の運用益などを合わせて52・6兆円を工面していました。

これが何を意味するか、わかりやすく一般家庭になぞらえて考えてみましょう。主たる稼ぎ主である夫あるいは妻が月38万4000円稼いでいるとします。配偶者がパートで12万7000円を稼いでいます。資産が159万円あって、その運用益などを合わせて、合計月52・6万円の生活をしています。

しかし、これから年をとっていったら医療費や何やかやで出費が増えるのは目に見えています。家計であれば、食費を切り詰めたり、遊興費を減らしたりして節約するところですが、年金は減らしにくいので、出費減はできそうもありません。考えられるのは収入を増やすことです。

もうちょっと頑張ってパート収入を増やせば、何とかやっていくことができるかもしれません。国庫負担の12・7兆円とは、基礎年金の2分の1を国庫で負担しているものです。以前は3分の1でした。いわばパートの稼ぎを増やしたわけです。これを国会の議決で3分の2にすることは、決して不可能ではありません。

それでも足りなければ、主たる稼ぎ手に頑張ってもらうしかありません。資格試験を受けて課長に昇進して給与を上げてもらうとか、場合によっては転職も考えないといけないかもしれません。これは年金保険料の引き上げに当たります。

日本の公的年金保険はメインの収入とパートの収入の組み合わせでやりくりされている。メインの収入は国民からの年金保険料、パートの収入は国民からの税金。どちらも国民からのお金なので、国のやっていること（公的年金保険）は、国民からお金を集め、それをただ分配しているだけだともいえます。

この基本的な仕組みを知れば、日本という国が潰れ、国民がいなくならないかぎり、公的年金保険が破綻することはないことがよくわかります。これからは若い世代が減り、高齢者が増えるから公的年金保険は破綻するとよくいわれますが、国と国民が存在するかぎり、公的年金保険は破綻しないと断言できます。

## 積立方式は実現不可能な虚説

公的年金保険が将来破綻すると騒いでいる学者は、実は日本にしかいません。破綻論者のなかには、公的年金保険が不安だから将来に備えて事前にお金を積み立てておくべき、すなわち賦課方式から積立方式に切り替えるべきだと主張する人もいますが、そのような発想も極論すれば日本にしかありません。

金額の規模を小さくして考えてみましょう。

皆さんが、将来の支払のために3000万円を積み立てたとします。キャッシュで持っているのは不安なので、株や国債といった金融商品で貯めるのがふつうです。75歳になって、いよいよ株や国債にしておいた3000万円に手をつけることにして、とりあえず2000万円分をキャッシュに換えることにしました。

その際、2000万円分の金融商品を誰かが買ってくれなければ、現金化することはできません。買ってくれるのは、そのとき働いている人です。よく考えればこれは、現役世代が2000万円の年金保険料を支払うのと同じ構図です。

働いている人の年収が1000万円あれば楽に買ってもらうことができます。でも、現役世代の収入が300万円しかなければ、200万円分の金融商品を買うのは厳しいので、思うように現金化できないかもしれません。

ここからわかるのは、前もって3000万円を積み立てておいても実は何の意味もないという事実です。皆さんの将来の年金受給額を担保するのは将来の働いている世代の所得(≒その社会の成長度合)であって、積立金の有無ではないのです。

さらに積立方式を採る場合は、巨大な運用組織をつくって巨額の積立金の運用を行う必要があります。これは巨大な政府ができるのと同じです。現在、年金の積立金はGPIFという組織が運用しています。このGPIFでも運用マーケットの相対的な小ささに苦慮しているというのに(投資業界でいう、いわゆる「池の中の鯨」状態)、さらに巨大な運用組織をつくってどうやって運用するというのでしょう。積立方式は砂上の楼閣そのものといってもいい、実現不可能な虚説なのです。

積立方式が砂上の楼閣であることは、現実に起こったファクトで証明されました。日本航空はかつて、2兆円を超える巨額の負債を抱えて倒産しました。日本航空は、社員の企業年金を積み立てていましたが、会社が潰れたので積立金を現金化して社員に給付することはできなくなりました。結局、社員の企業年金は大きく減額されてしまったのです。

## 将来の年金を担保できるのは経済成長だけ

このように、いくら将来にそなえて積み立てたところで、国の経済がダメになったら元も子もない。将来の公的年金保険を担保できるのは、事前の積立金ではなく経済成長だけです。これは世界中の学者の一致した見解です。

次の世代がしっかり収入を確保できれば年金はもらえるとしても、肝心の経済成長ができなかったらどうなるのか。受給開始年齢が引き上げられたり、受給額が減額されたりするのではないか。

たしかにその心配はあります。残念ながら、その場合は受給開始年齢の引き上げや受給額の減額に甘んじなければなりません。一度潰れた日本航空では、社員の企業年金が減額されました。同じように、日本経済がダメになっても公的年金保険がいまと同じようにもらえるなどということは、あり得ません。子どもや孫が貧しい暮らしをしていても、自分たちだけはこれまで通りの年金がほしいというのは、そもそも虫がよすぎる話ではないでしょうか。

だから、将来の年金受給額が心配なら、みんなで知恵を出し合って経済成長を続けていくこと、選挙でいい政府を選んで上手な分配をしてもらうことが必要になるわけです。別の言い方をすれば、経済成長を実現することとよい政府をつくること以外に、将来の年金を担保する方法は理屈上あり得ないのです。

## 国民年金保険料は払うだけ損か

公的年金保険をめぐっては、負担と給付の損得の話も必ずといっていいほど出てきます。とくに国民年金保険については、早く死んでしまうと、支払う額ともらえる額が逆転して、損をするという話があります。そこで、国民年金保険料を支払わず、自分で積み立てておいたほうが得だという説が出てくるわけです。

ですが、先ほど説明したように、基礎年金の2分の1は国庫負担で、税金が投入されています。単純化して述べれば、皆さんが支払った額と同額を国が上乗せして負担してくれるということです。こんな条件のよい貯蓄手段がほかにあるでしょうか。

メディアではしばしば、国民年金保険料を払わない人が増えていると報じられますが、実際には9割以上の人が国民年金保険料をきちんと払っています。日本の年金は基礎年金（国民年金）の上に厚生年金がのっているので、厚生年金保険料を払っている人はいわば自動的に国民年金保険料を払っていることになります。

納付率7割などという報道もありますが、それは厚生年金保険の加入者を除いた数値で、全国民の3割が不払いという話ではありません。こういった報道に踊らされて、国民年金保険料を払わないと、将来せっかくの年金をもらえないことになります。

## 世代間の不公平が生じるのは仕方ない

公的年金保険の世代間格差はたしかに存在します。払うお金ともらうお金の比率だけを考えれば、昔の世代に比べるといまの若い世代は少し損をしているといえるでしょう。

けれども、よく考えるとそれは仕方のない話です。第二次世界大戦が終わって、日本人は初めて年金給付を受けました。そのときに受給した人は1円も保険料を支払っていません。それに文句をいっても始まりません。世代間の不公平という話は一見もっともらしいですが、その実は、意味のないアジテーションにすぎません。

僕が日本生命に入社した1972年、労働組合がライフプランのビラを配っていました。そこには45歳ぐらいで課長になり、55歳で部長になって定年を迎えると示されていました。年収の見込みも書かれていて、組合員の人がそれを示しながら「住宅ローンや将来のことは、これを見てきちんと考えるんやで」と教えてくれました。

ところが、10年後にはどうなったか。高度成長で新入社員がどんどん入ってきて社内競争が厳しくなり、ポストが足りなくなりました。55歳定年時のモデルは課長に変わりました。もう部長にはなれないというわけです。当然、見込みの年収額も減っていきました。さらに2〜3年経つと、ライフプランのビラそのものが配られなくなりました。

これこそ世代間の不公平の最たるものですが、こんなことは許せないといって皆さんは怒るでしょうか。出口さんが入社した時代は部長モデルだったのに、10年後の私はどうして課長モデルなのか、不公平じゃないかと文句をいうでしょうか。いったところで、会社からは「それなら会社の業績を2～3倍に上げてくれ。そうすれば部長モデルに戻すことができる」と返されるだけです。

世代間の不公平が生じるのは公的年金保険だけではありません。生まれた時代によって就職が楽な世代もあれば、厳しい世代もあります。当人の能力とも努力とも何の関係もない話です。それはどうしようもない話なのです。

でも、いまの若い世代は損ばかりしているわけではありません。たびたび述べてきたように、いまは大変な労働力不足です。先述したように2030年には労働力が644万人も足りなくなるという予測すらあります。ということは、いくら上司とケンカをして仕事を失っても、飢え死にするというリスクはない。自分の納得できる仕事に就きやすい。

いま年金を受給している世代の多くは上司には絶対服従で、休みも週に1日しかありませんでした。週休2日が当たり前で、上司ともケンカし放題というのは、とても恵まれた状況ではないでしょうか。それを思えば、案外、世代間の不公平は実質的には存在しないのかもしれません。

もちろん、すでに中高年になっている人にも希望はあります。論点17「投資と貯蓄」の項でも述べましたが、医者にいわせれば、いまの75歳とひと昔前の65歳を比べたら、いまの75歳のほうが元気なのだそうです。だとしたら、75歳になっても働いて一定の収入が確保できれば、公的年金保険にそれほど依存する必要はありません。そしてそのほうが楽しい人生をおくることができます。個人のレベルでは、元気なうちは働き続けることがもっとも現実的な年金対策だと思います。

なお、経済成長とならんで、公的年金保険の財政状況を好転させる具体的な対策は、厚生年金保険の加入対象者を、被用者全体に拡大することです。この適用拡大については、論点13「生活保護とベーシックインカム」の項で述べたので、そちらを参照してください。

［論点20］

# 財政赤字は解消すべきか

基礎知識

## 日本の国家予算は4割近くが借金

２０２０年度の日本の国家予算（一般会計予算）は１０２兆６５８０億円。使い道（歳出）の内訳を見ると、「社会保障（34・９％）」がもっとも多く、以下「地方交付税交付金等（15・４％）」「公共事業（６・７％）」などと続く（コロナ危機により2度の補正予算が組まれ、最終的に総額１６０兆２６０７万円にまで膨らんだ）。

一方、原資（歳入）を見ると、いわゆる税収などは63兆５１３０億円で１０２兆円には遠く届かない。その差額を賄っているのが公債金、つまり借金で、これが「財政赤字」と呼ばれるものだ。日本の財政は４割近くが借金で成り立っていることになる。

経済が成長段階にあるのであれば、財政赤字そのものが、即、大きな問題というわけではない。問題は赤字の規模だ。一国の赤字の規模は、同年の稼ぎの総額であるGDPと比較するのが一般的だ。

2018年のG7各国の財政収支（対GDP比）を比較すると、黒字はドイツのみ（1・87%）で、以下、赤字の小さい順に、カナダ（0・39%）、連合王国（イギリス 1・39%）、イタリア（2・14%）、フランス（2・53%）、日本（3・21%）、アメリカ（5・68%）と続く。

## 日本はG7随一の借金大国

さらに深刻なのが過去からの赤字の合計、つまり累積債務だ。1975年以降、政府は国債を毎年発行して公債金を調達してきた。特に1999年以降は毎年、歳入に占める公債金の割合（公債依存度）が30%を超え続けている。もちろん、借金には返済期限と利息があるから、毎年歳出の25%前後程度をそれにあてている。しかし借り入れる公債金のほうが大きいから、累積赤字は年々積み上がる一方なのである。

その結果、2018年度末の国の借金総額（長期債務残高）は約901兆円。これに地方の借金を加えれば、約1095兆円に達する。

こちらも対GDP比をG7各国で比較すると、日本237%、イタリア132%、アメリカが104%、フランスが98%、カナダが90%、連合王国が87%、ドイツが62%となっている。日本が突出して大きな借金を抱えていることがわかる。

なぜ、ここまで積み上がったのか。その要因ははっきりしている。歳出面で見れば高齢化に伴う社会保障費の増大であり、歳入面で見れば税収の伸び悩みだ。そのギャップを公債発行で埋め、なおかつその元利返済のためにも新たに公債を発行するという、文字通り雪だるま式の構図だ。

## 先送りされ続ける財政健全化

このまま累積債務が積み上がれば、元利返済の負担はさらに大きくなり、その分、歳出が圧迫されて行政サービスの低下を招く。それより恐ろしいのは、財政への信認が揺らぎ、国債の買い手がいなくなることだ。

借金まみれの人に、さらにお金を貸そうとする人は滅多にいない。むしろ我先にと貸金を回収しようとするはずだ。そうなれば、「自己破産」して借金を踏み倒すしかない。それが、国家レベルでは「財政破綻」と呼ばれる現象だ。

このような事態を避けるには、歳入からできるだけ公債金の部分を減らすとともに、歳出においてできるだけ国債の元利払いの部分を増やし、後者が前者を上回るようにするしかない。

そうすれば累積債務は減少に向かうから、財政への信認は揺らがない。言い換えるなら、1年間の行政サービスの経費を、できるだけその1年間の税収だけで賄うようにするということでもある。この収支を「基礎的財政収支（プライマリーバランス）」というが、2020年度の場合は9・2兆円の赤字だ。

かつて政府は、2011年度に基礎的財政収支を黒字化する目標を掲げていたが、リーマン・ショックの影響もあって2020年度に先送りした。2018年6月には、これをさらに2025年度に先送りしている。新型コロナ対策で財政支出が拡大したこともあり、目標達成の見通しはかなり厳しいのが現状だ。

## 「日本の財政赤字は問題ない説」3つの論拠

一方、日本の財政状況はそれほど悪くないという見方もある。その論旨は大きく3つに分類できる。

第1は、国債の9割近くが国内で買われているということ。つまり政府の負債の多くは国民の資産が元であり、国全体で見れば海外から借金しているわけではない。いわば家庭内でお金の貸し借りをしているようなものだから、たとえ金額が大きくてもさほど問題ではないというものだ。

また、累積債務が1100兆円あっても、日本の個人金融資産の総額は1800兆円を超えている。後者のほうが大きいから、まだ借金できる余地があるとの見方もある。

第2は、政府は負債だけではなく資産も持っているということ。その額は約674兆円に達するが（2018年度末）、そのうち約184兆円は道路や橋などの有形固定資産なので、金融資産としては約490兆円となる。そこで、仮に政府が金融資産をすべて吐き出して借金を返済したとすれば、残る借金（純債務）は610兆円ということになる。この程度ならまだ大丈夫、というものだ。

ただし、金融資産の多くは「年金積立金の運用寄託金」や「地方公共団体等への貸付金」など、取り崩すことが困難な資産だ。また純債務の対GDP比をG7各国と比較しても、日本はなお最高水準だ。

そして第3は、国債を日銀が買い支えているというものだ。2013年4月以降、日銀はいわゆる「異次元緩和」により、長期国債を年間上限80兆円で〝爆買い〟を続けてきた。冒頭で述べたとおり、政府は財政赤字を埋めるために毎年三十数兆円程度の国債を新規発行しているが、日銀はそれを民間金融機関を通じて丸々吸収するだけではなく、さらに過去に発行された分も買い取っていることになる。これだけ借金を引き受けてくれるなら、まだ当面は安心というわけだ。

しかしいずれにせよ、このまま野放図に借金を続けていいという話にはならない。では、日本の財政はいつまでもつのか。

一般論として、そのバロメーターとなるのが長期金利、つまり償還期間10年の新発国債の金利だ。景気がよくなって資金需要が高まったり、あるいは通貨や財政に対する信認が失われたりすると、金利は上昇（国債価格は下落）する。

単純に考えると、1100兆円の借金に対して年間1％の金利がかかるとすれば、それだけで11兆円の負担だ。5％なら55兆円。1年間の税収をほぼ食い尽くす規模になる。こうなれば、もう財政は維持できないだろう。債務不履行（デフォルト／借金の踏み倒し）を宣言するか、その前に強烈なインフレを引き起こす可能性が高い。いずれにせよ、国民生活への大打撃は避けられない。

ただ現在のところ、長期金利は日銀の異次元緩和の一環として0％程度に調整されている。本来なら市場が決める金利を日銀が操作しているわけで、解熱剤でごまかしている状態といえるかもしれない。

## 「異次元緩和」でどこまでごまかせるか

しかし、日銀がいつまでも国債を買い続けられる保証はどこにもない。2013年4月の異次元緩和開始時に約130兆円だった保有残高は、2020年5月に500兆円を突破した。新型コロナウイルス対応で、「1年間の買入れ80兆円」という上限が撤廃され、GDPに迫る勢いだ。

何かのはずみで金利が上昇すれば、日銀自体が大変な損失を抱えることになる。そうなれば国債は買い手を失い、金利は上昇する一方となるはずだ。

そうなる前に、歳入（税制）と歳出（主に社会保障）のレベルから財政を見直すことが急務だろう。

## ＭＭＴ（現代貨幣理論）とは何か

日本と同様、財政赤字が拡大しているのがアメリカだ。アメリカの政府債務の総額は、２０１７年のトランプ政権誕生以降、さらに膨らみ、２０１８年末には、21・５兆ドル（約２３６２兆円）で世界最大、日本の約2倍にのぼる。

そのアメリカで、２０１８年頃から脚光を浴びて、経済学者の間だけでなく議会でも大論争となっているのが、ＭＭＴ（Modern Monetary Theory　現代貨幣理論）だ。

理論自体は新しいものではなく、20世紀初頭のゲオルク・フリードリヒ・クナップ、ジョン・メイナード・ケインズらの理論を原型とし、20世紀中頃のアバ・ラーナーらの理論を取り込み、１９９０年代にラリー・ランダル・レイ、ステファニー・ケルトンらが提唱して成立した。

ＭＭＴのなかで、もっとも議論を巻き起こしている主張は、「通貨発行権のある政府にデフォルトリスクはまったくない。通貨が作れる以上、政府支出に財源の制約はない。インフレが悪化しすぎないようにすることだけが制約である」というものだ（L・ランダル・レイ著『MMT現代貨幣理論入門』東洋経済新報社）。

要は、自国の通貨で国債を発行できる国は、インフレにならないかぎり、財政赤字がどんなに増えても問題ない、ということだ。

MMTは、日本でも国会の質問で取り上げられ、相次いで関連書が出版されるなどして、議論を呼んでいる。とくに、提唱者の1人でニューヨーク州立大学教授のステファニー・ケルトン氏が、日本政府・日銀の近年の異次元緩和はMMTの実践だと指摘したため、さらに注目を集めることになった。

MMTに対しては、ポール・クルーグマンやローレンス・サマーズなどアメリカの主流派経済学者や、日本の経済学者からも批判が寄せられている。たとえば、野口悠紀雄氏は以下のような指摘をしている（「野口悠紀雄 note」2019年6月11日）。

・MMTの新しさは、財政赤字を長期的な施策の継続的な財源にしていることにある。だが政策をインフレになる前にすぐ止めるのが難しいのは過去の歴史を見れば明らかで、「インフレにならなければ」という条件は現実には機能しない。

・インフレが生じないとしても、増税でまかなうとすれば反対が強くて実行できない政策でも、財政赤字でまかなうとすれば通ってしまう。それにより大衆迎合的な決定がなされ、無駄な歳出が行われ、資源配分が歪められれば、将来の生産力が低下する。

また、異次元緩和がMMTの実践であるという点について、東京大学教授の宮尾龍蔵氏は以下のような指摘をしている（「日本経済新聞」2019年6月3日）。

・MMTでは、政策レジーム（一連の政策が将来にわたり繰り返し実行される制度的な枠組み）として、財政収支の均衡を目指さない政府と、物価安定を目指さず政府・財政に従属する中央銀行の組み合わせを想定している。

・しかし日本政府は、中長期の財政再建を国際公約にも掲げ、そのための諸政策を実施している。日銀は政府と合意した物価安定の政策目標のもと、自らの判断で金融緩和策を行っている。

・現象面では同じ財政赤字と金融緩和であっても、日本の経済の安定が保たれているのは、政府・日銀が先進国に共通する通常の政策レジームを堅持しているからである。

### 自分の頭で考える

## 日本は税金がとても安い国

財政赤字はよくないということは、世界中の誰もが知っていることだと僕は思います。

日本の財政規模は102兆6580億円です（2020年度当初予算）。これを生活実感で把握できるよう家計になぞらえて考えてみます。

1年に1030万円の支出で暮らしている家庭があるとします。年収は640万円なので、足りない分のほとんどを毎年借金してやりくりしています。その結果、借金が膨らんで、ついに1億円を超えてしまった――。

これがいまの日本の財政の状況です。GDPの2年分に匹敵する債務があるという、世界最大の借金国です。

支出の内訳を見てみましょう。

社会保障費が約36兆円（35％）、国債の利払い等（つまり借金の返済等）が約23兆円（23％）、地方交付税交付金等といういわば地方への仕送りが約16兆円（15％）。残りが防衛費や教育予算、公共事業費といった政策経費で合わせて18兆円弱（17％）です。

この四半世紀の日本の予算を眺めてみると、政策経費である防衛費や教育予算、公共事業費などの総額があまり増えていません。これは、日本の財政はいまや新しい政策を思い切って実行できないほど逼迫していることを示しています。

こうした現状を前に、世界中の学者が日本は消費税率を上げるしかないと指摘しています。

意外に思われるかもしれませんが、日本は税金がとても安い国です。日本の国民負担率（租

## 図表13　2020年度一般会計歳出・歳入の構成（補正前の当初予算）

（単位：億円）

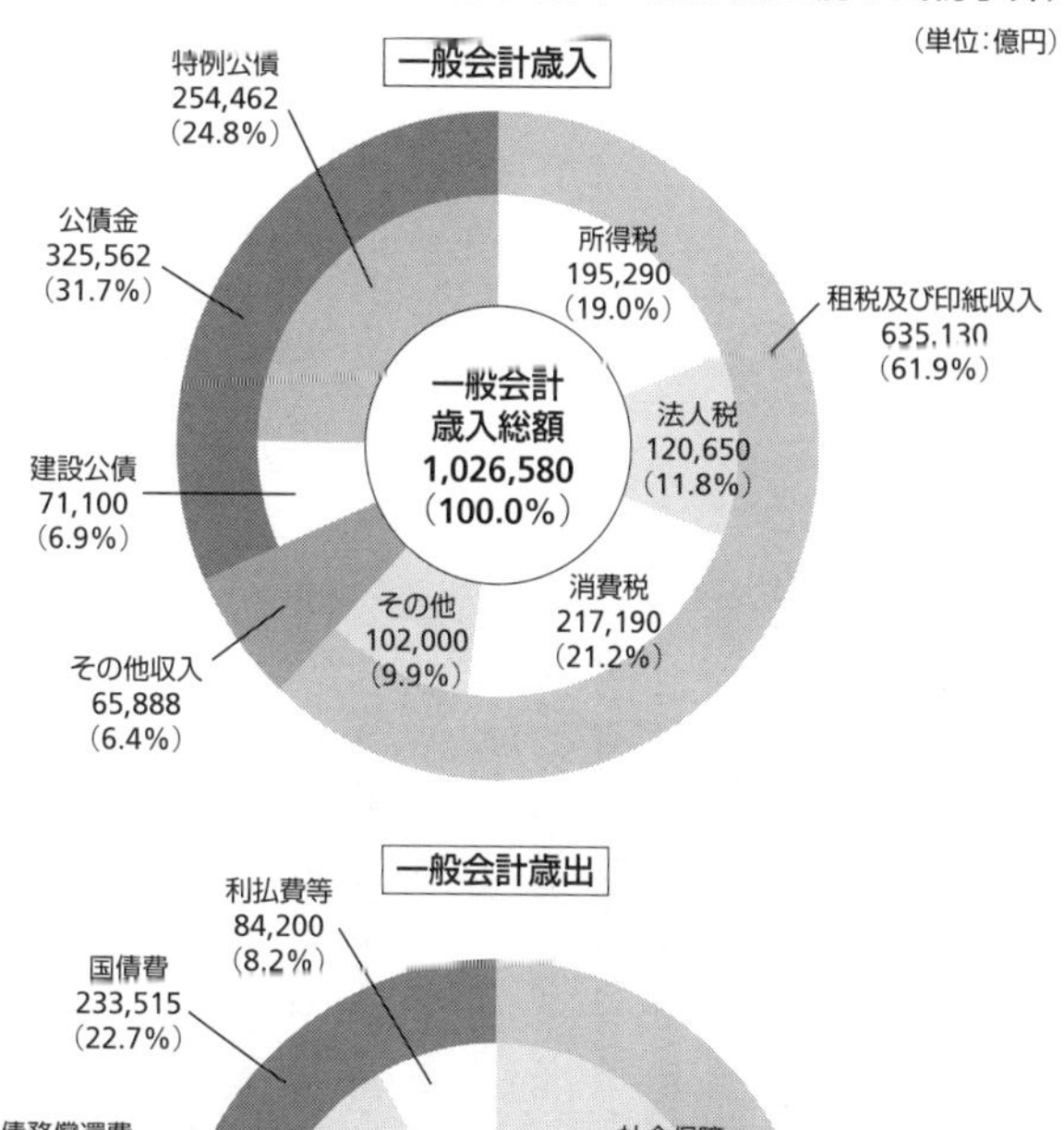


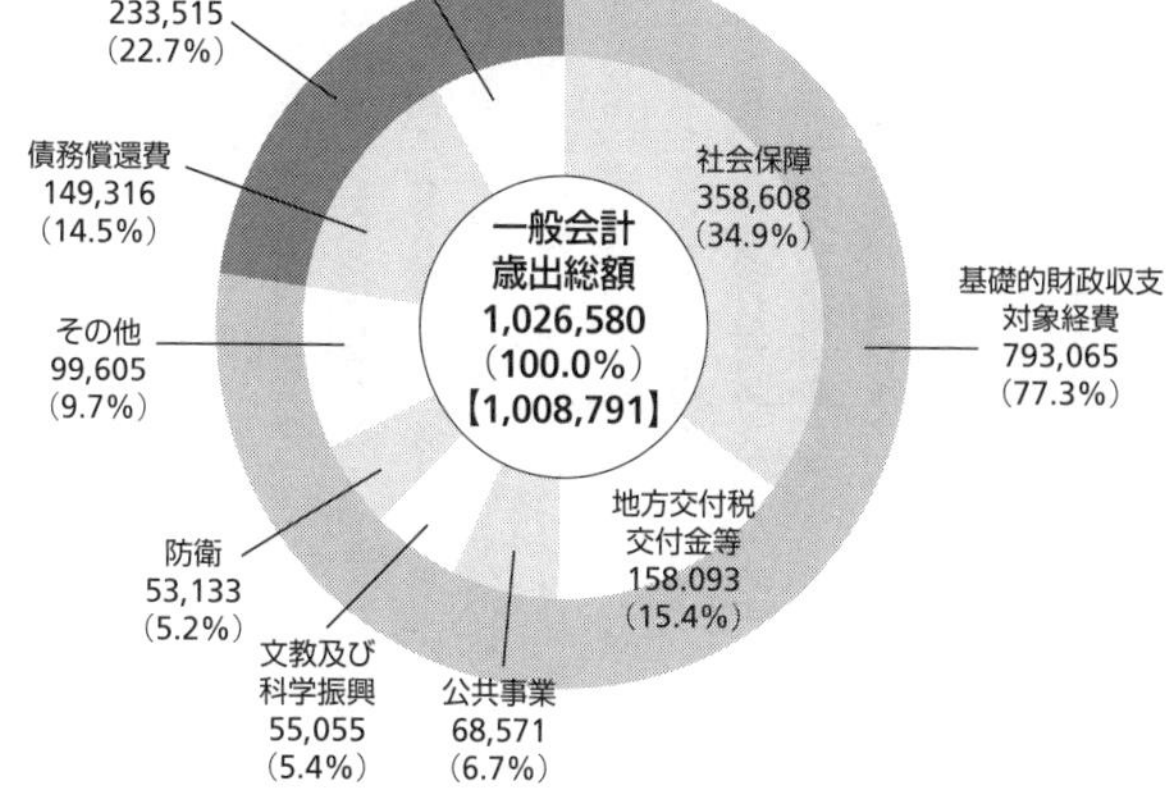


＊1：「基礎的財政収支対象経費」とは。歳出のうち国債費を除いた経費のこと。当年度の政策的経費を表す指標。

＊2：「一般歳出」（＝「基礎的財政収支対象経費」から「地方交付税交付金等」を除いたもの）は、634,972（61.9%）。

出典：財務省

（OECD加盟35カ国）

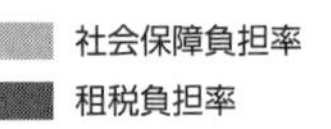


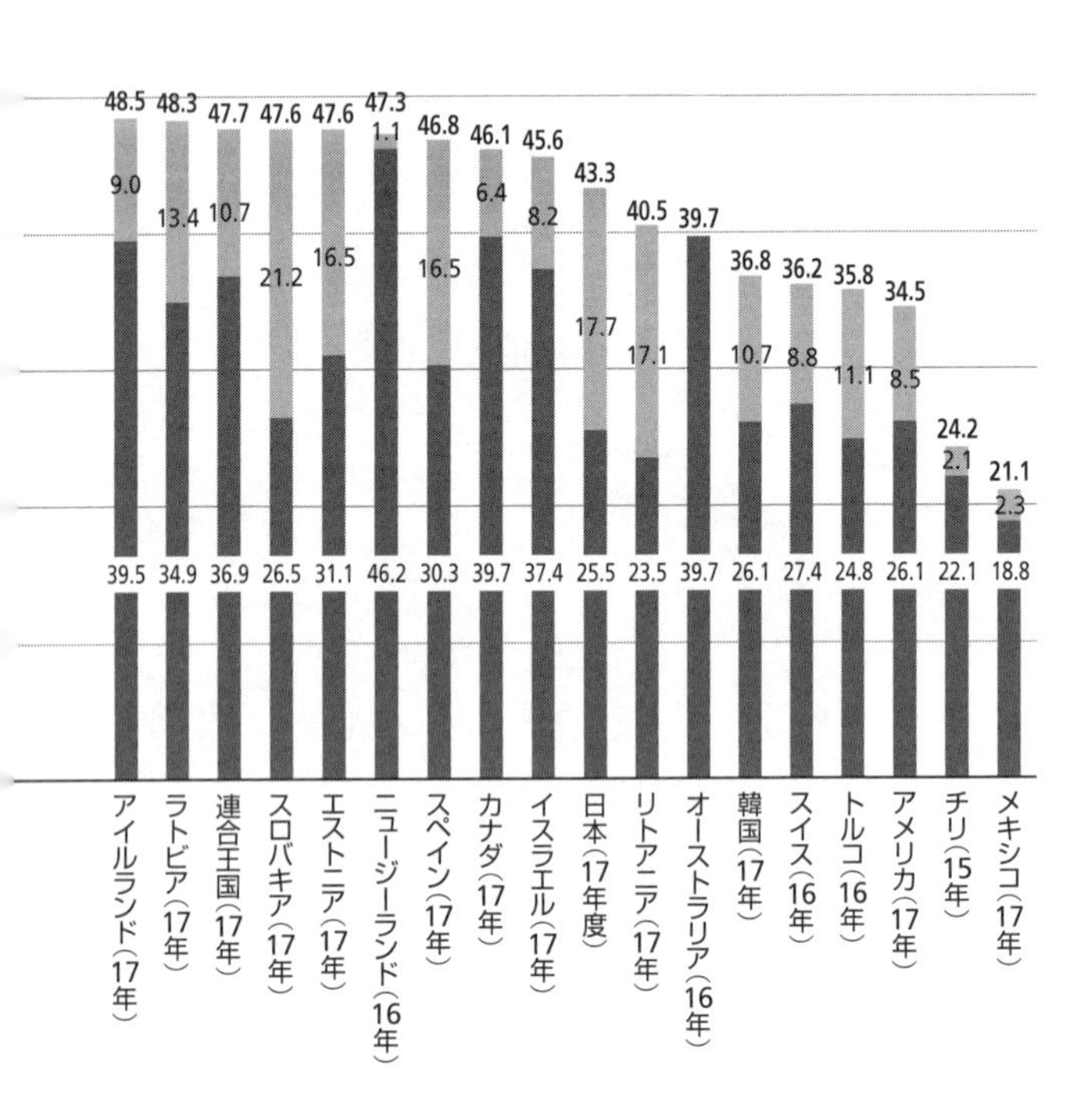


出典：財務省

## 図表14　国民負担率の国際比較

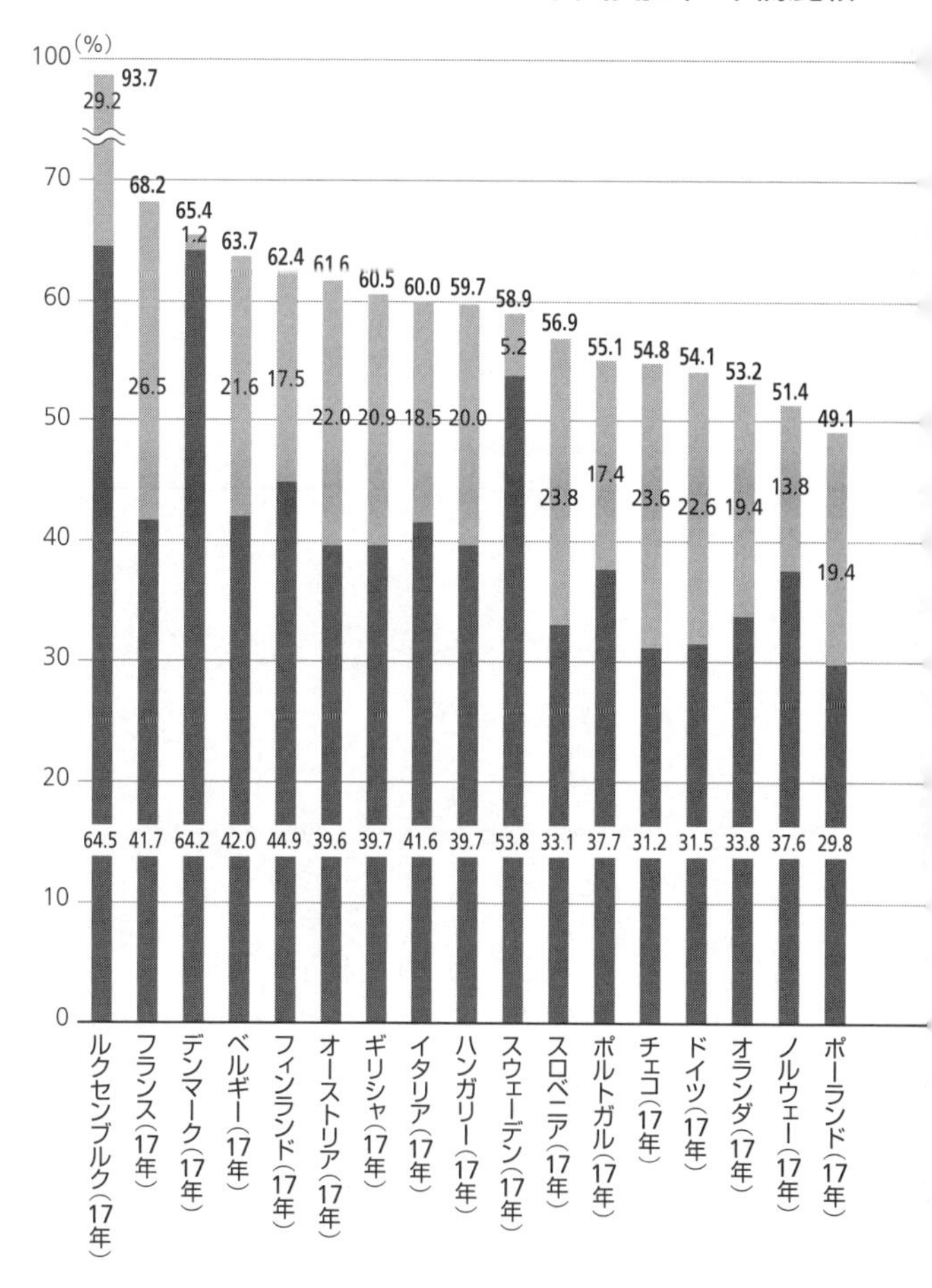


＊：OECD加盟国36カ国中35カ国の実績値。アイスランドについては、国民所得の計数が取れず、国民負担率（対国民所得比）が算出不能であるため掲載していない。

資料：日本―内閣府「国民経済計算」等　諸外国―National Accounts (OECD)、Revenue Statistics(OECD)、NIPA（アメリカ商務省経済分析局）

（2019年／OECD加盟37カ国）

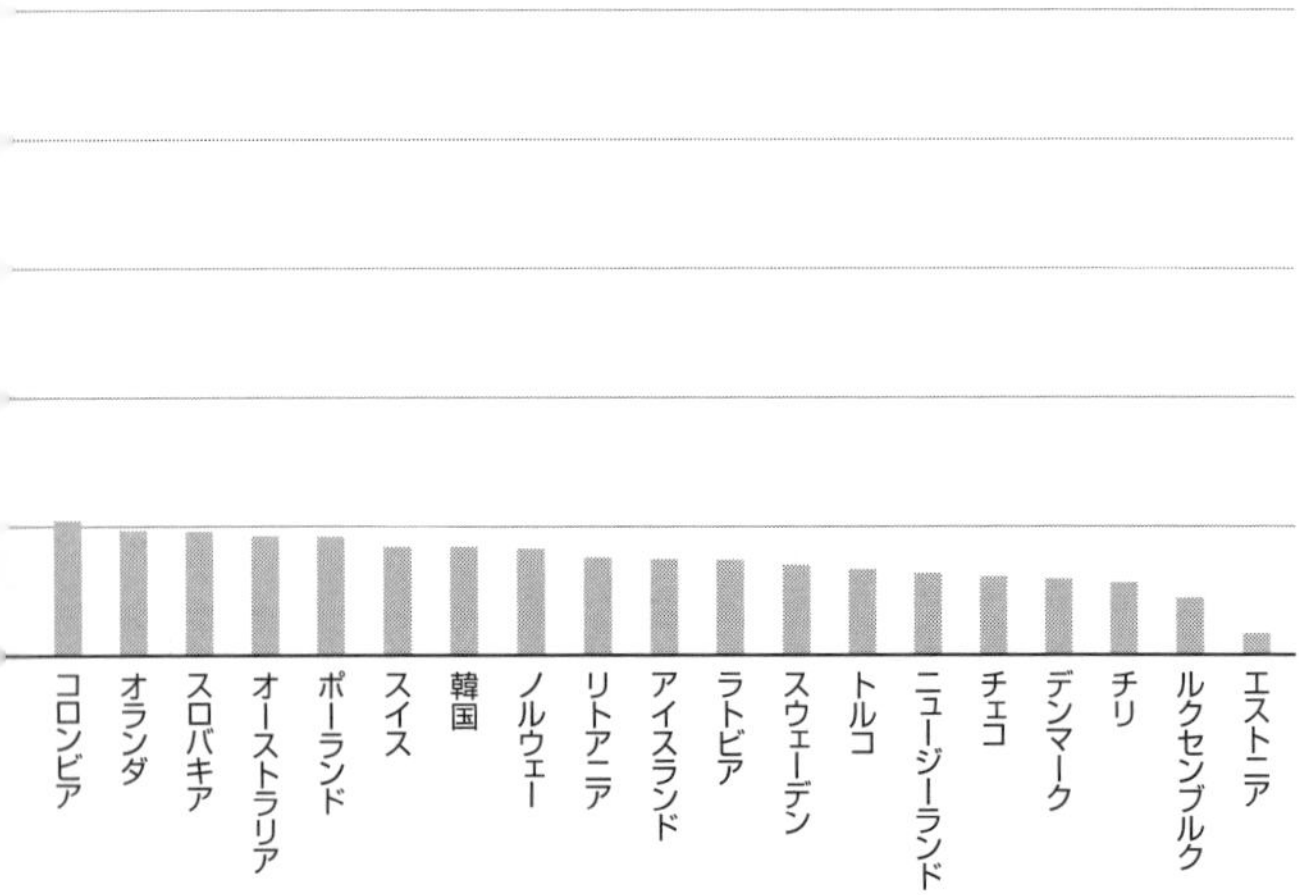

コロンビア
オランダ
スロバキア
オーストラリア
ポーランド
スイス
韓国
ノルウェー
リトアニア
アイスランド
ラトビア
スウェーデン
トルコ
ニュージーランド
チェコ
デンマーク
チリ
ルクセンブルク
エストニア

資料：IMF　出典：GLOBAL NOTE

税負担と社会保障負担の国民所得に対する比率）はＯＥＣＤ加盟国のうち35カ国中で下から９番目です（２０１７年）。

日本の国民負担率は、２０１９年でおよそ43・８％。「そんなに取られているのか」と思うかもしれませんが、先進国のなかには60％を超える国もたくさんあります。ちなみに、江戸時代の年貢率は四公六民だったのを、徳川吉宗が享保の改革で五公五民～六公四民に引き上げました。だから吉宗は財政再建が果たせたのです。消費税もＥＵでは25％が基準ラインです。

## 税金の多寡だけ論じても無意味

このように述べると、「日本は税負担が少なくてよかった」と思うかもしれません。し

図表15　政府総債務残高の対GDP比

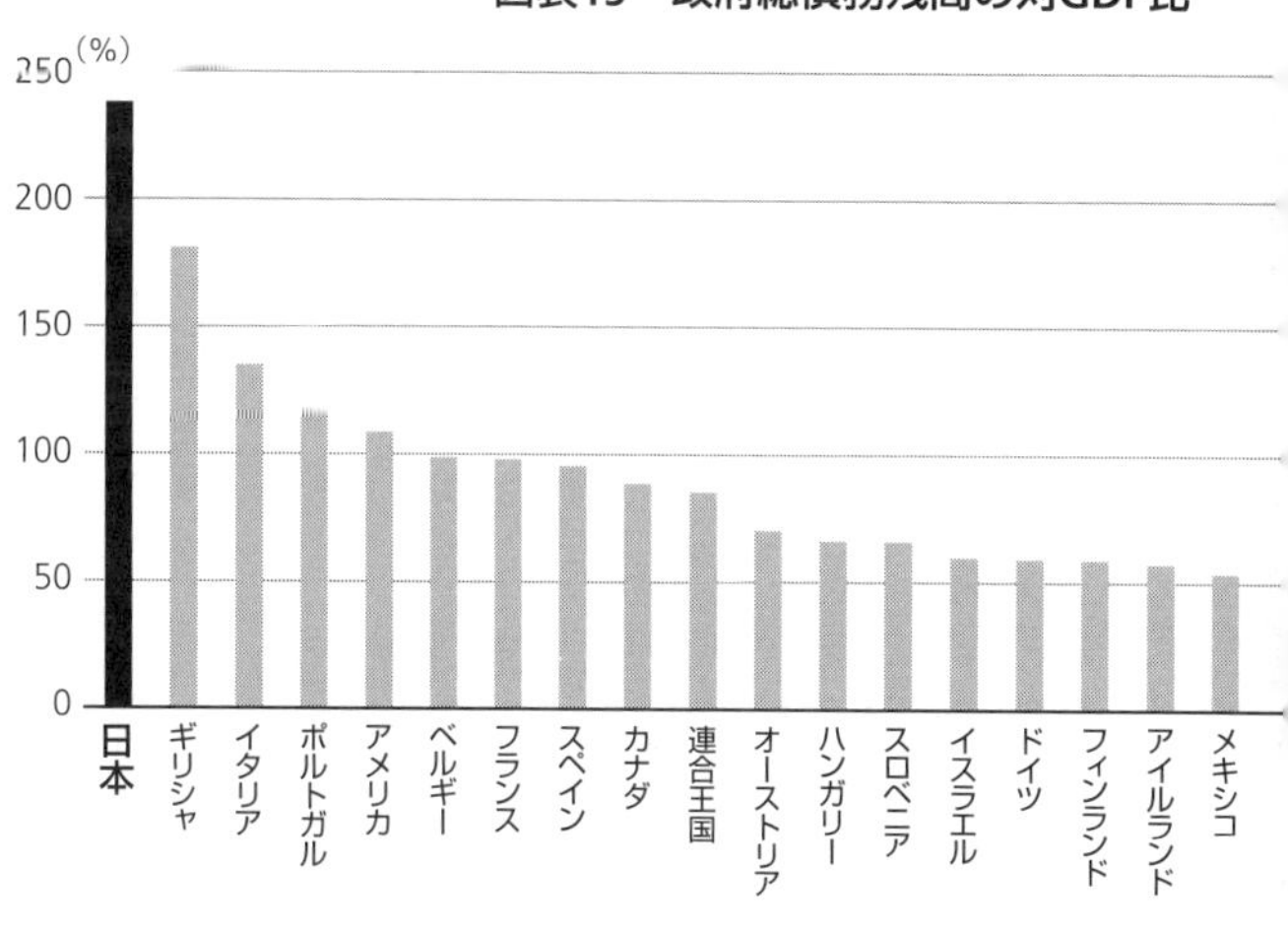


かし、この話にはまだ続きがあります。

たとえば、月収50万円の人は、税と社会保障の負担率が40％の国なら、手取りは30万円になります（日本）。一方、負担率が60％なら手取りは20万円になります（ヨーロッパ）。

そこだけを見たら「日本に生まれてよかった」と思いますが、政府からの給付を加えた生活費トータルで見たらどうなるでしょうか。

たとえば日本は教育費がとても高い国です。地方に住む人が子どもを東京の大学に進学させようと思ったら、子どものアルバイトをあてにしないとすれば、月15万円ぐらいは仕送りをしなければなりません。つまりこの場合、日本の家庭は30マイナス15で、月15万円で生活しなければなりません。

これに対して、ヨーロッパでは教育費の多

くが税金で賄われ、原則無料の国もあります。そうすると20万円をまるまる生活費にあてることができ、実際の生活費トータルでは日本と逆転してしまいます。この試算はややラフにすぎますが、税金や社会保障負担は、給付とのセットで考えなければなりません。ただ単に税金が高い、安いといっているだけでは議論が不十分です。

## 「国債は日本人が保有しているから大丈夫」説は何が問題か

給付の問題は措くとして、日本の財政は「年収640万円、支出1030万円、借金1億円」状態ですから、誰が考えても無理があります。

足りない分の借金はいつかは返済しなければなりません。これを返済するのは私たちの子どもや孫たちです。しかも、借金は増加するのに人口は減っていくので、1人あたりの負担額はより大きくなります。世界の学者が、日本は消費税率を上げて早く財政のプライマリーバランスの回復を図るべきだと指摘するのは、ごく真っ当なことだと思います。

ところが、わが国の学者のなかには、日本の国債は日本人が保有しているからいくら発行しても大丈夫だといっている人がいます。基礎知識のページでもそうした意見のあることが紹介されています。

しかしここで問題なのは、その国債を買っている人は誰かということです。国債を買っているのはお金持ちの豊かな人たちです。つまり、財政による利払いはお金持ちのふところに入ってしまっているわけです。国債を発行すればするほど、お金持ちがますます裕福になるという図式では、財政本来の機能である所得の再分配機能が歪められてしまいます。これは財政の自己矛盾です。

最近は別の問題も浮上しています。いま国債は富裕層が買っていると述べましたが、近年は日銀が国債を保有するようになっています。中央銀行たる日銀が国債を買うのであれば、いくらでも国債を発行することができますが、これは「財政ファイナンス」という禁じ手です。

財政ファイナンスが放漫財政につながることは歴史が証明しています。現在では世界の多くの国々が憲法や法律で財政ファイナンスを禁じています。日本でも財政法5条で禁じられています。政府は日銀が直接国債を買っているのではなく、いったんマーケットに出たものを買っているのだから問題ないとしています。しかしそれは強弁で、事実上日銀が直接買っているのと何ら変わりがありません。

日銀という中央銀行が国債を大量に保有すると、マーケットメカニズムが働かなくなります。つまり正常な債券市場がなくなるのです。これは金利が機能しなくなることを意味します。マーケットメカニズムが働かなくなれば誰も金利の痛みを感じなくなり、社会から金利という重要な調整弁が失われてしまいます。

日銀の保有している国債は対ＧＤＰ比で第二次世界大戦時を上回っており、世界中が危険水域に入っていると見ています。大丈夫だといっているのは日本の一部の学者だけです。

加えて日本では、株式市場においても日銀とＧＰＩＦという政府機関が最大の株主になりつつあります。株式市場でもマーケットメカニズムが働きにくくなりつつあるのは、由々しき問題です。

日本では債券市場と株式市場という金融市場の両横綱が機能しなくなっている。これはもはや自由主義経済ではなく国家統制による社会主義経済ではないかと酷評する人もいます。

## 日本は財政規律が緩すぎる

日本以外の先進国では財政に対する規律が厳しく求められ、アメリカでもヨーロッパでもしばしば政治の争点になります。ところが、日本では増税には目くじらを立てても財政規律にはいまひとつ感度が鈍く、政治家もさほど関心がないように見えます。

政府は２０２５年度にプライマリーバランスを回復すると世界に公約しています（もともとは２０２０年に黒字化する計画でした）。本来であれば、そのための青写真が示される必要がありますが、日本政府はそれをまったく行っていません。

そんな日本でも過去に一度だけ財政再建のチャンスがありました。２０１２年、民主党（当時）の野田政権のときです。消費増税を互いに争点にしないで、財政健全化のために協力しようと、当時の与党・民主党と、自民党・公明党の三党で、社会保障と税の一体改革に関する合意が成立したのです。

これでようやく財政再建へ一歩踏み出せるかと思われましたが、2012年末に成立した第二次安倍政権では、消費増税問題が政争に使われてしまいました。三党合意という政治的な傑作は崩れ落ち、財政健全化の夢は淡くも消えてしまったのです。

野田政権時のように与野党が合意して当面の政治的難題をみんなで乗り越えようとするのはドイツ型（大連立）の考え方です。つまり、増税など不人気な政策は大連立で乗り切り選挙の争点にしないという方式です。ドイツは財政黒字国です。

もう1つ、連合王国（イギリス）型があります。連合王国では政策と財源をセットにして考えます。たとえば、戦闘機を100機買うという政策が立案され、それには1兆円かかるとします。立案する際には財源をセットにしなければならないので、戦闘機を買うのなら同時に消費税を1％上げるという条件を付けます。そうすると、たとえ経済がマイナス成長であっても、自動的に増税を行うことになるのです。

## 「無駄遣いの削減」でどうにかなるレベルではない

財政再建には収入を増やすだけではなく、無駄遣いを削減するという方法もあるといわれます。よくある議論ですが、では財政は何に使われているのか、先述した歳出の中身をもう一度検討してみましょう。

まず借金の利払い等は無駄遣いではなく、原則として減らせません。社会保障費は社会の高齢化の結果なので、1兆円減らすのも困難でしょう。地方交付税交付金等も原則減らせません。ここを削ったら地方自治体が軒並み破産してしまいます。

とすると、現実問題として減らせるのは政策経費だけです。防衛費や教育費は減らせそうもありませんが、目をつぶって大胆にカットしたところで、政策経費の総額は18兆円弱なので、2兆〜3兆円が限界でしょう。

このようにひとつひとつ詰めていくと、歳出削減では目一杯無理を重ねても3兆〜4兆円しか捻出できないのが現実なのです。

財政支出は無駄が多いというのは、政治家のアジテーションです。無駄はたしかに省くべきですが、現実に削れる額はたかが知れています。かつて民主党政権時代に鳴り物入りで導入された事業仕分けが不発に終わったのも、当然の結果でした。つまりどうしても〝入り〟、すなわち税収を増やすしかないのです。

財政の累積赤字のボリュームは、フランス革命直前のフランス（歳入の9倍の累積債務）や、第二次世界大戦時の日本（対GDP比が200％強）より大きくなっています。

今後人口が増えていくのであればまだしも、人口は減っていく一方なので、戦時を超える借金というのは尋常ではありません。

日本は、いわばかなり年老いた国です。若ければ多少の借金をしても返済できるし、銀行も貸してくれます。でも、古希を超えた僕に、35年ローンで貸してくれる銀行があるでしょうか。それと同じ理屈です。

財政赤字が恒常化してしまい、日本人は感覚がマヒしているようですが、日本の財政はもはや危険水域に突入しているという認識が必要です。これまでに積み上がった借金は当面は借り換えで凌ぐとしても、一刻も早くプライマリーバランスを回復する必要があると思います。つまり、これ以上借金を増加させないことが肝要です。

## MMTは民主主義と矛盾する

最後にMMTのような、政府の借金はいくら増えても問題ないという理論がなぜ間違っているかを指摘しておきます。

民主主義とは何かといえば、究極的には主権者が税金を分ける（再分配する）ということです。このまま借金を重ねれば、私たちの子どもや孫が成人して主権を行使していざ税金を分けようとしたとき、彼らが分けるべき税金の多くを、私たちが国債費としてすでに先食いしてしまっている状態になります。

彼らが分けるべき税金を自由に使っていいと、彼らは私たちに授権してくれているのでしょうか。そんなはずはありません。

つまり度を越した財政赤字は、民主主義の正統性そのものを踏みにじることになります。私たちは、未来の日本人が分けるべき彼らの税金を勝手に先食いして費消する権利などみじんたりとも持っていない。そのことを強く考えるべきだと思います。

# 民主主義は優れた制度か ［論点21］

基礎知識

## 投票率の低下は深刻な問題

戦後民主主義のシステムは、いまさまざまな面で見直しを迫られている。

なかでも、自由選挙（成人の日本国民なら誰でも選挙権があり、立候補もできる制度）で選ばれた国民の代表（議員）が、議会で真剣な審議を重ね、民意に沿った最善の政策を決定していくはずの代表民主制のシステムが、本来の機能を失ってしまった、と憂慮する声は少なくない。

一票の格差、選挙制度（小選挙区制では死票が多いなど）、インターネット選挙導入の可否、首相の解散権の制限問題など、検討すべき課題は多いが、なかでも深刻なのは投票率の低下だ。

日本の国政選挙の投票率は、１９４５年に20歳以上の男女すべての日本国民が選挙権を獲得して以来、１９８０年代まで、衆議院選挙は70％前後、参議院選挙は60％前後で、ほぼ横ばい傾向にあった。

それが衆院選では１９９０年に行われた第39回の73・３１％から96年・第41回の59・６５％へと13・６６ポイント、参院選でも89年に行われた第15回の65・０２％から95年・第17回の44・５２％へと20・５０ポイントと、いずれも90年代に大きく低下した。

その後、自民党から民主党への政権交代時など一時的に上昇したこともあったが、80年代までの水準に戻ることはなく、ずっと低下傾向にある。直近では２０１７年の衆院選が53・６８％、19年の参院選は48・８０％だった。

投票率低下の原因として主に指摘されるのは、国民全体の政治への関心の低下と、とくに若者世代の政治離れだ。

実際、最近の20～30代の投票率は、どの選挙でも全体の投票率より低い。２０１５年に選挙権年齢を18歳以上に引き下げる公職選挙法が改正され、政治に若者の意見を反映させることが期待された。

10代の有権者が初めて国政選挙に参加した16年の参院選では、10代投票率が46・７８％と、全年代平均の54・７０％より下だったが、20代や30代よりも上回っていた。しかしその後2回の国政選挙では低下傾向にあり、全体投票率との差が大きくなっている。

高校では「主権者教育」への取り組みも見られるが、その効果はまだ現れていないといえる。

## 民主主義はいつどこで生まれたか

政治形態としての民主主義は、古代ギリシャのポリス（都市国家）に由来する。デモクラシー（Democracy）の語源は、古代ギリシャ語のデモス（Demos 民衆）とクラティア（Kratia 支配、権力）を組み合わせた「デモクラティア」（Demokratia）で、直訳すれば民衆支配制または民主政（制）だが、日本では「民主主義」あるいは「民本主義」と訳されてきた。

古代ギリシャの中心的な都市国家だったアテネは、当初から民主政だったわけではない。有力貴族による貴族政治から僭主（血筋ではなく実力で王座を奪った君主）政治を経て、アテネの民主政が完成したのは紀元前5世紀といわれる。

数度にわたるペルシャとの戦争に勝利したアテネでは、最高権力者だったペリクレスが、戦争参加の報奨として、全市民に選挙権を与えた。だがこのときの「市民」とは成人男性のみで、女性と奴隷は含まれていなかった。

選挙権を持つ市民は3万～4万人に達したが、法案などの重要事項は全員の直接投票で決定された（直接民主制）。だがペリクレス亡き後は、デマゴーグが煽動するポピュリズムの衆愚政治に陥り、アテネは急激に衰退していく。

紀元前4世紀後半、哲学者アリストテレスは、著書『政治学』で政治体制（政体）として王制、僭主制、貴族制、寡頭制、国制（穏当な民主制、貧富の差が少ない中産階級による統治）、民主制の6つを挙げ、①支配者の数、②支配者のあり方が共通の利益を志向しているか、あるいは私的利益を目指しているか、という2点を基準にして分類を試みた。

その結論は、1人支配で優れている政体は王制、悪い政体は僭主制。少数支配で優れているのは貴族制、悪いのは寡頭制。多数支配で優れているのは国制、悪いのは民主制、というものだった。また、これらの政体の中でも最悪なのは僭主制、次に悪いのは寡頭制で、民主制は悪いもののなかではもっとも悪くない形態と記されている。

民主制（直接民主制）は、この時代からすでに「ポピュリズムの衆愚政治に堕しやすい」と認識され、賢者の支配と見なされた王制や貴族制に比べて、良いイメージを持たれていなかったわけである。ちなみにアリストテレスの師であるプラトンは、賢者の王による政治＝「哲人政治」を理想の政治形態と説いている。

## 近代市民革命を経て議会制民主主義へ

中世の封建的王制、絶対王制を経て、近代ヨーロッパでは、再び民主制が志向されるようになった。この背景には、17～18世紀に起きたイングランドの名誉革命（1688年）、アメリカ独立革命（1776年）、フランス革命（1789年）と続いた一連の市民革命がある。商工業者を中心とした新興の市民階級は、絶対君主に対し、人の支配（王）ではなく法の支配（法の下に王も人民も従う）による立憲政治を求めた。

イングランドでは13世紀に「マグナカルタ（人憲章）」が結ばれ、国王の恣意的な支配を制限し封建貴族の特権を認めさせた歴史がある。名誉革命の「権利の章典」は、それを踏まえて、議会で制定した法に王も従うことを確認したものだった。市民革命の成果とされる「権利の章典」「アメリカ独立宣言」「フランス人権宣言」は、いまも近代民主主義の原理を表現した文書として、世界各国からバイブル視されている。

そこでは、イングランドのホッブズやロック、フランスのルソーらが説いた自然権、社会契約説を前提とし、人権の保障、国民主権が明記されている。たとえば「アメリカ独立宣言」は、「人はすべて平等に造られ、誰にも譲ることのできない一定の権利を持っている。その権利のなかには生命、自由、及び幸福追求の権利が含まれている」と述べる。

近代ヨーロッパの民主主義は、古代ギリシャの直接民主制とは異なり、間接民主制（議会制民主主義）を採っている。人口も領土も巨大になった近代国家では、主権者がすべての法案の討議や議決に参加することは困難だ。選挙で国民の代表者たる議員を選び、議員が国家意思を決定するという仕組みのほうが、合理的ということになる。

また近代の議会制民主主義では、第1に、選挙で選ばれた議員は全国民の代表であって、選挙区の代表ではないと自覚すること（国民代表の原理）。第2に、決議前に少数意見を尊重する十分な討議を尽くすこと（審議の原理）。第3に、議会は行政を監督すること（行政監督の原理）。この3つの原理を大切にすることが前提になっている。司法・行政・立法の三権分立と相互の抑制・均衡（チェック・アンド・バランス）も、大切な原理とされてきた。

近代ヨーロッパで確立された民主主義（議会制民主主義）は、市民革命という流血の抗争を経て獲得されたものである。それだけに、これらの原理原則は、欧米の伝統的政治文化として血肉化しているといえる。

## ポピュリズムの危険性

近代民主主義にもポピュリズムの危険性が潜むことは、早くから指摘されていた。連合王国（イギリス）の思想家エドマンド・バークは、著書『フランス革命の省察』のなかで、フランス革命が民衆の暴発で起こり、指導者たちが民衆の人気を得ることで地位を保持しようとする姿への危機感を表明している。また、『アメリカのデモクラシー』を著したフランスの思想家・政治家・法律家のアレクシ・ド・トクヴィルは、1830年代のアメリカを視察し、アメリカの民主政治のなかに「指導者が大衆に埋没する衆愚政治の危機」を指摘している。

彼らが示した危惧は、やがてワイマール憲法下の民主国家ドイツで、民衆の熱狂的支持を受けてナチスが権力を握るという形で、現実のものとなった。

## 「積極的棄権」は意味があるか

欧米でも、近年は移民受け入れに反対する右派政党が勢力を拡大し、連合王国はEUから離脱、アメリカでは「アメリカ第一主義」を掲げるトランプ政権が誕生した。多くのメディアは、これをポピュリズムの席巻と批判したが、民主主義とは本来そういうものだという見方もある。

日本でも、欧米に比べると政治状況が安定しているといわれるが、野党はメディアを意識して閣僚のスキャンダル追及に時間を割き、与党は真剣な法案審議を避けて、最後は数の力で押し切るという、議会制民主主義のあるべき姿からは程遠い国会運営が目につく。

2017年10月には、安倍首相が国会開催の初日、討議に入る前にいきなり解散を宣言し、総選挙が行われることになった。これに対しては「解散権の濫用」という批判が起き、インターネットでは「積極的棄権」を呼びかける運動も起きた。

しかし、仮にどの政党もどの候補者も支持できないとしても、議会制民主主義の本旨からは、棄権を正当化することはできない。現実的にも、棄権はその選挙区で支持組織がしっかりしている有力候補の当選を安泰にするだけの効果しかない。投票率が下がれば、浮動票も減り、組織票に乗っている候補者が有利になるだけで、現状の政治を変えることにはつながらない。

## 自分の頭で考える

### 相対的にマシな政治形態

民主主義について考えるとき僕はいつも、昔、連合王国（イギリス）の友人に教えてもらった、チャーチルの言葉を思い出します。「選挙に出る人間にろくな者はいない。選挙とは、そのろくでもない人たちのなかから少しでもマシな人を選ぶ忍耐だ」というものです。その後に、有名な「民主主義は最低の政治形態である。ただし、（王政や帝政等）これまでに試みられてきた民主主義以外のすべての政治体制を除いては」という言葉が続きます。つまり、人間の貧弱な脳みそは、民主主義よりマシな政治形態をまだ考え出していないだけだということです。

このチャーチルのさめた言葉を知っていたら、「ろくな候補者がいないからバカバカしくて選挙に行く気がしない」などといった考え方が、いかに愚かなものであるかがわかるでしょう。なぜならこうした考え方は、「候補者は立派な人であるに違いない」という現実の世界ではあり得ない幻想を前提に置いているからです。

民主主義の前提は、大多数の人を長期間騙し続けることはできないという経験則にあります。少数の人を長期間騙し続けることはできます。大多数の人を短期間騙すこともできます。ヒトラーの政権などがそうです。カルトなどがそうです。しかし、大多数の人を長期間騙し続けることはできないので、選挙による多数決で成り立つ民主主義は、相対的にはマシなシステムではないかというのが、民主主義のよって立つ根拠です。

あくまでも相対的にマシな政治形態なので、民主主義は絶対のものではありません。現にポピュリズムなどの問題が生じています。アメリカでトランプ大統領が誕生したり、連合王国でブレグジットが決まったりしたのは、そのときの〝ムード〟で政治の方向性が決められた一例だと見ることもできます。これを市民の意思と受けとめるか、一時の熱病と見るかは難しいものがあります。

## 政権与党は投票率が低いほうが都合がいい

絶対のものではない民主主義には、扱い方の良し悪しという運用上の側面もあります。民主主義の機能は、扱い方の良し悪しによって大きく違ってくるということです。

アメリカやヨーロッパ、日本の民主主義は、よく見るとけっこう違っているという指摘があります。たとえばアメリカでは、選挙への関心が高まるようさまざまな工夫をこらして、より多くの有権者が投票場に足を運ぶための試みがなされていますが、日本ではそういう工夫はあまりなされていません。むしろ逆に、有権者が選挙に関心を持たないように、投票に行かないように仕向けているふしさえあります。

なぜ、そんなことが起こり得るのでしょうか。

どんな社会にも、現状の政治システムから利益を得ている既得権益層が存在します。そのような層は有権者の2割ぐらいはいるという研究があります。具体的には、制度上優遇を受けたり補助金をもらったりしている人たちで、彼らは通常、政権与党の後援会を組成します。そういう人たちにとっては、実は、一般市民の選挙への関心が薄いほど都合がいいのです。

具体的に検討してみましょう。

日本の国政選挙の昨今の投票率は5割前後です。仮に有権者が100人いたとします。後援会が推す候補者を当選させようとすれば、後援会関係者以外から何票獲得すればいいでしょうか。

答えはわずか5票です。投票率が50%なので満票が50票、25票が過半数ラインとなります。そのうち後援会の票が2割、すなわち20票あるので、あと5票取れば当選となるわけです。

それに対して、後援会組織を持たない新人候補者は正味で25票獲得しなければ当選できません。後援会が推す候補者の実に5倍です。短い選挙期間の間に5倍も票を取れるかというと、まず無理です。だから新しい血が政界に入りにくくなるのです。

他方、投票率がヨーロッパの先進国並みに8割あればどうでしょうか。このときの過半数ラインは40票です。後援会が推す候補者でも20票上積みして取らなければなりません。一方、後援会なしの立候補者は40票です。両者の差は2倍です。2倍だったら、後援会を持たない新人の候補者でも、通る可能性が高くなります。

このように、選挙には、投票率が低いと永遠に政権与党が当選し続けるという性質がありま す。したがって、選挙をつまらなくするというのは、政権与党にとってある意味では最高の選挙戦術なのです。

かつて、時の首相が、選挙の応援演説中に「選挙に興味のない人は家で寝ていてくれればいい」と発言しました。これに対しては猛批判がわきおこり、与党は大幅に議席を減らしましたが、これは選挙戦術としては理にかなった本音だったと思います。

日本では新人がチャレンジしにくい低い投票率での選挙が続いてきた結果、世襲政治家が増えました。G7で世襲政治家が5割を超えている国は日本だけで、他の国は1割にも満たないという記事を読んだ記憶があります。

## 白票も棄権も有力候補者に投票するのと同じ

選挙で投票したい人がいないときには白票を投じろと訴える人もいます。これも棄権と同様、まったくもって意味がありません。

事前予想でAという候補者が優勢である選挙区があったとしましょう。そのとき「Aに投票する」「白票で投票する」「棄権する」の3つの選択肢を比較するとどうなるか。

実は、どの選択肢でもAが当選します。Aが最多票を獲得しさえすれば、白票があろうが棄権があろうが、当選するからです。白票も棄権も、実質的には有力候補者に投票するのと同じ結果をもたらすだけです。

Aという事前予想に反対だったら、Aとは違う候補者名を書くしかありません。積極的に投票したい候補者がいなくても、「誰には当選してほしくないか」「誰ならマシか」という判断をして誰かに投票する。投票行動とはそういうものです。

このように、民主主義を機能させるためには投票率を上げることが必要です。しかし、政権与党はおそらく本心では投票率の上昇を望んでいないので、市民のほうから働きかけるしかありません。

選挙のこうした本質的な仕組みを知るだけでも、選挙にはやはり行かなければいけないと思う人が増えるのではないでしょうか。こういうことは学校や家庭で教えるべきだと思います。

他の先進国では、このような選挙の仕組みをきちんと教育しています。

さらに選挙を楽しいものにする工夫も必要です。選挙は面白いものだ、選挙ってこんなに楽しいものだということを訴える運動であれば、公職選挙法には触れません。投票率を上げるために何かをしたいと思うのであれば、選挙自体を楽しむという方向から攻めていくことも1つの選択肢ではないでしょうか。

## 一党独裁は民主主義より優れているか

チャーチルは民主主義はベストではないがベターな仕組みであると述べました。他方、民主主義より一党独裁がベターだと考えている国もあります。現在の中国です。

一党独裁のほうが市民の利益になることを先回りして行うインセンティブが働く。意思決定に時間がかからないので政策が速やかに実行される。ゆえに中国の一党独裁体制のほうが、欧米の自由主義・民主主義体制より優れている。そのことは中国が、新型コロナウイルスの制圧にいちはやく成功し、経済活動を再開させたことでも実証された。習近平政権は、世界に対してそのようにアピールしています。

たしかに中国は、政策の決定や実行が日本より素早く見えます。教育やITへの投資、ゲノム編集をはじめとする最先端の科学技術、あるいはアフリカや中央アジア諸国への経済進出も、一党独裁だからすぐにできるというわけです。

しかし、中国のシステムの本質は、共産党の一党独裁というより、エリート官僚が文書行政で全国を統括する中央集権国家というグランドデザインにあると、僕は考えています。このシステムをつくったのは秦の始皇帝です。中国には科挙に見られるように、優秀な官僚を養成する伝統があり、エリートが競って統治するシステムになっています。そのエリートたちが、皇帝（現在なら習近平）の意を受けて政治を動かしているわけです。

ただし、現代の政権には、かつての王朝のような歴史的な正統性はありません。したがって、経済成長が止まった瞬間に市民の支持を失い、存続が危ぶまれる事態になる可能性はあります。

中国のシステムが機能しているのは、まだ発展途上段階にあるからと見るのが正しいと思います。急速に変わりつつありますが、現状はまだ、製造業の工場モデルが全体を引っ張る段階です。その段階では、ベルトコンベアが流れているなかで、決まった手順に沿ってひたすら手を動かすことが求められます。「自動車をこういう手順でつくることは正しいでしょうか」といちいち考えている人がいたら工場が回りません。

ですが、工場モデルの段階が過ぎたら、新しいものを生み出せないと成長できなくなります。それは独裁的なシステム下では難しい。独裁が機能するのは発展途上で、キャッチアップの段階だからです。

ただし、中国は不思議な国で、全体としては工場モデルの段階でありながら、ITやAIの分野でもアメリカと並ぼうとしています。新しい産業の象徴であるユニコーンの数でもアメリカに追いつく勢いを示しています。AIとは、いわばアルゴリズム×ビッグデータなので、中国は人口が多い分ビッグデータの集積には有利だといえます。

また、中国は一党独裁でありながら、実はけっこう自由なところのある国です。軍事・経済の両面で対立が激しくなっているアメリカへ行くのも自由です。

数年前、上海に行って、APUの卒業生の集いに参加したことがあります。その場にいた人のうち、卒業後ほとんど上海を離れたことのない人が半分。残りの半分は上海から離れたことがあり、ロサンゼルスにも家があって貿易の仕事で月の半分はロサンゼルスに住んでいるという人もいました。

ずっと上海にいる人が、習近平はやりすぎだと批判したら、ロサンゼルスと行き来している人が「習近平は、トランプ大統領とやっていることがそっくりだ、トランプも同じだ」というんですね。表向きの政治体制は違っても、内実は同じだということです。

だから一党独裁だからよくないとか、民主主義だから進んでいるとか、そういうことではないのだと、侃々諤々の議論が中国人同士で始まりました。それを聞いていて、たしかに、そのような見方にも一理あると思ったものです。

## 市民が関心を失ったとたん政府は腐敗する

民主主義がうまく機能するには、やはり有権者が勉強することが必要です。古代ギリシャである時期に民主主義が機能したのは、有権者がインテリ層とイコールだったからです。知識は力です。知識があればデマにもプロパガンダにも踊らされにくくなります。

しかしいまは、エリート民主主義ではなく、大衆民主主義の時代です。すべての市民が同等の知識を持つというわけにはいきません。知識を得るためには勉強が必要ですが、一定の経済的、時間的余裕がなければ勉強することもできません。

大衆民主主義がポピュリズムに陥ると、社会の劣化につながりやすくなります。社会の劣化は民主主義を機能させなくなり、その結果、社会はますます劣化するという悪循環に陥っていくことは、歴史の教える通りです。

市民が勉強をし、民主主義を機能させていくためには、労働生産性を上げて給与を増やし、働き方改革を行って長時間労働をなくすことが大切になってきます。

今回のコロナ禍で、社会のITリテラシーが上がったので、長時間労働をなくし同時に労働生産性を上げることが展望できる状況が生まれたと思います。これを生かさない手はありません。

いま日本では政治への関心が低く、2009年から2012年にかけての民主党政権の失敗に懲りて、なかなか政権交代が起こりにくくなっています。

小選挙区制は死票が多く、有権者の意思が反映されないと批判されます。ですが、小選挙区制はオセロゲームのような仕組みなので、ちょっとしたブームが起これぱあっという間に結果が引っくり返ることがあります。少し長い目で見たら、再び政権交代が起こることは十分あり得ると僕は見ています。

市民が、政権交代の可能性を信じず、政権交代へのインセンティブを持たなくなれば、実質的には一党独裁のような結果となり、政府は腐敗します。これもまた、歴史の教えるところです。

民主主義については、本稿執筆中にすばらしい本が出ました。宇野重規『民主主義とは何か』（講談社現代新書）です。

この本によれば、民主主義とは、「公共的な議論によって意思決定をすること（参加）」と「決定されたことについて自発的に服従すること（責任）」に加えて、「人々が自らの地域的課題を自らの力で解決する意欲と能力を持つこと」だと指摘されています。まったく同感です。

## 民主主義を回すためには公文書が不可欠

そして最後に述べておきたいのは、記録を残すこと、すなわち公文書の管理と公開のルールを徹底することの重要さです。

なぜなら民主主義は、意思決定のプロセスを検証することの積み重ねによって成熟してきた仕組みだからです。公文書（記録）が残っていなければ、ＰＤＣＡサイクル（Plan〈計画〉→Do〈実行〉→Check〈評価〉→Action〈改善〉のサイクル）を回すことができなくなります。

# [論点22] 海外留学はしたほうがいいのか

**基礎知識**

## 日本人の長期留学が減っている

新型コロナウイルスによるパンデミックで、海外留学をとりまく事情は一時的に大きく変化したが、ここではそれ以前の状況を論点整理する。

OECD等のデータに基づく文部科学省の調査によると、海外に留学している日本人の数は、1991年に3万人を超え、バブル崩壊後も増え続けたが、2004年の約8万3000人をピークに、その後は急激に減少、2016年には約5万6000人だった。2013年に集計方法が変わったため、単純な比較はできないが、ここ数年は5万人台半ばで推移していたと考えられる。

この調査は、特定の日もしくは時期に在学している留学生の数を調べたもので、1年未満の短期留学や、在学を必要としない交換留学プログラムへの参加はカウントされていない可能性が高い。こういった学生も含む日本学生支援機構の調査によれば、1カ月未満の留学は、2008年（1万1477人）から2018年（7万6545人）までの10年間で7倍近くに増えている。

つまり、短期留学は増えているが長期留学は減っている、というのが近年の日本の傾向であった。短期留学は海外を知るきっかけにはなるが、産業界が求める「グローバル人材」を育てるには、学位取得を伴う長期留学を増やすことが求められていた。

### 若者の「内向き志向」の背後にある問題

長期留学はなぜ減ったのか。理由の第1は人口減少だ。だが、2004～2016年で18歳人口は141万人から119万人と16％減だったのに対して、留学生数のほうは34％減で、単純には比較できないとしても、人口減少以外に留学生が減る理由があることが推察される。

理由としてしばしば指摘されるのは、若者の「内向き志向」だ。内閣府が日本、アメリカ、韓国など7カ国の10～20代を対象に行った調査では、日本は、短期を含む留学希望が32・3％、外国に住みたい人が19・4％で、どちらも7カ国のなかで最低。「外国留学をしたいと思わない」という回答は53・2％と5割を超え、もっとも高かった（「我が国と諸外国の若者の意識に関する調査」2018年度)。

産業能率大学が行っている新入社員に対する調査でも、「海外で働きたいとは思わない」という回答は、2017年度は60・4%で、2001年度の29・2%から大きく上昇している。

だが、それを単なる若者の気持ちの問題と片付けるべきではなく、「内向き」になる背景にも目を向ける必要がある。

まず挙げられるのは、親の賃金の伸び悩みにより、留学費用の捻出が難しくなっていることである。アメリカでは私立4年制大学の学費の平均が年間約3万5000ドルに達し(2018年度、College Board)、名門大学では年5万ドルを超えるところもある。文部科学省と民間企業は2014年から高校・大学生向けに返済不要の奨学金「トビタテ!留学JAPAN」を設けているが、企業も含めたさらなる支援が必要だとの声は少なくない。

就職活動期間とのバッティングも挙げられる。就職活動が日本人学生の留学の妨げになっていることは以前から指摘されてきた。2000年代半ばは就職氷河期が終わり大卒求人倍率が上昇傾向にあったが、2008年にはリーマン・ショックで再び就職難。その後の景気回復で新卒の就職は超売り手市場といわれるようになったが、その分、採用活動に熱心になった企業は、大学1、2年次からもインターンを受け入れるようになり、学生にとっては就職活動期間が実質的に長期化することになった。好不況にかかわらず、学生が就職活動に振り回されている傾向は変わらない。

## 「語学」と「就職」以外の意義はあるか

研究者ではない一般の学生が留学で得られるメリットとしては、たとえば次のような点が挙げられる――①異なる言語・価値観を持つ人と接することで視野が広がる、②外国で暮らすことでメンタルが強くなる、③留学先の仲間との間で人脈を築ける。

とはいえ、ほとんどの大学生は、実利を求めて留学している。少し古いが、リクルート進学総研が2013年に行った調査でも、留学に前向きな理由としてもっとも多く挙げられているのは「英語（外国語）で会話できるようになりたい」（74・8%）だった。

これに対し、語学力を身につけるだけなら、わざわざ留学をする必要はないという意見もある。とくに留学先が語学学校だと、日本人留学生同士でかたまってしまい、結果、語学スキルがあまり身につかなかったというケースもある。留学に否定的な識者は、「語学習得が目的なら留学は費用対効果が低い」と指摘している。

また、「留学して語学力を活かした仕事につきたい」という夢も簡単に叶うわけではない。外資系の会社であっても、日本法人が相手にするのは日本の顧客で、使うのはもっぱら日本語のみというところは少なくない。逆に本格的に語学力が求められる企業では、語学だけでなく、特定の分野についての専門性がなければ、就職に有利ということにはなりにくい。

さらには、AIが急速な進歩を遂げているため、単なる通訳・翻訳の仕事は、現在ほど必要とされなくなっていく。

## 高校から海外の大学に直接進学する動き

全体的には留学生は減少傾向にあるが、子どもの頃からインターネットを使うのが当たり前で、国境を越えて情報やモノがやり取りされる世界で育ってきた若い世代では、新しい動きも見られる。たとえば、これまでハーバード大学やイェール大学など海外の名門校には、日本の大学を卒業したあとに留学するケースが多かったが、最近では、高校から日本の大学を経ないで直接進学する若者も出てきている。

２０２０年まで39年連続で東大合格者数１位を誇る開成高校では、２０１４年に国際交流・留学委員会を設置し、海外の大学への進学を目指す生徒をサポートしている。２０１３年には６名だった海外大学合格者数は、２０２０年には36名と、初めて30名を超えた。

外国語の習得だけにとどまらず、トップクラスの大学へ行って国際的に活躍する実力を磨きたいという動機を持つ層は、着実に増えている。政府は「日本再興戦略」（２０１３年）の中で、２０２０年までに日本人の海外留学を12万人に増やす目標を掲げていた。

新型コロナの影響で、海外留学にとってはしばらく冬の時代が続くが、日本社会の活性化のために、長期的な視点では、本格的な留学を可能にするさまざまな経済支援が欠かせないだろう。

## 海外留学は絶対にしたほうがいい

海外留学は絶対にしたほうがいいと思います。現在は新型コロナウイルスによるパンデミックで、外国との往来は大きな制約を受けていますが、ワクチンや薬が開発されれば（アフターコロナ）、コロナはインフルエンザと同じレベルの感染症になります。そうすれば、国際交流は元に戻ると僕は考えています。

世界は多様であると頭ではわかっていても、実際には体験しないとなかなかわからない。留学は世界の多様性を実感するまたとない好機です。

ＡＰＵの寮では、全部ではありませんが、日本人学生と外国人学生を２人１部屋にしています。すると何が起こるか。学生たちの世界に対する感受性が飛躍的に高くなります。

たとえば、東日本大震災が起こったとき、日本の多くの大学で、みんなで東北を応援しに行こうとボランティア運動が立ち上がりました。しかし、地震が起きたのがネパールだったら、気の毒だと思う学生はいても、具体的な行動に移すまでにはなかなか至らないでしょう。でもＡＰＵなら、ネパールで大地震が起こっても学生たちがすぐに立ち上がります。学生のなかにネパール人がいて、他人事ではなくなるからです。

他国のことを本当に知ろうと思ったら、知識として知っているだけでは決定的に不十分です。留学して他国を自分で体験したら、その国について実感を伴った理解が醸成されます。それが本当に他国を知るということです。五感で、体全体で知るからです。また、若い時期に留学したら、多くの人はその国が好きになります。その分、世界が広がります。

そもそも日本は他国とのつき合いなしでは生きていけない国です。

現代の文明生活のベースとなっているのは、産業革命の3要素である化石燃料と鉄鉱石とゴムです。現代文明の塊である自動車や飛行機を見れば、そのことは一目瞭然です。

この3つのどれかを持っている国は、自国ファーストでもやっていけます。「うちの石油をやるから、お前のところのゴムをよこせ」といえるからです。しかし、3つのどれも持たない日本のような国は（ドイツやフランスなどほとんどの国がそうです）、国際協調路線でやっていく以外、豊かな生活をおくることはできません。

そのように考えたら、他国への理解は広くて深いほうが望ましい。チャンスがあれば、1年、2年とはいわず数カ月でもいいので、他国に実際に住んでみて、他国の生活に直に触れておくのはとても大切なことだと思います。

子どもを実際に留学させたら、日本へ帰ってきて「日本の就活システムは自分には合わない」といってまったく就職活動をしようとしないので心配だ、という親御さんから相談を受けたことがあります。

しかし、全然、心配は要らないと思います。基本的に日本の労働市場は売り手市場ですし、日本での就活が合わないのであればグローバル企業に勤めればいいだけの話です。

そんなことを勧めていたら優秀な人材が外国へ流出する、日本の国力がますます低下するという反論もあるかもしれません。しかし長い目で見れば、日本人が外国でどんどん活躍するほうが日本のためになるのです。その人の活躍を見た外国人が日本を好きになり、日本に興味を抱き、日本へ一度行ってみようかと考えるようになるかもしれません。来日した外国人がさらに別の外国人を呼んだり、日本に定住したりすることもあり得ます。

プロ野球の選手がアメリカに行くようになって、日本のプロ野球は衰退したでしょうか。そんなことはありません。

## 均質化された日本で尖った個性は育たない

現在の日本の均質的な世界しか知らないのと、世界の多様さを知っているのとでは、人生の過ごし方が大きく違ってきます。

たとえば日本では不登校が問題視されます。学校へ行きたがらない子どもはおかしいというわけです。しかし、少し視点を変えてみれば、みんながみんな、喜んで学校へ行く社会のほうがむしろ不自然ではないでしょうか。

もし、子どもが学校を嫌いだというのなら、それはそれで全然かまわないと僕は思います。おかしいのは、不登校がおかしいという考え方のほうです。

APUには不登校だった学生がたくさんいますが、いまはみんな伸び伸びと大学生活をおくっています。また、ある学生は、名門と呼ばれる小中高一貫校を卒業してAPUに入学してきました。「どうしてこんな地方の大学へ来たの？　君のいた高校だったら、そのまま系列有名大学へ進めば有名人とも知り合いになれてよかったんじゃないの」と軽口を叩いたら、その学生はこう返してきました。

「私はAPUに来て初めて、ふつうの人間であることが実感できました。いままでは、クラブ活動でも文化祭でも、こうしたいと主張したら『そんな前例はありません』とか『うちの生徒らしくない』とかいわれ、すべてがノーでした。私の感覚はふつうじゃないのかと随分悩みました。けれど、APUでは、何を提案しても、そのアイデアは面白いねなどとみんなが感心してくれました。そこで初めて人間になった気がしたのです」

APUには世界約90の国と地域から学生が集まっています。日本人学生にとっては、大学に来ているだけで、留学しているような環境です。

いわゆる社会常識に馴染まない学生もたくさんいます。「自分はスティーブ・ジョブズを超える」という学生や「マザー・テレサの後継者は私しかいない」と思っている学生がいます。世間的には変わっていると思われるのかもしれませんが、話していると、こちらがワクワク、ゾクゾクしてきます。「どうやったらメガバンクに入行できますか」などと聞いてくる学生より、よほど面白いと思いませんか。

日本が衰退してきている原因の1つとして、不寛容な社会になっていることがあげられると思います。「学生は学生らしく」「女性は女性らしく」「スポーツパーソンはスポーツのことだけを考えて」「みんな一緒に」「心をひとつに」などと、尖った個性を排除して、同じ型や色に染めようとする動きが多すぎます。

人はみな顔が違います。同じ顔の人は1人もいません。考え方も違って当たり前です。いまの日本の教育システムに合わない子どもがいても何の不思議もありません。そのことを前提として、ひとりひとり違う子どもたちがみんな楽しく勉強できる。希望を持って大学へも行ける。そのための複数のルートを用意するのが大人の仕事です。

アインシュタインのエピソードを聞いたことがあります。アインシュタインが18歳のとき、校長先生がアインシュタインを呼んで、「君のような常識のない子どもは見たことがない」と叱責したそうです。するとアインシュタインは、「常識って何ですか。僕が生まれてからこの18年間のドイツ社会の偏見の集合体じゃないですか。そんなものを学んで何になるんですか」

と口答えして、校長先生が激怒して落第させたという話です。

面白すぎるので後世の創作だとは思いますが、いかにも頷けるエピソードです。人間を常識という枠でしか評価しないのが間違いだということは、歴史上、繰り返し証明されています。

日本では、たとえば東大へ入るためには、特定の塾に通い、特定の中学・高校に行かなければダメだといったように、入試そのものが一本道となり、細部まで技術化されています。東京大学大学院教授の本田由紀さんは、日本の教育の特徴を「垂直的序列性と水平的画一性」と断じています（『教育は何を評価してきたのか』岩波新書）。その通りだと思います。これでは尖った個性が育つはずがありません。しかし、世界は真逆です。ひとりひとりの個性が独創を生み、ひいては社会を成長させています。

均質化した世界に閉じこもるのではなく、ダイナミックレンジの広い世界を経験することはとても大切です。別に国家のためにということではなく、留学は、面白い人生をおくるための格好の方法だと思います。

## 留学は社会人になってからでもできる

そして学生だけではなく、これからは社会人の留学も当たり前になっていくのではないでしょうか。

小学生にコンピュータのプログラム言語を教えても、彼らが大人になる頃には教わったプログラム言語は時代遅れになっています。知識の陳腐化のスピードはとても速くなっています。これは何も小学生に限ったことではなく、10年経てば自分の持っている知識は相当古くなっていると考えなくてはなりません。

だとしたら、社会人になって10年働いたら、再び大学へ戻って勉強し、勉強したらまた働く、といった生き方も十分ありだと思います。そのときには留学も有力な選択肢になってくるでしょう。

社会人になってから留学しようとしたら、会社を辞めなければいけないと心配するかもしれません。僕はむしろそのほうがいいと思っています。もちろん、在籍している会社がすばらしいところであれば話は別ですが、いまの日本の会社について一般論で述べれば、それほど成長していませんし、ワクワクドキドキ感がそんなにあるとも思えません。退職後、大学へ行ったり留学したりして自分をもう一度高め、あらためて別の会社を探したほうが人生は楽しくなると思います。

フィンランドでは5人に3人が違う仕事に転職するそうです。そして、転職する人の半分は、大学に入り直したり、新しい資格を取ったりして転職していくそうです。すばらしい社会だとは思いませんか。

ここまでたびたび述べてきたように、現在はそういう生き方がとてもしやすい時代です。日本は深刻な労働力不足に陥っているので、会社を辞めても転職は容易です。しかも大学で勉強し直したり留学したりすれば、実力に「プラスアルファ」されるので、キャリアアップも十分に可能です。

## 自動翻訳が普及しても英語は勉強したほうがいい

最後に語学学習について触れておきます。

ＡＩが進化し、自動翻訳してくれるデバイスが次々と登場しているので、もう英語は勉強しなくてもいいという発想もあり得ます。確かにポケトークなどはすごいですよね。

しかし、その考え方は半分正しく、半分間違っていると思います。たしかに英語の勉強に費やすリソースを本来の学びに振り向ければ、より学習が進みます。ですが、語学の勉強には、単に言語を習得するに留まらず、他言語の思考のパターンや文化そのものを学ぶという側面があります。

文化は言葉です。たとえば、英語を勉強することで、アメリカ人のものの考え方をより深く理解できるようになります。日本人同士でもそうですが、相手とコミュニケーションを取るときは、この人はどうしてこういうことをいっているのだろうと、言葉の背後にある思考のプロセスを考える必要があります。語学は単なる言葉の勉強ではなくて、外国人の発想や思考のパターンを理解する手段でもあるのです。その意味からも、やはりこれからも語学は勉強したほうがいいと思います。

ＡＰＵの留学生の大半は、秋入学、英語入試で入ってきます。日本語能力はほぼゼロです。先にも述べましたが、そんな彼ら彼女らにＡＰＵは全力で日本語教育を行っています。せっかく日本に来てくれたのだから、日本の文化（≒言葉）を学んでほしいと考えるからです。

# ［付録］自分の頭で考えるための10のヒント

「自分の頭で考えるのが何よりも大事」とよくいわれますが、そのような力はどうしたら身につけることができるのでしょうか。

皆さんからよくそんな質問を受けます。

それは、自分の周囲や、日本や世界で起きている具体的な問題について、本書でこれまで述べてきたように、自分の言葉で腹落ちするまで考えて自分なりにジャッジするというトレーニングを、日頃から積み重ねていくことに尽きると思います。

ただ、そうやって考える際の方法、補助線としてアドバイスできることはいくつかありますので、本書の最後に、10のポイントにまとめてみました。

これも、①と②の、〈「タテ・ヨコ」「算数」で考える〉はとくに重要で、ぜひすべての人に心がけてほしいことですが、それを除けば、「すべてこうしないといけない」と押しつけるつもりはまったくありません。

考えるための１つのヒントとして取り入れてもらえるものがあれば幸いです。

## ①タテ・ヨコで考える

「はじめに」でも述べたように、多くの人々の間で意見が分かれるような問題を考える際には、タテ＝時間軸（歴史軸）、ヨコ＝空間軸（世界軸）で立体的に考えるクセをつけることが役に立ちます。この二次元で考えると、物事の実態や本質がより明確に見えてきます。

たとえば、戦後の日本の社会をどう評価するか。僕は、この75年間はきわめて特殊で幸せな時代だったと考えていますが、現代の日本だけを見ていても、その意味はよくわからないと思います。

そこで、「タテ」の視点を１０００年単位で伸ばし、「ヨコ」の視点をお隣の中国に向けてみましょう。中国は４０００年もの長い歴史を持ちますが、その間、平和で豊かだった時代（盛世）は、わずか４回しかありません。

最初は文景の治と呼ばれる時代（紀元前１８０〜紀元前１４１年）、次が貞観の治（６２７〜６４９年）、次が開元の治（７１３〜７４１年）、最後が清の康熙帝、雍正帝の時代（１６６１〜１７３５年）です

（乾隆帝の時代の前半を含める考え方もあります）。この4回の盛世を合計してもわずか200年足らずです。

それに比べると、75年も平和で豊かな時代を享受している戦後の日本は、奇跡的な幸運に恵まれてきたことがわかります。

そもそも人間は猪八戒のように愚かで怠け者の存在で、ホモ・サピエンスという種が誕生してからこの20万年間、脳はほとんど進化していません。ひとりひとりの知恵にはしょせん限界があります。しかし、「タテ」の発想で先人がくり返した試行錯誤から学び、「ヨコ」の発想で世界の人々の考え方や実践を学べば、自分1人の能力ではたどりつけない、よりよい方法や正しい答えに行き着くことができると思います。

## ②算数、すなわち数字・ファクト・ロジックで考える

議論をしていて自分の意見を述べたときに、「詰めが甘い」などと指摘されたことはないでしょうか。そのように指摘されるときは、たいてい、「数字（データ、エビデンス）・ファクト（事実）・ロジック（論理、理屈）」という3つの要素のいずれかが欠けている場合だと思います。この3つが欠けていると、曖昧で説得力のない主張しかできません。

また、「数字・ファクト・ロジック」を使うと、物事のまったく違う一面が見えてくること

があります。その一例として、「源平の戦い」をどう見るかで考えてみましょう。

一般的には、平清盛が贅沢三昧に耽り、その間に東国で源氏が臥薪嘗胆で実力を養い、やがて源義経という軍事の天才が出現して、ついには平家を滅ぼした――というストーリーになっています。その後、義経が非業の最期を遂げて悲劇の英雄になったこともあり、物語としてもたいへん面白いものだといえるでしょう。

僕もそのように思っていたのですが、わが国の気象について書かれた本を読んでいて、ある「ファクト」を知りました。源平の時代には、西日本で長く天候不順が続いていたのです。そのため当時の西日本は農作物が深刻な不作に陥り、大規模な飢饉に襲われていたといいます。

この「ファクト」からは、次のような新説が導かれます。平家は西日本を地盤としていたので、飢饉が続けば兵糧面で大きなダメージを受けます。兵糧が不十分であれば、当然のことながら戦力はダウンします。文字通り「腹が減っては戦ができぬ」というわけで、これが平家滅亡の大きな原因になったのではないか、というわけです。

西日本で長く続いた気候不順は、「数字」で示されています。それによって飢饉が発生したという「ファクト」に基づいて考えると、窮乏に陥った平家は戦力ダウンして源氏に滅ぼされる……という「ロジック」が導かれる。新たに登場した平家滅亡飢饉説は、まさに「数字・ファクト・ロジック」の3要素によって合理的に説明がつきます。

ちなみに付言すると、源頼朝につき従った武士の大半は、北条氏を筆頭とした坂東平氏です。源平合戦の実体は、坂東平氏対清盛一統の伊勢平氏の争いだったのです。

## ③外付けハードディスクを利用する

タテ・ヨコで考えるといっても、たくさん本を読んでいないので、知識の蓄積がありません。そういう自分はどうすればいいでしょうか。

こんな質問もよく受けます。

それに対する僕の答えは簡単で、「過去のどうすることもできないことを嘆いても意味がありません。自分にとって本を読むことが必要だと思ったら、今日から本を読み始めましょう」というものです。

それでは身も蓋もありませんが、幸いなことに、いまは「検索」という、誰でも使える強力なツールがあります。

そもそも知識や情報を、すべて自分の頭の中に入れておくことはできません。世の中には「百科事典を丸ごと暗記しているのではないか」と驚かされるほど博覧強記な人もいますが、ふつうの人は教科書一冊を暗記するのも難しいでしょう。

また、知識が豊富な人に考える力があるとはかぎりません。「自分はものを知らないから」

「本を読んでこなかったので」などといって、自分で考えることを諦めてしまう人がいますが、思考力と知識量は別物です。

「自分の頭で考えることが大切だ」といわれると、知識や情報も「自分の頭」に入っていなければいけないように勘違いしがちですが、そんなことはありません。パソコンの外付けハードディスクのように、自分の頭の容量を超える知識や情報は「外」に置いて、必要なときに調べればいいのです。

いまはインターネットの情報が充実しています。検索をすれば、たいがいの情報は得ることができます。グーグルのロボットはどんどん精度が高まっており、信頼できる国際機関などが発表するデータが上位に表示されるようになっています。

また、自分の知らないことは、検索するだけではなく、「知っている人」に聞くのも大切です。学校なら先生がいますし、職場にも物知りな人はいるでしょう。もっと本格的に知識を得たいなら、世の中にはあらゆる分野の専門家が書いた本がたくさんあります。

本がたくさんありすぎてどれを読めばいいのかわからない、という人もいるかもしれません。それなら、図書館に行くと、何を読むべきかをアドバイスしてくれる司書という「本の専門家」がいます。「こういうことを調べたい」と相談すれば、相談者の事情に応じて、役に立ちそうな本を紹介してくれます。医者にも名医からヤブ医者までいろいろいるように、司書にもいろいろな人がいますが、押しなべて考えれば、自分でやみくもに本を探すより、はるかに有益なアドバイスが得られます。

もちろん、頭の中のストックが多いに越したことはありません。でもそれには限界があるので、「外付けハードディスク」をたくさん持ってうまく使いこなすことも、考える力を高める1つの方法です。

## ④問題を分類する「自分の箱」をいくつか持つ

何かの問題に直面して、解決策や答えを求めて考えをめぐらせるときは、まずその問題がどういう性質のものなのかを見極め、仕分けすることが大切です。

問題の性質を仕分けするとは、「箱に入れる」と言い換えてもいいでしょう。いきなり答えを求めるのではなく、とりあえず、それがどんな「箱」に分類されるのかを考える。そうすることで、考え方の枠組みのようなものがはっきりしてきます。

箱の種類は、人それぞれです。自分なりの分類で、さまざまな箱を用意すればいいと思います。

たとえば日々の生活をしていくうえで直面する課題は、「正解のあること」と「正解のないこと」の2つの箱に分けることができます。

どちらの箱に入れる問題かは、ベネフィットの多少で見分けることができます。

恋人になってほしい候補が2人いるとき、1人は自分の好みにピッタリ合ったルックスだけれど、性格があまり優しくない。もう1人はルックスはいまひとつだけれど、優しくて自分を大切にしてくれる。どちらにしようか迷うのは、メリットとデメリットが拮抗しているからです。ルックスが自分好みで性格も優しかったら正解は1つで、迷う余地はありません。

このようなベネフィットが拮抗する＝正解がない＝迷う問題は、直観で決めるしかありません。直観というのは、その人がそれまで生きてきた人生のすべての情報をデータベースとして脳が無意識の部分で判断してくれることなので、そこを信じるしかないわけです。

もっと別の次元での「正解のある問題」と「正解のない問題」もあります。

たとえば論点5で扱った「憲法9条は改正すべきか」という問題があります。先述したように、これは現実的に誰かが困っている問題ではありません。自衛隊が合憲であることは野党も容認しているので、条文を変えても変えなくても現実は何も変わりません。

したがって、改憲か護憲かはイデオロギーの争いとなっており、それぞれの陣営がどれだけ根拠を集めてきても客観的に「正解」が出ることはありません。神学論争のようなもので、いわば「永遠の水掛け論」となる性質の問題だと思います。憲法9条の改正について考えるなら、この問題がそのような性質を持っていることを認識してから始めるほうがいいわけです。

別のタイプの正解の出ない問題もあります。たとえば、論点4で扱った「気候危機」などは「複雑すぎてなかなか答えの出ない問題」という箱に入ります。そこで人類がもっと賢くなって正しい答えがわかるようになるまでは、いわば「保留」の箱に入れておき、いまは取り返しのつかない事態に陥らないように手を打っておこう、というのが、COP21の決断だったということは、すでに述べた通りです。

もちろん、数字・ファクト・ロジックで考えればシンプルに答えが出て解決できる問題も、世の中にはたくさんあります。

他方、きちんと考えれば正解は明らかなのに、社会全体では意見が分かれてしまう問題もあります。その代表が、論点19や論点20で扱った「年金」や「財政赤字」の問題です。それを専門に研究している真っ当な学者の世界ではほぼ結論が出ているのに、メディアに煽られた世間の「俗論」がそれに反対しています。「ポピュリズムに乗りやすい問題」とでも呼べばいいでしょうか。

このようにいろいろなカテゴリーに分類される問題があることを知っていれば、一見、同レベルで意見が対立しているように見える問題であっても、既得権や人気取りから生まれた「俗論」が紛れ込んでいることを見抜きやすくなります。

どのような箱をいくつ持つかは、人それぞれです。そして、どんな箱に分類して考えるにしても、共通して正しい方法は、「まず専門家の意見を虚心に聞く」ことだと、心得てほしいと思います。

## ⑤武器を持った「考える葦」になる

最近の流行りは、「正解のない問いを立てる力」です。

その背景には、「正解のある問題」を解く力だけを鍛える受験勉強や偏差値教育などに対する疑問や反省があるのでしょう。いまのような混迷の時代は、知識偏重の教育を受けた受験秀才ではサバイバルできない、というわけです。

たしかに、この世界には「正解のない問題」がたくさんあります。「考えれば必ず答えの出る問題」しか知らない人間だけでは、未来を切り拓くことはできないでしょう。「正解のない問いを立て続ける力」を持つ人材を求める声が高まるのは、時代の必然といえます。

しかし、だからといって「答えのある問題」についての知識が不要となるわけではありません。

教育基本法の1条には「教育は、人格の完成を目指し、平和で民主的な国家及び社会の形成者として必要な資質を備えた心身ともに健康な国民の育成を期して行われなければならない」と書かれています。

「平和で民主的な国家及び社会の形成者」を育てるためには、現実の社会についての正確な知識を与えなければいけません。

たとえば、国家とは何か。税金とは何か。選挙とは何か。これらの問題には、歴史に裏付けられた答えがあります。そして、市民ひとりひとりがこれらの答えを基礎知識として持ち合わせていなければ、平和で民主的な社会を維持していくことはできません。「正解のない社会問題」について考えることもできません。

人間は「考える葦である」といいますが、何も武器を持たずに自分の頭だけで考えることはできません。考えるためには、武器となる「基礎知識」が必要です。

だとすれば、教育はただ「考える力」を鍛えればいいというものではありません。最近は「知識の詰め込み」教育は評判が悪いのですが、若い世代に、生きていくために必要な知識を身につけてもらうことは、教育のきわめて重要な目的です。

人間を「社会で生き抜くための武器を持った考える葦」として育て、「正解のない問題」にあふれた社会に送り出すのが、教育の果たすべき役割だと思います。

## ⑥自分の半径1メートル圏内での行動で世界は変えられると知る

複雑系という学問分野に、「カオス理論」というものがあります。この理論によって、未来は原理的に予測不能であることが明らかになりました。計測できないほど小さな初期値の違いによって、結果がまったく異なってしまうからです。その理論の本質を言い表したのが、次の言葉でした。

「ブラジルで1匹の蝶が羽ばたけばテキサスで竜巻が起こる」

いわゆる「バタフライ効果」です。ブラジルが「北京」、テキサスの竜巻が「ニューヨークのハリケーン」になるバージョンもありますが、いずれにしろ、どこかで羽ばたくかもしれない蝶の動きをすべて把握して、気象の変化を計算することなど誰にもできません。

未来が予測できないと聞くと悲観的になりますが、逆に次のように考えたらどうでしょうか。

「取るに足らない1匹の蝶でも、羽ばたけば、世界の気象に影響を与えることができる」

私たちの暮らす世界は広くて複雑なので、人はしばしば無力感を抱きます。さまざまな問題を解決したいけれど、自分1人が頑張っても世界を変えることなどできっこない——そう思って、問題を考えること自体を諦めてしまうのです。「自分の1票など何の影響力もない」と思い込んで選挙で投票に行かないのは、その典型的な表れです。

しかし現実は違います。自分の半径1メートル圏内での行動が、ブラジルや北京で羽ばたく1匹の蝶のように、世界を変えてしまう可能性は十分にあります。それを体現した1人が、スウェーデンの環境活動家グレタ・トゥーンベリさんです。

8歳のときに気候変動への対策がほとんど行われていないことを知った彼女は、そのショックによって心に変調を来しました。そして15歳のときに、「気候のための学校ストライキ」をたった1人で始めます。その運動の輪がどんどん広がり、結果的に1000万人を超える若者たちを動かしました。

いまや世界に彼女の名前を知らない人はいないでしょう。大人たちの問題意識を喚起したという点で、彼女の行動には竜巻やハリケーンのようなインパクトがありました。「グレタ効果」という言葉もあるぐらいですから、まさにカオス理論におけるバタフライ効果を連想させます。

「自分1人だけの小さな行動」は、決して無力ではなく、いつか世界を変える力を秘めています。逆に、羽ばたかなければ、永遠にハリケーンは起こりません。

そして、世界を変えるのに一番手っ取り早い行動は、やはり選挙での投票です。

「政治なんか自分には関係ない」と思って選挙に行かない人もいますが、日本人は平均すると収入の4割以上を税金等で納めており、税金の使い方を決める政治と関係のない人は存在しません。

税金の使い方をみんなで決めなければ、社会が変わるはずがありません。「みんなで選ぶ」とは、端的にいえば「投票率を上げる」ということです。

みんなが投票に行き、投票率が上がれば、いくらでも世界は変わります。この仕組みについては論点21「民主主義」で説明しました。日本ではこの当たり前のことを具体的な数字で示して教えていないので実感できないだけで、1人の投票行動が社会に大きな波を起こす実例は、先進国にもたくさんあります。

学歴も収入も高い、いわゆるエリート層のなかにも、「他人は変えられないし、世界も変えられない。政治に口を出してもムダ。半径1メートル圏内で自分の利益だけ考えて行動するほうが賢い」といったことを述べる人がいます。そのような考えの持ち主が増えることは、僕は健全な社会の衰退だと思っています。

## ⑦「人はみんな違って当たり前」だと考える

これまで日本の教育は、次の「5要素」を重視してきました。

・偏差値が高い
・素直である
・我慢強い
・協調性がある
・先生や上司のいうことをよく聞く

こうして並べてみると、一部の企業経営者は「すばらしい人材だ」といいます。

でも、こういう人間ばかりを集めた組織が、新しいものを生み出すことができるでしょうか。組織としてのルーティンワークは効率よくこなせるでしょうが、創造的な仕事が生まれるとはとても思えません。この5要素は、僕にいわせれば、戦後の製造業の工場モデルに結果として過剰適応したものに過ぎません。

そこで、従来の教育に満足していない人の多くは、「個性を伸ばす教育を行うべきだ」と主張します。それはよしとして、ここで「個性」と呼ばれているのは具体的にどんなものでしょうか。

多くの人が思い浮かべるのはクリエイティビティ、まさに新しいものを生み出す「創造性」でしょう。

しかし、そんな能力が誰にでも備わっていれば苦労はしません。高いクリエイティビティの持ち主は一握りですし、そういう人は放っておいてもそれを発揮して生きていきます。ですから、教育で求められるのは、そのようなクリエイティビティを伸ばすことではありません。

個性とは、単に「みんながそれぞれ人と違うこと」を認めることにすぎません。人はそれぞれ顔や声が違う。趣味嗜好や性格もさまざまです。それ自体は良くも悪くもないニュートラルなものです。そういう「違い」を当たり前のものとして受け入れることが、「個性を大事にする」ことなのだと思います。

かつてＩＢＭに浅川智恵子さんという全盲のフェローがおられました。彼女が目の見えない人のためのプログラムを開発したいと述べたとき、会社は当初、「マーケットが小さすぎる」と拒否したそうです。それでも彼女が目が見えない人のための音声インターフェースを開発したところ、それは視覚障がい者だけではなく、高齢者などにも使い勝手のよいものだとわかりました。小さいマーケットしかないと思われたものが、じつは多くのユーザーにとって使いやすい汎用性を持っていたのです。

彼女は自分の視覚障がいを「ハンデではなく個性だと思っています」と語っていました。これは本当に至言だと思います。

人はみんな違って当たり前だと考えれば、全盲という、一見不便でマイナスなものと思われがちな特質も「個性」となって、それを生かす道が開けてきます。そのような個性を尊重し、「人がみんな違うことを否定しない」という発想があれば、社会には多様性が生まれ、そこから新しいものが生まれてきます。

閉塞しているといわれる日本社会のブレイクスルーはそこにしかないと、僕は考えています。

## ⑧人の真贋は言行一致か否かで見極める

ある人を信用できるかどうか。あるいは、重要な意思決定を任せられるかどうか。

このような、人の「真贋(しんがん)」の見極めについては、人それぞれに自分なりのモノサシを持っていることでしょう。僕の場合は、「言行一致」かどうかという点に尽きると思っています。言っていることとやっていることが違えば、「やる」と言ってもやらないかもしれませんし、「やらない」と言ってもやってしまうかもしれません。そのような人は、信用できません。

言行一致の人であるかどうかは、その人が相手によって意見や態度を変えるかどうかを見ればすぐにわかると思います。

僕は日本生命に入ったとき、先輩から、「直接の上下関係になったり、双方の利害がからむハードネゴシエーションの相手になったりしなければ、会社の人はみんな立派でいい人ばかりだよ」と教えられました。

それは裏を返せば、仕事上の厳しい場面で上下関係になったり交渉相手になったりすれば、嘘をつく人なのか、責任を取らずにすぐ逃げる人なのか等、その人の真価がすぐにわかるということです。

もちろん、大人の世界では、ときには社交辞令も必要です。実際には、相手次第で態度や意見を変えることがある人のほうが大半で、その意味では僕自身も「贋」の部類でしょう。

だとしても、たとえば社会や組織のリーダー的な立場にありながら、公の場で相手によって意見や態度を変え、言行が一致しないような人は、人間として信用できず、リーダーとしても失格だと思います。

## ⑨好き嫌いや全肯定・全否定で評価しない

「坊主憎けりゃ袈裟まで憎い」という言葉があります。これは、私たちが抱きがちなある種の「思い込み」のたとえです。

袈裟に対する好き嫌いは、それを着ている坊主に対する好き嫌いとは無関係なはずなのに、なかなかそうは思えない。同じ袈裟であっても、自分の好きな人が持っているか、自分の嫌いな人が持っているかによって、評価が違ってしまう。このような思い込みを「属人的判断」と呼びます。

私たちは日常のさまざまな場面で、このような思い込みに左右されています。たとえばノーベル物理学賞や化学賞を受賞した研究者が、まったく専門外の社会問題について意見を述べたとき、私たちはそれを一般人の意見と同じように聞けるでしょうか。「立派な学者が述べたのだから立派な意見なのだろう」と属人的に評価してしまう人が多いと思います。

逆に、日頃から嫌いな人の意見は、端から「間違っている」と決めつけてしまうこともよくあるでしょう。

しかし、立派な業績のある人が間違った意見を口にすることはいくらでもあります。嫌いな人が正しい考えを主張することもあります。

もちろん、「この人は好き」「この人は嫌い」といった感情を持つこと自体が悪いわけではありません。しかし物事を考えるときの判断材料として人の意見を聞くときは、自分の好き嫌いは脇において、意見は意見として独立して判断すべきです。

また、「この人の言うことならすべて正しい」「こいつの意見はすべて間違っている」と頭から全肯定あるいは全否定することで、適切な判断ができなくなってしまうことも多々あります。「言っていることの9割はデタラメだけれど、1割は正しいことを言う」人や、その逆の人は、世の中にたくさんいます。

意見と人格を切り離して受け入れるのはなかなか難しいことです。しかし、音楽や絵画や小説などの作品を鑑賞するとき、私たちは作者の人格などあまり気にしないでしょう。評伝などを通じて、偉大な芸術家が人間としては破綻していたことを知ったりもしますが、それによって作品への評価が変わるわけではありません。「人間としてはダメだけれど、この作品はすごい」というケースはいくらでもあります。

僕自身、オールオアナッシングで考えがちなタイプなので、これは自戒を含めての話ですが、人間は多面的であるという認識のもと、「意見と人格」「作品と人格」は切り離して、是々非々で評価しなければならないと思っています。

## ⑩常識は徹底的に疑う

物事を考えるときには、既存の「常識」に囚われてはなりません。とくに新しい問題を解決するためには、常識を疑うことが何よりも重要です。

ただし、常識を「疑う」ことと常識を「否定する」ことは同じではありません。疑った結果、間違っているとわかれば否定する。否定できるだけの明確な証拠がなければ、長く続いてきた伝統や習慣はそのまま大事にしておけばいい。僕はそのように考えています。

その根っこにあるのは、人間は賢くない、という認識です。これは僕が好きな、エドマンド・バークという思想家の考えです。

長く続いてきた伝統や慣習には、矛盾や不合理なところはあっても、全体としてそれなりに正しいところがある。賢くない人間が徹底的に疑ってみて、その間違いをクリアに検証できないかぎりは、とりあえずは残しておこうという考え方です。その意味で僕はバークと同じように、保守的な人間です。

もし人間が賢ければ、資本主義は社会主義に敗れてとっくに終わっていたことでしょう。社会主義とは、市場原理に任せるより、「賢い人間の理性」による計画経済によって世界をコントロールしたほうが、豊かな社会を実現できるという思想に拠って立つ立場です。人間の理性が確かなものなら、社会主義が勝つはずです。しかし結果的に計画経済はうまくいかず、社会主義の敗北に終わりました。

もちろん資本主義にもさまざまな問題や欠陥があります。資本主義はもう限界だということは、僕が物心ついたときから何度もいわれてきましたが、それでもこうして続いている。そこには人間の「理性」より優れた何ものかが存在し、僕はそれを否定するだけの証拠を持ち合わせていません。

では、僕が常日頃からダメだと訴えている日本的雇用慣行はどうなのか。これも「長年の習慣」として根づいた「常識」ですが、新卒一括採用、終身雇用、年功序列、定年というワンセットの慣行が、もはや存在意義を失っていることを示す証拠は山ほどあります。これらの制度が合理的だったのは、人口が増加し、かつ右肩上がりで企業の業績が伸びていた高度成長期だったからです。人口の増加と高度成長という2つの前提条件が失われているので、日本的雇用慣行は間違っていると、100％の自信を持っていえます。だから変えなければならないと主張し続けているわけです。

もう1つ、天皇制の問題を考えてみましょう。

大分県中津出身の福沢諭吉は「天は人の上に人を造らず人の下に人を造らずといへり」と述べました。ドイツやフランス、イタリアなど、世界には君主政をやめて共和政になった国はたくさんあります。

しかし現在の日本人の感情や政治状況、これまでの皇室の方々の言動などを見てみると、「君主政を廃止して共和政にしたほうが世の中がよくなる」という確証はまったく持てません。王室や皇室というものの持つ力は確かにあるのです。そこで、天皇制は残しておいたほうがいいというのが、僕の結論です。

天皇の地位は「国民の総意に基く」と憲法で明確に定められています。女性天皇や女系天皇の問題も、憲法の規定通り、国民の総意に基づくべきでしょう。歴史的な天皇制がどうであったかは、また別の問題で、それは学者に委ねるべき事柄です。

新しいことを始めたい、これまでのやり方を変えたいと思って、常識の壁にぶつかったら、僕は、なぜそうなっているのか、「なぜ」「なぜ」「なぜ」と最低3度ぐらいは徹底的に疑うようにしています。

長い伝統であっても、無条件に受け入れるのではなく、「本当に必要なのか」と常に疑う姿勢を持ち、明らかに間違っていると証明された場合は、どんな伝統でも変える勇気を持つ。逆に、そこまでの証拠が見当たらないものは、大きな弊害がないかぎり大事に残していく。

そうやって先人の積み重ねてきた知恵に敬意を払いつつ、少しずつ伝統に手を加えて改良していくのが、本来あるべき「保守」のスタンスだと思っています。

一見矛盾するように思われるかもしれませんが、それが、常識懐疑論者でありかつ保守主義者であるという、僕の基本的な姿勢です。

でも常識を疑うことは難しい。なぜなら常識のほとんどは、一見したところ、真っ当に思えるからです。

たとえば、「男と女は違うけれど平等」「男女の違いを認めたうえで平等に扱おう」という異質平等論があります。男女には統計的に有意な身体能力の差があるのはたしかなので、一見真っ当な理屈に思えます。

しかし、本当にそうかと突き詰めれば、この考えは人々の多様性を男と女という従来の常識の2つの箱に押し込めようとする、かなり抑圧的な発想です。異質平等論だとLGBTQは理解できにくくなるので、これは間違っていることがわかります。この考え方は、瀬地山角さんの『炎上CMでよみとくジェンダー論』（光文社新書）から学びました。

「個人差は性差や年齢差を超える」というのがダイバーシティの大前提です。常識を疑うことを信条としている僕でも、つい「男性あるいは女性の良いところは」とか「高齢者の生きる意味は」などと不用意に一括りにして考えてしまいがちです。

常識を疑うことは本当に難しい。自分が常識に囚われていることに気づかないから、なおさら難しい。お互い、そのことを十分肝に銘じておきたいものです。

## 著者略歴

出口治明
でぐちはるあき

一九四八年三重県生まれ。立命館アジア太平洋大学(APU)学長。

ライフネット生命創業者。

京都大学法学部卒。一九七二年、日本生命に入社。

ロンドン現地法人社長、国際業務部長などを経て二〇〇六年に退社。

同年、ネットライフ企画を設立、代表取締役社長に就任。

二〇〇八年に免許を得てライフネット生命と社名を変更、
二〇一二年上場。社長・会長を一〇年務めたのち、二〇一八年より現職。

『人生を面白くする　本物の教養』(幻冬舎新書)、『全世界史(上・下)』(新潮文庫)、

『人類5000年史(Ⅰ~Ⅲ)』(ちくま新書)、『座右の書『貞観政要』』(角川新書)、

『哲学と宗教全史』(ダイヤモンド社)、

『還暦からの底力』(講談社現代新書)など著書多数。

幻冬舎新書　603

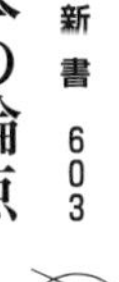


# 自分の頭で考える日本の論点

二〇二〇年十一月二十五日　第一刷発行
二〇二一年　一　月　十五　日　第四刷発行

著者　出口治明
発行人　志儀保博
編集人　小木田順子

発行所　株式会社　幻冬舎
〒一五一－〇〇五一　東京都渋谷区千駄ヶ谷四－九－七
電話　〇三－五四一一－六二一一（編集）
〇三－五四一一－六二二二（営業）
振替　〇〇一二〇－八－七六七六四三

ブックデザイン　鈴木成一デザイン室
印刷・製本所　株式会社　光邦


Printed in Japan　ISBN978-4-344-98605-3 C0295
て-3-2

幻冬舎ホームページアドレス https://www.gentosha.co.jp/
*この本に関するご意見・ご感想をメールでお寄せいただく場合は、comment@gentosha.co.jp まで。

幻冬舎新書

出口治明
人生を面白くする
本物の教養

教養とは人生を面白くするツールであり、ビジネス社会を生き抜くための最強の武器である。読書・人との出会い・旅・語学・情報収集・思考法等々、ビジネス界きっての教養人が明かす知的生産の全方法。

藤垣裕子　柳川範之
東大教授が考えるあたらしい教養

東大教授2人が提唱する教養とは「正解のない問いに対し、意見の異なる他者との議論を通して思考を柔軟にし、〈自分がよりよいと考える答え〉にたどり着くこと」。その意味するところを解説。

伊藤真
続ける力
仕事・勉強で成功する王道

「コツコツ続けること」こそ成功への最短ルートである！　司法試験界のカリスマ塾長が、よい習慣のつくり方、やる気の維持法など、誰の中にも眠っている「続ける力」を引き出すコツを伝授する。

野口悠紀雄
だから古典は面白い

無類の読書家であり経済学者の著者は「読書するなら古典」という。著者が推薦する本を読めば、そのめくるめく世界観に心浮き立つだけでなく、仕事で役立つ知識も身につくこと、請け合い！

# 幻冬舎新書

樋口裕一
## すばやく鍛える読解力

文章の本質が瞬時にわかれば、ビジネスの9割はうまくいく。メールや企画書はもちろん、要点をつかみづらい官僚的な文書、癖のある新聞コラムまで、どんな文章でも速く正確に読み解くコツを解説。

山本健人
## 医者が教える 正しい病院のかかり方

点滴は風邪に効く？　抗生物質で風邪は治る？　がんは切るべきか切らざるべきか？　玉石混淆の医療情報があふれかえる中、ベストな治療を受け命を守るために必要な基本知識60を現役外科医が解説。

伊藤賀一
## 47都道府県の歴史と地理がわかる事典

各都道府県の歴史・地理をコンパクトながら深掘り解説、経済活動や伝統文化等に加えて、全都道府県に足を運んで集めた「鉄板ネタ」「地雷ネタ」まで盛り込んだ、読んで楽しく役に立つ画期的な事典。

梶谷真司
## 考えるとはどういうことか
0歳から100歳までの哲学入門

ひとり頭の中だけでモヤモヤしていてもダメ。考えることは、人と問い語り合うことから始まる。その積み重ねが、あなたを世間の常識や不安・恐怖から解放する——生きることそのものとしての哲学入門。